Autos sacramentales del Siglo de Oro

CLÁSICOS PLAZA & JANÉS

BIBLIOTECA CRÍTICA DE AUTORES ESPAÑOLES

Autos sacramentales del Siglo de Oro

Edición de ENRIQUE RULL FERNÁNDEZ
Profesor de la Universidad Nacional
de Educación a Distancia

Colección CLÁSICOS PLAZA & JANÉS
Proyecto y realización
EDIMUNDO, S. A.

Diseño de portada: Jordi Sánchez

Depósito legal: B. 6.724-1986
Primera edición 1986
ISBN: 84-01-90566-4
Fotocomposición Ipar, s. c. l., Bilbao
Printed in Spain. Impreso en España por
Gráficas Ramón Sopena, S. A.
Provenza, 95 - 08029 Barcelona

Para Ana.

ÍNDICE GENERAL

Introducción:

Autos sacramentales del Siglo de Oro:

Apéndices:

INTRODUCCIÓN

EL AUTO SACRAMENTAL EN EL SIGLO DE ORO

Noticia cronológica

1600 Nace en Madrid Don Pedro Calderón de la Barca. Fray José de Sigüenza publica la *Historia de la Orden de San Jerónimo*. Alonso de Ledesma publica la Primera Parte de sus *Conceptos espirituales*. Derrota de las tropas españolas al mando del Archiduque Alberto en la batalla de Las Dunas.

1601 Nacen Baltasar Gracián y Alonso Cano. Muere Francisco Sánchez de las Brozas, «el Brocense». Se traslada la Corte española a Valladolid. Sitio de Ostende.

1602 Lope de Vega: *La hermosura de Angélica*. Mateo Luján: *Segunda Parte del Guzmán de Alfarache*. Nace Juan Pérez de Montalbán.

1603 Rojas Villandrando: *Viaje entretenido*. Quevedo escribe *El buscón* (que se publica en 1626). Muere Isabel I de Inglaterra.

1604 Lope de Vega: *El peregrino en su patria*, donde se publican cuatro de sus autos (*El viaje del alma, Bodas entre el Alma y el Amor Divino, La Maya, El hijo pródigo*). Mateo Alemán: *Segunda Parte del Guzmán* (por su verdadero autor). Rendición de Ostende.

1605 Cervantes: *Don Quijote de la Mancha* (Primera Parte). López de Ubeda: *La pícara Justina*. Pedro de Espinosa: *Flores de poetas ilustres*. Shakespeare: *El rey Lear, Macbeth*. Ben Johnson: *Volpone*.

1606 Quevedo empieza la redacción de los *Sueños*. Vuelve la Corte a Madrid. Nace Corneille.

1609 Lope de Vega: *Arte nuevo de hacer comedias*, que se imprime en la nueva edición de sus *Rimas*. Aparece la *Se-*

gunda Parte de las comedias del Fénix. Expulsión de los moriscos.

1611 *Tesoro de la lengua castellana,* de Covarrubias. Muerte de la reina Margarita de Austria. Se suspenden las representaciones teatrales. Gustavo Adolfo, rey de Suecia.

1612 Valdivielso: *Romancero espiritual.* Lope de Vega: *Los pastores de Belén.*

1613 Cervantes: *Novelas ejemplares.* Lope de Vega: manuscrito autógrafo de *La dama boba.*

1614 Lope de Vega: *Rimas sacras.* Cervantes: *Viaje del Parnaso. Quijote* de Avellaneda.

1615 Segunda Parte del *Quijote,* de Cervantes. *Ocho comedias y ocho entremeses,* de Cervantes. Auto de *La venta de la Zarzuela,* de Lope de Vega.

1616 Mueren Cervantes y Shakespeare. La Inquisición prohíbe a Galileo la enseñanza de sus teorías.

1618 Nace Agustín Moreto. Guillén de Castro: Primera Parte de las *Comedias.* Vicente Espinel: *Vida del escudero Marcos de Obregón.* Villegas: *Eróticas.* Comienza la Guerra de los Treinta Años.

1621 Se publica *La Filomena,* de Lope de Vega. Nace La Fontaine. Muere Felipe III y le sucede su hijo Felipe IV. Caen en desgracia los validos anteriores y sube el Conde-Duque de Olivares.

1622 Primera edición de *Doce autos sacramentales y dos comedias divinas,* de Valdivielso. Nace Molière.

1623 Calderón: *Amor, honor y poder.* Marino: *Adone.* Nace Pascal.

1624 Tirso: *Los cigarrales de Toledo.* Jáuregui: *Orfeo en lengua castellana.* Richelieu, ministro de Luis XIII de Francia.

1625 Lope de Vega: *Triunfos divinos.* Guillén de Castro: Segunda Parte de las *Comedias.* Sitio de Breda.

1626 Quevedo: *Política de Dios, El buscón.* Triunfos de Wallenstein.

1627 Tirso comienza la publicación de las cinco Partes de su teatro. Góngora: *Obras en verso* (ed. López de Vicuña). Muere Góngora.

1628 Calderón: *El Príncipe constante*. Quevedo edita las *Poesías* de Fray Luis de León. Asesinato del Duque de Buckingham.

1630 Lope de Vega: *El laurel de Apolo*. Pellicer: *La Fénix*. La Guerra de los Treinta Años entra en el llamado Periodo Sueco, con la intervención del rey de Suecia, Gustavo Adolfo.

1632 Lope de Vega: *La Dorotea*. Nacen Spinoza y Locke. En la batalla de Lützen muere Gustavo Adolfo.

1633 Calderón: *La devoción de la cruz*. Primeros autos de Calderón, de fecha no muy precisa (hacia 1630-1640).

1634 Lope de Vega: *Rimas del licenciado Tomé de Burguillos*. Ruiz de Alarcón: Segunda Parte de Comedias. Asesinato de Wallenstein. Triunfo católico del Cardenal-Infante y el rey de Hungría en Nördlingen. Calderón: *El nuevo palacio del Retiro*.

1635 Muere Lope de Vega. Calderón: *La vida es sueño*. Tirso de Molina: *Deleitar aprovechando* (aquí se incluyen los autos *El colmenero divino*, *Los hermanos parecidos* y *No le arriendo la ganancia)*. Richelieu decide intervenir en la guerra contra España y Austria.

1639 Muere Ruiz de Alarcón. Tirso de Molina: *Historia de la Orden de la Merced*. Derrota española en Las Dunas.

1640 Calderón: *Primera Parte de las comedias*. Rojas Zorrilla: *Primera Parte de las Comedias*. Saavedra Fajardo: *Empresas políticas*. Guerra de Cataluña. Sublevación de Portugal. Calderón: *Los misterios de la misa*, *Psiquis y Cupido* (para Toledo).

1641 Calderón: *Segunda Parte de las comedias*. Vélez de Guevara: *El diablo cojuelo*.

1644 Edición las *Obras* de Góngora por Salcedo Coronel. Quevedo: *Vida de Marco bruto*. Enríquez Gómez: *El siglo pitagórico*. Muere Mira de Amescua. Calderón: *La humildad coronada de las plantas*, *El socorro general*. Publicación de las *Fiestas del Santísimo Sacramento*, por José Ortiz, con doce autos de Lope de Vega, con sus loas y entremeses.

1651 Gracián: *El criticón*. Jerónimo de Cáncer: *Obras varias*.

Calderón: *La semilla y la cizaña*, *El Año Santo en Madrid*. Hobbes: *Leviathan*. Nace Fenelón.

1654 Moreto: *Primera parte de las comedias*. Zabaleta: *El día de fiesta por la mañana*.

1658 Calderón: *El laurel de Apolo*, y los autos: *Primero y Segundo Isaac* y *La devoción de la Misa*. Matos Fragoso: *Primera parte de las comedias*. Nueva derrota española en Las Dunas.

1659 Calderón: *El maestrazgo del toisón*, *El sacro Parnaso*. Molière: *Las preciosas ridículas*. Paz de los Pirineos.

1660 Calderón: *El lirio y la Azucena* (auto para conmemorar la Paz de los Pirineos), *El diablo mudo*. Zabaleta: *El día de fiesta por la tarde*. Nace Daniel Defoe. Luis XIV casa con María Teresa de Austria, hija de Felipe IV.

1663 Calderón: *El divino Orfeo* (segunda y definitiva versión). Francisco Santos: *Día y Noche de Madrid*.

1665 Calderón: *Psiquis y Cupido* (para Madrid). Molière: *Tartufo*. El rey Felipe IV muere. Le sucede Carlos II, bajo la regencia de Mariana de Austria.

1673 *La vida es sueño* (auto de Calderón, segunda versión). Molière: *El enfermo imaginario*.

1677 Calderón: *Autos sacramentales*, primera edición de doce autos. Racine: *Fedra*. Spinoza: *Etica*.

1680 Calderón: *Andrómeda y Perseo*. Fundación de la Comédie Française.

1681 Muere Calderón de la Barca. Antes de morir compone sus dos autos últimos: *El cordero de Isaías* y *La divina Filotea*.

Origen y carácter del auto sacramental

Caracteres y límites

Se ha discutido con cierta frecuencia cuál sea la razón que impulsó el surgimiento de este género teatral específico. Ante la insistencia en la idea de que el auto sacramental procede de una actitud contrarreformista, implícitamente asentada en el monumental estudio de González Pedroso[1], Marcel Bataillón rechazó esta hipótesis basándose en que no hay ningún testimonio contemporáneo que avale dicha afirmación, pues incluso en la *Colección de autos, farsas y coloquios* que publicó Rouanet[2] apenas si hay alusiones a la herejía[3]. Esta cuestión ya nos sirve de punto de partida para indagar en los caracteres y límites del auto sacramental.

Por de pronto, hay que reconocer que el auto tiene su precedente inmediato en los autos y farsas que componen Juan del Encina, Lucas Fernández y Gil Vicente durante el siglo XVI, pero estos precedentes no son en sentido estricto su fuente como género, pues los autores mencionados escribían sus obras teatrales en respuesta a los espectáculos dramáticos demandados por la Iglesia, espectáculos que giraban en torno a varios ciclos religiosos, principalmente el de Navidad, Pasión y Resurrección. De ellos el primero es el más extendido en cantidad y en proyección histórica.

El auto sacramental procede de otras circunstancias. En primer lugar, aparece como un teatro vinculado no a los ciclos tradicionales (Navidad, Pasión, Resurrección), sino a la fiesta del Corpus Christi. Esta fiesta fue establecida por la Iglesia hacia 1264, cuando el papa Urbano IV ordenó que todos los jueves siguientes a la octava de Pentecostés se celebrase la conmemoración eucarística, y un siglo más tarde aproximadamente, Juan XXII de Aviñón prescribió que se hicieran en todas las parroquias procesiones en las que se expusiera la Sagrada Hostia; estas procesiones cobraron arraigo y auge hasta tal punto que en España se llegó a instaurar prácticamente como una fiesta nacional.

Está claro que al amparo de tales fiestas surgieron las representaciones sacramentales. Los autos, pues, no proceden

---

[1] *Autos sacramentales desde su origen hasta fines del siglo XVII*. Colección escogida, dispuesta y ordenada por Eduardo González Pedroso. Madrid, Rivadeneyra, BAE, 1865, t. LVIII. Reimpresión en Ed. Atlas, 1952.

[2] Léo Rouanet: *Colección de autos, farsas y coloquios del siglo XVI*, Barcelona, 1901 (4 tomos).

[3] Puede leerse el artículo, ya histórico, de Marcel Bataillon, «Ensayo de explicación del 'auto sacramental'», en M. Durán y R. González Echevarría, *Calderón y la crítica* (véase la Bibliografía), tomo II, págs. 457-59.

de los ciclos anteriormente citados sino de estas fiestas específicas del Corpus Christi. Y así, se constituyeron como una fiesta específicamente española, y como un nuevo ciclo que iba a tener un futuro y una proyección insólitos.

La definición del auto sacramental tiene que darse, por consiguiente, bajo la consideración de estas premisas, y observarse desde la perspectiva de las fiestas eucarísticas. Este hecho ha supuesto que la esencia literaria de los autos sacramentales quede sometida a una cuestión litúrgica y doctrinal, hasta el punto que algunos autores le hayan negado un carácter verdaderamente dramático. Cierto es que, aparentemente, la necesaria exaltación eucarística parecía dejar escasos resquicios a una fabulación compleja y variada, pero los autores abrieron la puerta a la imaginación, ideando sobre la estructura rígida del acontecimiento sacramental todo un conglomerado de símbolos y alegorías, que gracias a la tradición de las fábulas moralizadas surgidas en época medieval, determinó la creación de múltiples argumentos cuya materia procede prácticamente de todos los ámbitos de la cultura, desde la *Biblia* y las historias de la inventiva grecolatina hasta la narrativa caballeresca, las narraciones folklóricas, las propias obras literarias contemporáneas e incluso los hechos de la vida cortesana, política, y hasta de lo cotidiano.

El elemento alegórico fue poco a poco la sustancia del auto sacramental y, a la postre, elemento inexcusable en su composición.

Lope de Vega intentó dar una definición del auto en los términos siguientes:

> Y ¿qué son autos? — Comedias
> a honor y gloria del pan,
> que tan devota celebra
> esta coronada villa,
> porque su alabanza sea
> confusión de la herejía
> y gloria de la fe nuestra,
> todas de historias divinas.

(*Loa entre un villano y una labradora.*)

Aquí Lope daba algunas características parciales del género. Las llama «comedias», con lo que está sentando las bases para que el auto responda de alguna manera a la estructura dramática y de personajes de la «comedia nueva», introducida fundamentalmente por él mismo. Desde Lope hasta Calderón y los epígonos del género, el auto sacramental tendrá efectivamente este carácter de «comedia», aunque en un sólo acto. Muchas de las comedias profanas darán materia argumental a los autos. Recordemos, por ejemplo, cómo Calderón extraerá de su comedia *La vida es sueño* el auto del mismo título, de su comedia *Fortunas de Andrómeda y Perseo* el auto titulado *Andrómeda y Perseo*, o de *El Pintor de su deshonra*, comedia, el auto de igual denominación. Y esto no sólo se produce porque la comedia provee de material argumental al auto, sino también porque la estructura de la misma y sus convenciones como género pasan al auto sacramental. Los motivos, los personajes, las situaciones se repiten en los autos, aunque revestidos con el lenguaje simbólico que les es propio. Cristo será un galán en muchas ocasiones, El Alma, por ejemplo, una perfecta dama, el Pensamiento un gracioso, etc., y el enredo de las situaciones responderá al mismo esquema dramático de la comedia lopesca. Lo que ha habido realmente es un trasvase de técnicas y actitudes de un género a otro.

Lope decide que estas «comedias» se realizan «a honor y gloria del pan», es decir que el carácter eucarístico es consustancial al género. El reconocimiento de que su representación se debe a una intención fundamentalmente didáctica y de controversia es un indicio claro de que la exaltación eucarística tenía para los escritores de todo el siglo XVII un marcado carácter de apología local frente al protestantismo. No es que fuera una batalla ganada, como dice Wardropper[4], es que la creencia eucarística era un elemento de diferenciación religiosa y una tradición ya muy arraigada en España, pero que en cualquier caso había que conservar a toda costa. Puede ser cierto que la guerra, en España al menos, estaba

---

[4] Bruce W. Wardropper, *Introducción al teatro religioso del Siglo de Oro*, Salamanca, Anaya, 1967, pág. 28.

ganada después del Concilio de Trento, pero no lo es menos que el sentido católico imperial que de alguna manera sostenía la monarquía de los Austrias, necesitaba de la confirmación a ultranza de la doctrina sacramental como elemento específico de una religiosidad diferenciada, de una política y unas estructuras temporales apoyadas y fundamentadas incluso en la devoción eucarística[5]. Creemos haber demostrado esto en relación con varios autores de la segunda mitad del siglo XVII, principalmente en Calderón. Recordemos incluso que la Guerra de los Treinta Años significó para España un recrudecimiento de las guerras religiosas, por lo menos hasta la intervención de Francia en la contienda[6]. Lope, con su definición, no sólo recordaba «uno de los resortes del drama sacramental de su niñez»[7], como dice Wardropper, sino que hacía que el pueblo tomase conciencia de que el drama sacramental era algo propiamente suyo, algo específico del catolicismo español («gloria de la fe nuestra», dice Lope), y algo por tanto que oponer históricamente a los pueblos que vivían alejados de este misterio.

Calderón, más consciente que Lope del carácter del mensaje sacramental y de su traducción a medios artísticos, dijo textualmente de los autos:

Sermones
puestos en verso, en idea
representable, cuestiones
de la Sacra Teología,
que no alcanzan mis razones
a explicar ni comprender,

---

[5] Esto es muy claro ya en la mitad del siglo XVII e incluso antes. Calderón, Mira de Amescua y otros intentaron desde fecha temprana hasta finales del siglo, utilizar el auto sacramental como cobertura político-teológica en defensa de la estirpe austriaca. Véanse nuestros estudios: *Calderón y Nördlingen* (en colaboración con J. C. Torres), Madrid, CSIC, 1981; «Hacia la delimitación de una teoría político-teológica en el teatro Calderón», en *Actas del Congreso Internacional sobre Calderón...*, Madrid, CSIC, 1983, págs. 759-67.

[6] Véase *Calderón y Nördlingen, ed. cit.*

[7] Véase Wardropper, *Introducción al teatro religioso...*, *ed. cit.*, pág. 28.

y el regocijo dispone
en aplauso de este día.

(Loa a *La segunda esposa y triunfar muriendo*,
Pando, VI, pág. 293 b.)

Creemos que quien mejor ha explicado el sentido de estos versos es Alexander A. Parker[8] y a su libro siempre válido remitimos al lector. No obstante, quisieramos hacer unas consideraciones sobre dichos versos para iluminar esta leve trayectoria de opiniones de contemporáneos sobre las obras por ellos mismos compuestas. Creemos que no es exacto lo que dice Wardropper sobre este texto, al menos en su esencia. Dice este crítico: «En la época de Calderón el auto servía para instruir al público laico acerca de algunos problemas básicos de teología y de filosofía escolástica. La lucha contra las doctrinas heréticas se había transformado en una lucha contra la ignorancia teológica del cristiano medio»[9]. Y aduce precisamente el texto calderoniano para corroborarlo. En primer lugar, al hablar de público «laico» habría que precisar si entiende el término como mero sinónimo de «seglar», con lo cual no habría nada que objetar, pero es equívoco el término si se entiende como «hombre ajeno a las doctrinas religiosas», porque en este caso la expresión es muy desafortunada. Pensamos que Wardropper se refería exclusivamente a la primera acepción. El público español de los autos sacramentales era un público que había recibido una instrucción religiosa, que vivía en una sociedad totalmente «confesional», como se diría hoy, y para el que la experiencia religiosa no era un hecho poco conocido sino sustancia espiritual de su propia vida mundana. Al pueblo español no había que instruirle desde el teatro, pues estaba ya suficientemente instruido desde los púlpitos, las misas, las procesiones, las conmemoraciones cíclicas cristianas y los actos más cotidianos de su vida, fuese seglar o eclesiástica. Mal se le podía enseñar

---

[8] Alexander A. Parker, *Los autos sacramentales de Calderón de la Barca*, Barcelona, Ariel, 1983, págs. 50 y 53.
[9] Wardropper, *op. cit.*, págs. 28-29.

al pueblo teología y filosofía escolástica desde un escenario. Lo que se hacía era reproducir en escena, «revivir», lo que él ya conocía sobradamente. El hecho de que en la loa referida el personaje que habla sea una labradora ignorante es un hecho circunstancial, por otra parte muy frecuente en autos y loas desde el siglo anterior. La labradora o el labrador, como antes el pastor, es un personaje del folklore tradicional inserto en las obras teatrales religiosas. Sentar la base de que el auto tiene esa función de instrucción tomando como fundamento el episodio de un pastor o una labradora, es tomar un aspecto parcial por un todo no expresado en el texto calderoniano. Lo que Calderón realmente hace en la loa referida es «anunciar» el auto que sigue y para ello utiliza un recurso circunstancial. En otras ocasiones el que «instruye» es un apóstol (San Pablo, por ejemplo) o la propia Sabiduría. La labradora es lógico que haga manifestación de ignorancia, pero ello no permite elevar esta afirmación circunstancial, repetimos, a categoría general. Precisamente lo único no relevante del texto calderoniano son las palabras estrictamente personales de la Pastora. El recurso es eminentemente teatral: es natural que los rústicos no pudiesen disfrutar del espectáculo de los autos, recluidos en su lugar; la Pastora aludida refiere precisamente que ha venido de Fuentidueña a la Corte a presenciar el «Misterio», y precisamente, abundando en lo que decimos explica lo que sabe acerca de él:

> Verá, siempre en los Sermones
> lo dice el Cura, y también
> por el Pueblo se conoce
>
> (Pando, *ibíd.*, pág. 292 a.)

No es pues ignorancia del pueblo, sino en concreto de la Pastora, que se hace informar por el labrador. En el fondo se trata de un mero artificio teatral para exponer la materia del auto que sigue. El aspecto de instrucción sería, en todo caso, más defendible en el comienzo del género sacramental (siglo XVI) que en la época calderoniana. Un pueblo que indudablemente ya había madurado el género no necesitaba ese tipo de instrucción desde un escenario. Lo que hacía era «concelebrar», revivir la historia Sagrada del misterio eucarístico, reactualizar de esa manera el momento arquetípico de la Cena, como diría Mircea Eliade[10], en suma, asistir a un espectáculo, por un lado, evidentemente «festivo» y teatral, por otro, a una verdadera *liturgia* de lo sagrado[11].

Es natural que hoy principalmente los autos nos seduzcan por su brillantez constructiva, por su sentido de verdadera ceremonia teatral y estética antes que religiosa, pero en su época el público sentía el auto como un todo y disfrutaba de su música, su espectáculo y su colorido verbal con la misma intensidad que de su sentido litúrgico y su concepción sagrada de la vida. Era el auto un espectáculo «ejemplar», una iluminación del mundo cotidiano por la historia arquetípica de la Redención. Era «ejemplar» no en el sentido de dar una lección al ignorante, sino de proponer una historia Sagrada para «explicar» el sentido mismo de la vida terrena.

Calderón dice que son «sermones / puestos en verso». Hay múltiples referencias de que el público asistía a los autos como a una ceremonia religiosa, e incluso que se arrodillaba cuando en un lienzo se exponía la Sagrada Hostia, lo que maravillaba a los espectadores extranjeros. Que había teología, y mucha, sobre todo en los autos calderonianos, es evidente, pero es muy dudoso que el público aprendiese las argumentaciones, a veces sofísticas, del dramaturgo; todo lo más, captaría el sentido global de su intención, que por otra parte suponía predicar a convencidos. No quiere esto decir que rechacemos la intención didáctica de los autos, mucho más clara en el siglo anterior; lo que queremos significar es que ésta era de menor importancia que el hecho mismo de la «concelebración» que el acto teatral (recordemos que en su origen mismo es *litúrgico)* suponía.

Lo que nos parece más importante es la afirmación calderoniana de «idea representable». Aquí el dramaturgo es consciente, por fin, de que el auto no es una mera comedia

---

[10] El gran historiador de las religiones expone estas ideas en múltiples trabajos, especialmente en *El mito del eterno retorno,* Buenos Aires, Emecé, 1952.

[11] Véase A. A. Parker, *op. cit.,* pág. 48.

de tema religioso, sino una alegoría o un sistema de símbolos que encarnan en la escena las «cuestiones de la Sacra Teología». Naturalmente que Calderón está hablando de su propia experiencia creadora: lo que él dice del auto sacramental en realidad no vale más que para sí mismo. No todos los autos sacramentales lo son porque se refieran a la Eucaristía, ni por el hecho de que se representasen en la fiesta del Corpus o en fechas próximas. En realidad el auto sacramental es un género en desarrollo hasta que llega a Calderón, y la definición de Valbuena Prat del auto como «una composición dramática, en una jornada, alegórica y relativa, generalmente, a la Comunión», sólo es válida, en todo caso, para los autos calderonianos. Intentar una definición, y esto ya lo hicieron Parker y Wardropper, es siempre sumamente arriesgado, y más si la referimos a un género que no nace de una forma plena, sino que va adquiriendo realidad y se va conformando como tal a través de un período dilatado de tiempo. Hay que reconocer, no obstante, que la definición de Valbuena, desde un punto de vista didáctico, no científico, es y ha sido muy útil, y que da una idea aproximada de lo que son, al menos, los autos de Calderón, que es lo que precisamente él estudiaba[12].

Curiosamente, fue el propio Calderón quien mejor supo explicar el sentido de estas obras. Parker ha sido el que ha utilizado con acierto la explicación calderoniana dada en su prólogo *Al lector* en la edición de 1677. Allí el gran dramaturgo es consciente, casi como un inteligente crítico moderno puede serlo, de lo que es la obra que escribe, de su técnica, de sus limitaciones y de sus posibilidades. Dice Calderón: «Habrá quien haga fastidioso reparo de ver que en los más de estos autos están introducidos unos mismos personajes, como son: la Fe, la Gracia, la Culpa, la Naturaleza, el Judaísmo, la Gentilidad, etc., a que se satisface, o se procura satisfacer, con que siendo siempre uno mismo el asunto, es

---

[12] Valbuena Prat expresó sus ideas acerca del auto calderoniano en múltiples trabajos. Un buen resumen de sus ideas puede verse en la edición de autos de Calderón para *Clásicos Castellanos* (Madrid, Espasa-Calpe, 1952, 1957, 2 vols.).

fuerza caminar a su fin con unos mismos medios, mayormente si se entra en consideración de que estos mismos medios tantas veces repetidos, siempre van a diferente fin en su argumento...».

La distinción calderoniana entre *asunto* y *argumento* ha servido de base a la crítica (Parker) para establecer una diferenciación matizada que evite el extremo de considerar que sólo un aspecto monocorde del asunto provea de material simbólico a los diferentes argumentos. Y esto se ha hecho a base de considerar que efectivamente en el núcleo del mensaje eucarístico están implícitamente contenidos varios elementos de la doctrina cristiana. Como dice Parker «el sacrificio eucarístico es el sacrificio del Calvario, el dogma de la Redención, junto o por separado de los dogmas del Pecado Original y el de la Encarnación»[13]. Todos estos elementos de la doctrina contenidos en la Eucaristía podían ser parte integrante del auto, no de su argumento, que podía ser infinitamente vario, sino del *asunto* o *tema*. No es seguro que Calderón manejara los conceptos con una distinción arraigada en el sistema de la lengua, pues es evidente que en su época asunto y argumento se utilizaban como sinónimos, pero lo que sí es cierto es que el dramaturgo realiza una diferenciación personal, que cala con precisión en la índole simbólica de los autos y de su doble plano *apariencia-realidad*, tan del gusto del Barroco.

Conviene tener presente, como veremos luego, que este doble plano temático-literal no fue tratado con igual habilidad por todos los dramaturgos. La intención alegórica es al principio evidente, pero el tratamiento en los primeros autores es todavía ambiguo, dubitativo, a veces incluso torpe, y en algunos casos cuesta trabajo distinguir algunos autos de las meras comedias religiosas, como no sea exclusivamente por la mayor brevedad de aquéllos y la unificación estructural en torno a un sólo acto (auto y acto podían significar una misma cosa).

Puesto que, como decíamos antes, resulta arriesgado dar

---

[13] Véase Parker, *op. cit.*, pág. 48.

una definición de auto sacramental, sí podemos, para aclaración del lector, limitarnos a reproducir la que da el *Diccionario de Autoridades,* que es tan comprensiva como la de los autores modernos y viene avalada por el hecho de estar próxima a la fecha en la que estos todavía tenían vigencia como producto artístico y como fiesta. Dice así: «Cierto género de obras cómicas en verso, con figuras alegóricas, que se hacen en los teatros por la festividad del Corpus en obsequio y alabanza del Augusto Sacramento de la Eucaristía, por cuya razón se llaman sacramentales. No tienen la división de actos o jornadas como las comedias, sino representación continuada sin intermedio, y lo mismo son los del Nacimiento. Viene del latín *Actus*, que significa lo mismo». En resumidas cuentas, se trata de una definición algo más dilatada en extensión pero, punto por punto, coincidente con el concepto expresado por Valbuena en la suya. En el fondo no hacían falta muchas lucubraciones para llegar a algo que ya estaba dicho hace mucho tiempo. La cuestión de los llamados «autos marianos» es irrelevante si tenemos en cuenta que éstos también de alguna manera refieren el acontecimiento eucarístico, bien en su estructura, bien en la apoteosis final[14]. Quedan muchos autos anteriores a Calderón, o de los que el propio Calderón hizo borrón y cuenta nueva, que poseen unas características vacilantes y por ello muchos de los elementos consignados en el *Diccionario de Autoridades* no están presentes. Hemos dicho que el auto sacramental no se dio como un fenómeno resuelto y acabado desde un principio; por eso una definición total debe referirse al término del proceso, no a su comienzo ni a su incompleto estadio intermedio. En la descripción de esta evolución tendremos ocasión de detenernos en los caracteres del proceso mismo.

---

[14] Es ésta una cuestión no suficientemente aclarada en la mayor parte de los estudios. Parece que la única base para suponer la idea de autos calderonianos de tipo mariano reside en *La hidalga del valle.* Pero si tenemos en cuenta que sólo en la publicación impresa del auto se ha suprimido la referencia eucarística, por ser una publicación en honor de María, mientras que subsiste en el manuscrito, no hay razón para establecer una diferenciación radical.

Ya vimos cómo los papas Urbano IV y Juan XXII declaraban la celebración del Corpus y prescribían procesiones, respectivamente, con carácter universal. La costumbre debió de arraigar y el Concilio de Trento reafirmó esta doctrina en 1551. Siguiendo diversos estudios sobre el tema, Wardropper ha resumido con claridad los caracteres más destacados de estas fiestas[15]. La celebración debía hacerse en un día específico del año, con procesiones donde se expusiera la Hostia en recorrido por calles y plazas. El propio Concilio recomendaba que esto se hiciera para poner de manifiesto la fe católica contra los herejes. Había pues en el siglo XVI una fuerza e impulso claramente contrarreformista. La procesión en sí misma era un espectáculo lleno de variedad y vitalidad populares, precedentes claros del drama que vendría a constituirse como ingrediente obligado en estas fiestas. Los dos elementos, uno serio y otro grotesco, de las procesiones, eran respectivamente la Sagrada Hostia y la Tarasca. La Tarasca era una especie de serpiente monstruosa, hecha de cartón y papel, bajo la que se ocultaban los mozos para hacerla arrastrarse y asustar a las gentes. Según un testigo ocular francés, Brunel (1666), citado por Deleito y Piñuela[16], la Tarasca era «un serpentón de enorme tamaño, con el cuerpo cubierto de escamas, de vientre ancho, larga cola, pies cortos y boca grande y abierta. Paseaban por las calles a este espanto de niños, y sus conductores, ocultos bajo el cartón y papel de que se compone, le manejan con tal arte, que quitan los sombreros a los descuidados. Los aldeanos sencillos le tienen mucho miedo, y, cuando los coge, la gente ríe a carcajadas».

La Tarasca debía de tener un significado alegórico. El propio Juan de Zabaleta al describir en el capítulo XX de su *Día de fiesta por la mañana*[17] las fiestas del Corpus, dice de esta

---

[15] Wardropper, *op. cit.*, cap. III.

[16] José Deleito y Piñuela, *La vida religiosa española bajo el cuarto Felipe*, Madrid, Espasa-Calpe, 1963, 2ª ed., pág. 173.

[17] Juan de Zabaleta, *El día de fiesta por la mañana y por la tarde*, Madrid, Castalia, 1983, ed. de Cristóbal Cuevas García, pág. 284.

figuración monstruosa: «Muy bien pudiera reparar en que aquella es la serpiente que venció Cristo en la cruz». Zabaleta, que publica su obra en el año 1654, opinaba lo que probablemente era idea bastante general en su época. Otros críticos modernos son de opinión algo diferente; por ejemplo, Francis de Sales McGarry, citada por Wardropper, y que según éste, «sin aducir documento alguno, afirma que la Tarasca representaba alegóricamente la derrota del paganismo por la cristiandad»[18]. Cualquier interpretación posiblemente tendría algún viso de verdad. Lo importante es lo que el espectador de entonces sentía como significado de la Tarasca en la procesión del Corpus. Probablemente, reducido a término más genérico, sería algo así como la representación del Mal, identificado en el pensamiento cristiano con la figura de Satanás.

Otros personajes de la festividad eran los gigantes que realizaban una danza. Dice Zabaleta: «Los gigantones van en la procesión danzando en señal de que todo se le rinde al Dios verdadero»[19]. Desfilaban igualmente las cofradías, que portaban hachas encendidas, y luego venían la clerecía y la tropa de música. La parte solemne y sagrada era la exposición de la custodia. Pero es indudable que el espectáculo en general tenía la doble faceta tan característica de lo español, de lo grotesco, alegre y chabacano, y lo grave, serio y reverencioso. Los límites no estaban claros para el pueblo y en la época de Zabaleta era frecuente que la atracción de las damas, según nos cuenta, pesase sobre los galanes más que la ceremonia grave y eclesiástica. El sentido carnavalesco y teatral no debía de andar muy lejos de esta celebración, como ocurre frecuentemente con los espectáculos populares.

El nacimiento del auto sacramental

Es natural que poco a poco se fueran introduciendo elementos que tendían a hacer del espectáculo procesional un conjunto de elementos dramáticos. Como ha señalado Ward-

---

[18] Wardropper, *op. cit.*, pág. 45.
[19] Zabaleta, *op. cit.*, pág. 288.

ropper, conviene tener en cuenta dos regiones de desarrollo: la de habla catalana y la de habla castellana[20].

En la región valenciana se empezó por sacar en procesión hacia 1355 una serie de estatuas que representaban vidas de santos o escenas de la *Biblia.* Desde 1400 parece que estas estatuas o *roques* iban acompañadas de un coro y unos elementos decorativos. Más adelante, se empezaron a introducir modificaciones. Los componentes del coro se vestían de ángeles, profetas y santos, y el elemento humano comenzó a sustituir a las imágenes. El próximo paso fue que éste tomase conciencia de la acción y pasase a ejercer el movimiento. A partir de comienzos del siglo XVI las estatuas habían dejado paso a los misterios dramáticos. Este tipo de drama sacro se llamaba en valenciano *misteri* o *entramés de peu.* Estos misterios eran semejantes a los franceses o ingleses. No se puede decir que tuvieran mucha relación con los dramas eucarísticos en castellano. Eran muy primitivos. En Barcelona se desarrollaron igualmente unos *entrameses* o *representaciones,* pero con mucho más fasto que los valencianos.

En las regiones de habla castellana se desarrollaron una serie de obras litúrgicas que tenían como carácter común el ser representadas en el interior de los templos y no al aire libre. En el siglo XVI esto ocurre en Sevilla y poco a poco la representación salió al exterior, primero al pórtico de la iglesia cuando en el interior no había suficiente espacio, y luego definitivamente a la plaza pública. Testimonios parecidos al sevillano los hay en Segovia, Córdoba, Málaga, etc. Wardropper ha resumido acertadamente los hechos más significativos de la historia del primitivo drama religioso: «*1)* había, tanto en España como en otros países europeos, una tradición dramática relacionada con la fiesta del Corpus; *2)* en el Levante de España la tradición —aliada a la procesión del Corpus— seguía más de cerca la europea que la del resto de España; *3)* en Castilla y Andalucía esta tradición no se desarrolló en la procesión, sino en la catedral, de la cual fue expulsada a

---

[20] Wardropper, *op. cit.*, págs. 53 y sgs.

las plazas; *4)* su evolución empezó a ser semejante a la de los tropos medievales, pero se detuvo antes de llegar a la formación de los misterios. De esta situación histórico-cultural brotaron los autos sacramentales, dotados de un fondo litúrgico de que carecían, naturalmente, los dramas del Corpus al norte de los Pirineos. Allí se separaron el drama y la liturgia antes de la institución del Corpus Christi»[21].

Lo que distingue el auto sacramental castellano de los misterios allende los Pirineos es su eminente cualidad litúrgica. Como dice Parker «son parte de los festejos públicos del día y no una parte separada»[22]. El auto sacramental se integra, pues, en una liturgia sagrada y eso es lo que lo distingue de otras manifestaciones de teatro religioso, y lo hace además de una manera estructural, que alcanza, por tanto, a la esencia de su orden compositivo.

No se crea sin embargo que el auto se divorció radicalmente de la iglesia o de su pórtico en fecha temprana. Espectáculos teatrales se siguieron representando a comienzos del siglo XVII todavía en las iglesias, pero parece que eran representaciones para religiosos, distintas del auto. Los autos fueron poco a poco independizándose de la autoridad eclesial y sometiéndose a la de los ayuntamientos, como verdaderos espectáculos públicos que eran. Pronto necesitaron una específica arquitectura y unas compañías profesionales que los representasen. No es cierto que siempre se escenificasen en carretas ambulantes, aunque evidentemente esto era lo más frecuente. Consta que algunas veces compartieron los «corrales» de comedias con éstas, aunque por exigencias circunstanciales y de forma ocasional. Sin embargo, en Madrid y otras ciudades al principio no se hicieron en carros sino en una plataforma fija, a juzgar por el testimonio de Jerónimo de Quintana, citado por J. E. Varey: «antiguamente se solían hacer en un tablado el mismo día por la tarde en frente de la Iglesia de Sta. María, y en presencia del Santísimo Sacramento, como hoy día se hace en otras ciudades destos rei-

[21] *Ibíd.*, pág. 59.
[22] Parker, *op. cit.*, pág. 50.

nos», y añade: «al presente ha cesado esto, porque ya se hacen en carros triunfales»[23].

Las representaciones

La escenografía

Fueron, pues, los carros ambulantes el vehículo donde cuajó el tipo de representación escénica de los autos sacramentales. Pero estos conjugaban una especie de escenario mixto, en donde la plataforma fija podía unirse a dichos carros. J. E. Varey ha estudiado la puesta en escena del auto sacramental en Madrid durante los siglos XVI y XVII[24], y en su estudio distingue tres clases de representación. La más difundida y esencialmente dirigida al pueblo estaba constituida y realizada en una plaza pública o en la calle y la formaban tres carros colocados longitudinalmente. El de en medio, llamado *carrillo,* era una simple plataforma sobre ruedas que dejaba su mayor espacio a los actores para su interpretación. Los dos carros situados en los extremos servían para colocar en la mitad trasera de ellos (los extremos de la línea de los tres carros) las arquitecturas y máquinas requeridas para conseguir los efectos escénicos deseados, permitiendo a su vez las salidas y entradas de los personajes. Estas estructuras arquitectónicas se llamaban *cajas* o *casas* indiferentemente. El conjunto se denominaba *carro,* por lo que a cada uno de los carros extremos, para evitar la ambigüedad, se les solía denominar *medio carro,* y al del centro, como hemos dicho, *carrillo.* Estos carros naturalmente eran de un tamaño considerable —los más grandes podían medir algo más de veintidos metros—, y se utilizaban además para el propio transporte del decorado. Pertenecían por lo general a los Ayuntamientos y hay que pensar

---

[23] J. E. Varey, «La mise en scène de l'auto sacramental à Madrid au XVIe et XVIIe siècles», en *Le lieu théatral à la Renaissance,* París, Centre National de la Recherche Scientifique, 1968, pág. 216.

[24] J. E. Varey, *op. cit.,* págs. 215-25.

que los pueblos más pequeños tuvieran que utilizar carros más sencillos y pequeños, pues no es verosímil que se trasladasen los de las grandes ciudades hasta los pueblos próximos.

La segunda clase de representación señalada por Varey obedecía a la costumbre, instaurada desde 1592 por lo menos, de representar en Madrid cuatro autos, costumbre que alcanzó hasta el año 1645 incluido, y a que, debido a cuestiones de horarios y prelaciones, el rey decidió que los Consejos de Estado se reunieran para ver los autos antes del Corpus. En 1635 y 1636, por ejemplo, se construyó un teatro de madera en la Plaza de San Salvador con una plataforma fija, y a los lados de esta construcción se elevaron alojamientos para los diferentes Consejos y los dos carros necesarios para la representación se colocaron detrás de la plataforma con la parte anterior de ellos pegada a la misma.

El tercer tipo de representación tenía lugar con motivo de la *muestra* o representación que precedía a las festividades y para la que se construían plataformas especiales en la Obrería del Ayuntamiento. Esta representación tenía carácter privado en beneficio de los miembros del Ayuntamiento y de sus mujeres.

A partir de 1648 y hasta la muerte de Calderón (1681) se representaban sólo dos autos por año, pero se utilizaban cuatro carros para cada una de las representaciones, lo que facilitaba que los montajes y efectos escénicos fuesen más complicados, puesto que en lugar de la plataforma única, el dramaturgo podía jugar con ocho lugares para la acción. Los carros se disponían por pares simétricos, pero las máquinas, aunque más complicadas de manejo, fundamentalmente eran las mismas que las utilizadas en años anteriores.

Los decorados suponían la pintura de enormes cuadros como fondo de la escena. Representaban con frecuencia diversas referencias a las historias narradas en los autos. El vestuario era costoso y parece tradición del Corpus el utilizar siempre trajes nuevos. Los mismos vestidos eran ricos y complicados, como lo exigía la representación de argumentos tan diferentes. A los empresarios de las compañías, a los que se llamaba «autores», se les exigía proveer de los vestidos para la representación y caso de no ser del gusto de los comisarios de la fiesta, podían condenarlos a diversas multas. Esto todavía se dice en la representación de los autos del Corpus de 1637, según el documento publicado por Pérez Pastor[25]. Si se representaba de manera satisfactoria el auto, se pagaba a los «autores» y comediantes según sus méritos. Aunque la subvención era de los Ayuntamientos, a veces los autores se quejaban de que no era suficiente ésta para proveer a los enormes gastos de la festividad. Lo que es cierto es que una fiesta tan arraigada y del gusto de tantos suponía unos gastos cuantiosos, y sólo el temor a defraudar hacía que se esforzasen los Ayuntamientos en conseguir lo mejor para la misma.

Además de las máquinas, los escenarios complicados y las tramoyas, que poco a poco enriquecieron la representación, igual que había ocurrido con las comedias, no es posible silenciar el papel cada vez más preponderante de la música, que sobre todo en los últimos autos de Calderón alcanzó un relieve muy notorio. Igualmente hay que destacar que la disposición de los actores según los criterios de los dramaturgos, los símbolos visuales que utilizaban, el vestuario, los lienzos, etc., todo contribuía a hacer del espectáculo una verdadera simbiosis solidaria entre el mensaje comunicado y los medios escénicos y estéticos dispuestos para tal fin. Ya hace muchos años que Lucien-Paul Thomas observó el fenómeno de la relación entre escena e ideología en su sentido más lato en la representación de los autos sacramentales[26].

Las compañías de representantes y el público

Es muy probable que las compañías de representantes estuviesen constituidas al principio por clérigos, cuando los

---

[25] Cristóbal Pérez Pastor, *Documentos para la biografía de D. Pedro Calderón de la Barca*, Madrid, 1905, págs. 110-12.

[26] Lucien-Paul Thomas, «Les jeux de scène et l'architecture des idées dans le théâtre allégorique de Calderón», en *Homenaje ofrecido a Menéndez Pidal*, Madrid, 1925, t. II, págs. 501-30.

autos se representaban en el interior de las iglesias. La utilización de cómicos profesionales parece que no se generalizó hasta 1561 por lo menos, fecha en que los cómicos de Lope de Rueda representaron los autos de Toledo. Las compañías profesionales terminaron por generalizarse en la representación de autos, viendo su enorme superioridad con respecto a las de aficionados. No obstante, fruto de las costumbres de la época, estas compañías eran criticadas por suponer que llevaban una vida inmoral. Y esto parecía todavía más grave en la representación de autos sacramentales que en la de comedias. Algunos eclesiásticos condenaban a los cómicos y a las mismas representaciones, y sabido es que esa tacha de inmoralidad fue una de las causas, al menos aparente, que determinaron la prohibición de los autos en el año 1765. No obstante, es muy conocida la afición al teatro de muchos clérigos, y Casiano Pellicer citaba un romance anónimo que decía: «En los frailes no hay remedio / de que dejen el teatro». Un problema que se añadía a la inmoralidad supuesta de los cómicos era la mezcla de elementos profanos en los autos sacramentales. Estos elementos podían ser de dos órdenes: bien obras ajenas al auto, como entremeses y bailes añadidos antes y después del auto, bien elementos constitutivos del auto mismo, como la actitud de los cómicos durante la representación. Sin embargo, se cuentan abundantes anécdotas del efecto «benefactor» sobre los mismos cómicos que podían tener los autos. Muchos dejaron las tablas por el convento, la mezcla de misticismo y teatralería era quizá característica de la época. Otro aspecto de la cuestión es la negativa de muchos cómicos a representar autos, no estando claras las razones de la negativa. Wardropper dice: «Este absentismo fue empeorando, aunque los documentos históricos no lo explican»[27]. Pero la tónica general era la de participar, por cuanto en el mes de las representaciones de autos no se representaban comedias y los actores quedaban sin empleo. González Pedroso hace una escueta relación de cómicos famosos del siglo XVII. En esa lista descuella Manuela Escamilla, «actriz a los siete años, casada a los trece, viuda a los quince; casada

[27] Wardropper, *op. cit.*, pág. 83.

otro viaje con un poeta; tan buena para dama, como para graciosa y cantatriz»[28]. Famosos fueron también su padre Antonio de Escamilla; Juan Rana, que hizo característico su nombre en numerosos entremeses; Pedro Ascanio; Cristóbal de Avendaño, y, uno de los más prestigiosos, Sebastián de Prado, «cuatro veces memorable, por su extraordinario valer artístico, por la singular gallardía de su persona, por las riquezas que atesoró cursando los más famosos teatros de España y Francia, y por la piedad que en medio de sus glorias le llevó a morir en ascética clausura»[29].

Respecto al público de los autos, hoy día cuesta trabajo entender cómo un pueblo ignorante en su mayoría podía tener el entusiasmo que se nos comunica a través de los documentos históricos por un género teatral intelectualmente tan abstruso y doctrinalmente tan complicado como es el auto sacramental, sobre todo en su última etapa. Se olvida con frecuencia que el teatro era entonces practicamente la única diversión colectiva permitida, y que por ello el público del siglo XVII estaba muy acostumbrado a un género que gradualmente fue ganando en complicación, pero que ésta se ofreció al mismo de forma progresiva. También se olvida que el lenguaje en verso del teatro barroco no debía ofrecer al espectador habitual la dificultad que puede ofrecer hoy a un público desacostumbrado a él. Igualmente, hay que considerar un hecho esencial: la complejidad teológica de los autos, concretamente los de Calderón, corre a la par de su deslumbrante escenografía, de sus decorados y tramoyas insólitos, de su vestuario riquísimo y de la música cada vez más protagonista de un hecho artístico y ritual para el que el concepto expresado en los versos era un ingrediente que, en buena medida, cobraría para algunos una importancia relativa. Muchos viajeros se quejaban de que el ruido de los comentarios impedía entender los versos, y es posible que el sentido de éstos estuviera más explícito para el espectador de entonces en las actitudes, los gestos, los símbolos de la escena y de las si-

---

[28] González Pedroso, *Autos sacramentales...*, *op. cit.*, pág. XXXVIII.
[29] *Ibíd.*, pág. XXXIX.

tuaciones y atavíos, que en el concepto mismo de las palabras. Tópico o no, era frecuente que los cómicos comenzaran pidiendo atención y silencio, lo que indica que la palabra no era por sí misma el centro de atención del espectador. Por otra parte, como observa Wardropper, los autos son «una fusión de los sentimientos artísticos y religiosos del pueblo, como la liturgia misma. Por eso han sido tan populares y tan eficaces en propagar conceptos difíciles de la teología. El pueblo español, por ruidoso que fuera, viendo los autos se sentía unido ante Dios»[30].

Desde que el Concilio de Trento recomendara que se propagase la devoción eucarística, la representación de autos fue un elemento más de la devoción, impulsada por lo que tenía de combate contra la herejía. Para explicar la popularidad de los autos, Wardropper expone una hipótesis doble: o bien los dramaturgos «tenían en más de lo que merecían los conocimientos religiosos del pueblo», o «el pueblo estaba sorprendentemente informado en cuestiones teológicas»[31]; sin embargo opta por una solución intermedia: «puede ser que un público más enterado de cosas de teología que el de hoy tuviera siempre que esforzarse por comprender las ideas presentadas en el drama del Corpus. Esta teoría menos simplista nos parece la cierta»[32]. Esta última afirmación, sin embargo, no explica el interés popular por los autos; todo lo más, insinúa que el público algo conocía y algo se esforzaba por conocer. Puede que fuese cierto en una parte del mismo, pero la mayoría, sin duda ilustrada en lo religioso por múltiples conductos, asistiría con fervor por otras razones ajenas a la teología en un porcentaje importante. Rara vez un teatro popular lo es por los conceptos vertidos aisladamente, sino por la forma y síntesis dada en su conjunto y por los elementos que lo sustentan. Por otra parte, hay que reconocer que el público de entonces era sumamente heterogéneo, pues iba desde el rey y los cortesanos hasta los Concejos, el clero y el pueblo llano. Ese mismo público hallaría en los autos un caudal se-

---

[30] Wardropper, *op. cit.*, pág. 87.
[31] *Ibíd.*, pág. 92.
[32] *Ibíd.*, pág. 92.

lectivo para su propia satisfacción. Las cuestiones más eruditas (referencias bíblicas, mitológicas, etc.) serían sólo entendidas en su totalidad por ciertos elementos del clero, las personas ilustradas y poco más; la acción y su simbolismo, por un público más amplio, casi general, y luego cada sector de la sociedad pondría su interés en aquello que más afinidad tuviera con sus gustos. La música y la danza gustarían a casi todos, el espectáculo en sí también; otros hallarían interés en los actores y actrices, en la eufonía del verso, en el vestuario, y hasta un nutrido grupo de damas y galanes dispersarían su atención unos en otros. Las posibilidades de un espectáculo de esa índole son casi infinitas. Un lazo común, más o menos sentido, era el aspecto ritual y la devoción, que en esa época no estaba reñida con el placer del entretenimiento. Los mismos entremeses, loas y bailes, que formaban parte del espectáculo, eran ingredientes eficaces para hacer del conjunto un elemento de atracción general.

Afirma Wardropper que en tiempos de Calderón el público debía ser mucho más culto y que «la demanda popular exigía autos cada vez más complicados»[33]. Esto evidentemente debió de ser así por la misma índole del proceso que acabamos de describir. El auto normal debió ser una rutina sabida y asimilada, la complicación de sus aspectos estéticos posibilitaba sin duda la complejidad del mensaje teológico. La lección inicial en las primeras fases de representación del auto sacramental facilitaba que la lección última fuese la más difícil. No hay más que leer un auto tan complicado como *Las mesas de la Fortuna,* de Bances Candamo, para comprender el grado de complejidad de todos sus elementos, inexplicable sin una tradición secular que lo precediese. Los mismos autos de Calderón en su última etapa, tan cartesianos en su estructura temática y de pensamiento, son un prodigio de acumulación de efectos teatrales de muy diversa índole. El público estaba acostumbrado a ello, pero la costumbre se estableció como un proceso gradual. Compárese esta etapa final con la sencillez y simplicidad de los autos de Lope o

[33] *Ibíd.*, pág. 93.

Valdivielso, y aún más con los que fueron antes forjando el género, y se verá que el auto calderoniano no nació ya determinado de esa manera, sino que fue haciéndose gradual y progresivamente. En suma, el entendimiento del auto para el espectador no era tanto un problema de inteligibilidad conceptual y erudita como una cuestión ritual (de fe, dirá Calderón) y de asimilación artística. Que la cultura religiosa del pueblo fuese muy considerable es algo fuera de toda duda, puesto que estaba sometido a un verdadero «bombardeo» doctrinal en todos los ámbitos de la vida, pero concluir, como concluye Wardropper, que la «teoría del 'pueblo teólogo' es la única que se ajusta a los hechos históricos»[34], es excesivo, y está implícitamente desmentido por el propio crítico cuando afirmaba que este público tendría que «esforzarse por comprender las ideas presentadas en el drama del Corpus»[35]. La afirmación final de Wardropper entra en contradicción con su propia matización anterior, frente a lo que él mismo llamaba «teoría menos simplista». El público, heterogéneo, no podía ser una abstracción uniforme, ni un sujeto unívoco, por más que le unieran los diversos factores que hemos tratado de señalar. El que Zabaleta[36] presentase a un galán «lucido», que se acicala para ir al Corpus, no tanto a ver el auto o las procesiones como a perseguir a una dama hermosa (ejemplo que precisamente aduce Wardropper), nos habla de que las razones de la fiesta eran múltiples e imprevisibles.

El asunto del auto y la trayectoria de éste

La alegoría y la tradición del género

Hemos afirmado repetidas veces que el elemento alegórico forma parte casi inexcusable del auto sacramental. Ello es así porque la misma estructura del auto (ser un drama de símbo-

[34] *Ibíd.*, pág. 95.
[35] *Ibíd.*, pág. 92.
[36] Zabaleta, *op. cit.*, págs. 290-93.

los) propiciaba la utilización de las figuras alegóricas. La misma distinción calderoniana de *asunto* y *argumento* nos habla de dos realidades distintas: una palpable, estética y de representación plástica, y otra abstracta, ideal y de referencia a un mundo de misterios. El *asunto* es la entidad abstracta que se trata de representar por medio de la imagen concreta que representa el *argumento*, el cual está cargado de elementos simbólicos aislados, que apuntan a la significación general mediante signos visibles, palabras, imágenes y gestos. Un auto sacramental es en realidad un verdadero *corpus* emblemático donde cada elemento que integra el orden plástico apunta a una realidad oculta. Por ejemplo, Cupido en la escena es un personaje-símbolo que aporta un haz de significaciones: será el Amor (como Cristo lo es en un sentido trascendente), como Amor irá con los ojos vendados (como Cristo en la Pasión), el arco de Amor con que lanza sus flechas será la cruz con que transforma el odio en amor, su vestido blanco será el Pan de la Hostia tras la que se esconde. Si se oculta será como en el sacramento eucarístico, para que por la fe se le descubra. Si enamora por la palabra será como el Verbo divino y su mensaje evangélico. Si cae será como en los pasos de la Pasión... y así hasta el infinito. Cualquier acción, hecho, signo o gesto puede entrañar un significado oculto, cuyo haz apunta a la historia de la Redención y a su símbolo eucarístico, como centro de la entrega de Dios al hombre. Función estética, pero también función religiosa. De alguna manera la alegoría acerca mundos distantes, establece la ambigüedad referencial como punto de apoyo de la fantasía. De ahí se deduce la polivalencia del sistema y el abanico de direcciones al que se dirigen sus elementos significantes. Esto también posee una función social evidente. Como apunta con acierto Wardropper, la alegoría es «el gran recurso literario que permite a Timoneda, a Valdivielso y a Calderón dirigirse a un público que abarca desde los grandes de España hasta las fregonas de las posadas»[37]. El mundo sacramental es ya en sí un mundo que contiene bajo las especies de Pan y Vino otro mundo diferente y equivalente a la vez. Por ello está claro

[37] Wardropper, *op. cit.*, pág. 99.

que la adaptación del sistema alegórico a los autos eucarísticos es una verdadera necesidad, que armoniza totalmente con la sustancia del Sacramento. Alegoría y «misterio» son realidades forzosamente inseparables de la representación plástica de la escena y del texto literario. Wardropper ha señalado, citando a su vez textos de Menéndez Pelayo y de Vossler, cómo la Eucaristía está íntimamente ligada a la doctrina teológica de la Iglesia y cómo, por tanto, un «dramaturgo sacramental, sólo tenía que presentar cualquier aspecto de la teología o de la moralidad en relación con la Eucaristía para que fuera una auténtica doctrina eucarística»[38]. Por ello el poeta no necesitaba ineludiblemente hacer plástica la propia Eucaristía, el misterio mismo que se encerraba en ella: cualquier asunto que tratase un problema teológico esencial o una historia bíblica observada con sentido profético cristiano, era suficiente para iluminar el sentido de la fiesta del Corpus. La «historia teológica de la Humanidad», en terminología de Valbuena Prat, tan tratada por ejemplo en autos de Lope, Valdivielso y sobre todo Calderón, estaba contenida de alguna manera en el misterio de la transustanciación; la Pasión de Cristo, ofreciendo su sangre y su cuerpo por el hombre, era igualmente una historia ejemplar encerrada en el hecho eucarístico. Si a esto añadimos que en cierta medida cualquier «historia» sagrada o profana podía ser entendida alegóricamente como cobertura aparente de un hecho teológico esencial, la posibilidad de dramatización encerrada en la virtualidad de lo eucarístico era prácticamente inagotable.

En cuanto al origen específicamente hispano del auto, ya hemos indicado que no nació como arma contra la herejía, como instituyó González Pedroso, siendo seguido por otros críticos. Bataillon ha demostrado la inexactitud de dicha doctrina. Los autos no nacieron por oposición al protestantismo, entre otras cosas porque la forma inicial del mismo es anterior a la difusión de la herejía luterana, y porque su realidad es más una afirmación de un misterio que una negación

[38] *Ibíd.*, pág. 113.

o condena de sus desviaciones. Bataillon sostiene la idea de que el proceso creativo del auto es un fenómeno de la reforma católica, tendente a crear un espíritu religioso en el pueblo «la voluntad de depuración y cultura religiosa que animaba entonces a la capa selecta del clero, particularmente en España: voluntad de volver las ceremonias católicas al espíritu en que habían sido instituidas, voluntad de dar a los fieles una instrucción religiosa que les hiciese llegar más allá de la fe del carbonero, que les hiciese sentir, si no comprender, los misterios fundamentales de su religión»[39]. Ahora bien, si se puede admitir que el auto no nació con un afán contrarreformista, la teoría de Bataillon no elimina el hecho de que más adelante, ya en el siglo XVII, el problema de la herejía se sintiese como un tema importante que podía ser tratado doctrinalmente desde el auto mismo, y que el aspecto de controversia que encierran los autos de Calderón, por ejemplo, sea esencial a su propia configuración, como ha estudiado Entwistle[40]. En realidad, la teoría tradicional que parte de González Pedroso se complementa con la de Bataillon, que en orden de prioridad histórica habría que admitir como más firme y segura, pero la teoría tradicional a la larga se hace realidad, al menos en una parte importante. Dicho de otra manera, el auto no es contrarreformista en su origen, pero a la larga su contrarreformismo es cada vez más explícito y patente.

En la *Farsa militar* de Diego Sánchez de Badajoz, por ejemplo, difícil de fechar, pero a la que como año límite puede señalarse el de 1547[41], muestra una referencia antiluterana, cuyo significado ha estudiado Pérez Priego, quien acepta la teoría de Bataillon, pero admite, siguiendo a C. Sabor de Cortázar, que indirectamente Sánchez de Badajoz puede referirse al luteranismo al exaltar «en sus farsas puntos doctrinales cuestionados por Lutero, como la penitencia, la eucaristía, o [...] el valor de las obras para la conquista de la

---

[39] Marcel Bataillon, *op. cit.*, pág. 462.

[40] William J. Entwistle, «La controversión en los autos de Calderón», en *Nueva Revista de Filología Hispánica*, II, 1948, págs. 223-38.

[41] Miguel Angel Pérez Priego, *El teatro de Diego Sánchez de Badajoz*, Cáceres, 1982, págs. 13 y 29.

salvación»[42]. La explicación de que en estos autos no se tratase frontalmente el tema del luteranismo la halla Pérez Priego en que «hubiese sido incluso peligroso adelantarse a los acontecimientos y refutar abiertamente aquellas doctrinas, puesto que ello suponía ya una forma de propagarlas, más peligrosa aún desde un género de la proyección pública que el teatro»[43]. Esto confirma de alguna manera, y explica, que el tema de la herejía no tuviese un inmediato predicamento en los autos del siglo XVI, a la vez que reafirma el hecho básico de que la espiritualidad de los autos no naciese como arma contrarreformista, sino como mera e interna reforma católica. Sería más adelante cuando el auto sacramental tendría ese sentido combativo que en sus primeros momentos es difícil de hallar.

Se ha discutido también la posible influencia de la disposición tridentina con respecto a las fiestas del Corpus y a su influencia en los orígenes del auto sacramental. Se argumentó que algunos autos, como el de López de Yanguas y los de Diego Sánchez de Badajoz, son anteriores a las disposiciones del Concilio de Trento (1551), pero Wardropper piensa que «fácilmente podían llegar a España noticias indirectas del sentido general del Concilio»[44], y que es probable incluso «que sin la influencia del Concilio de Trento el drama sacramental se hubiera desarrollado de otra manera»[45]. La explicación más plausible es que tanto Trento como los mismos reformadores españoles «contribuyeron a formar el clima intelectual en que se concibieron los autos»[46]. Por otra parte, el desarrollo en España del neoescolasticismo sólo pudo desempeñar un papel accesorio en el desarrollo de los autos, si bien, sigue apuntando Wardropper, «sin el renacimiento escolástico, los autos de Calderón, y aun los de Lope, no se hubieran revestido de la forma que conocemos; pero las primeras fases del género apenas revelan preocupaciones teoló-

[42] *Ibíd.*, pág. 90.
[43] *Ibíd.*, pág. 89.
[44] Wardropper, *op. cit.*, pág. 125.
[45] *Ibídem.*
[46] *Ibíd.*, pág. 126.

gicas»[47]. Wardropper, siguiendo a Dámaso Alonso, encuentra la clave del nacimiento y propagación del auto español en el espíritu medieval, que no desapareció con el Renacimiento del siglo XVI sino que continuó su tradición. La perduración de este espíritu medieval hasta la época barroca es lo que justifica el mantenimiento del género sacramental y su propia realización histórica. Esto es más o menos lo que indicó también Parker y otros autores. En España se vivió una auténtica reforma católica, previa a la reforma protestante, que es la que propició el nacimiento del género. Por consiguiente, hay que considerar todo un conjunto de factores, unas «concausas», para explicar el fenómeno del auto sacramental, su origen, permanencia y esencia hispánica.

El desarrollo del auto hasta Lope de Vega

Si el auto sacramental no procede de los dramas cíclicos medievales (Navidad, Epifanía, Pasión, Resurrección), como defienden Parker y Wardropper, entre otros, sólo cabe estudiar el auto ligado exclusivamente al misterio eucarístico. Ahora bien, la tradición de los dramas cíclicos tuvo de alguna manera que influir en la formación de los autos, aunque no procedan éstos del drama medieval. En primer lugar, no consta que existiese en España un drama medieval al estilo de los *misterios y moralidades* europeos. Los *misterios* solían presentar acciones sacras, como la Pasión, los *Hechos de los Apóstoles*, y a veces incluso temas profanos, aunque lo más habitual era la vida de Cristo. Las *moralidades* representaban una acción dramática entre personajes alegóricos de la que se deducía alguna lección moral. En general eran obras muy extensas, de 8 000 a 30 000 versos, y con el concurso de 30 a 80 personajes. Nada de esto parece que haya existido en España. Eran obras que en Francia por ejemplo pueden datar del siglo XIV al XV. En España los ciclos de los que hablamos son del siglo XVI. Wardropper habla de *seudomisterios* y *seudo-*

---

[47] *Ibíd.*, pág. 127.

moralidades para referirse a un género que se pudo representar en las fiestas del Corpus antes de que apareciese el auto sacramental de esencia eucarística. Algunas de estas obras, a las que incluso se llamaba *autos sacramentales*, no eran tales, y llegaron hasta el siglo XVII. El primer *seudomisterio* que se compuso para el Corpus, según Wardropper, fue el *Auto de San Martinho*, de Gil Vicente. Como *seudomoralidades* se podían considerar varias obras de Gil Vicente, Sánchez de Badajoz y algunos de los autos incluidos en el *Códice de autos viejos*.

Juan del Encina es el primer autor, ya en el siglo XVI, que en sus coloquios pastoriles realiza lo que Wardropper ha llamado «secularización del drama litúrgico», en los que se confunde el mundo pastoril con el aristocrático. Con ello «Encina plantó la semilla de que nacieran no sólo los autos sacramentales, sino todo el teatro religioso del siglo XVI»[48]. Las églogas de Encina contienen elementos de un lenguaje que se puede llamar «realista», y partes musicales que en los autos posteriores serán muy importantes. Lo que en Encina puede ser considerado como precedente del auto, según Wardropper, son «las sugestiones de una significación simbólica, su insistencia en que había una significación dramática que trascendiera los detalles de la acción y su introducción de un elemento lírico-musical en forma de villancico»[49]. Verdadero puente entre el espíritu medieval y el renacentista, su «realismo» estereotipa un hablar, el *sayagués*, que será a partir de entonces característico del habla de los graciosos y rústicos del teatro del Siglo de Oro, incluidos los autos sacramentales. Los temas que guardan alguna relación con el auto posterior están ligados a los ciclos conocidos del nacimiento, pasión, muerte y resurrección de Cristo. Es en el carácter de éstos, tal como Wardropper señala más arriba, en donde realmente hay una contribución al nuevo género.

Lucas Fernández continúa la tradición de Encina, si bien su teatro es más grave. Sus autos, o farsas del Nacimiento, introducen pastores que tratan el tema de la Redención en relación con las profecías del Antiguo Testamento (en el *Auto*

---

[48] *Ibíd.*, págs. 164-65.
[49] *Ibíd.*, págs. 168-69.

o farsa del nacimiento de nuestro Redentor Jesucristo), o es un sabio ermitaño el que explica a unos pastores el tema de la Redención (en la *Egloga o farsa del nascimiento de nuestro Redemptor Jesucristo)*. Los ingenuos pastores del *auto,* ante el anuncio del nacimiento de Cristo por medio de una luz en el cielo, comienzan a conversar sobre el tema de la Redención, de forma notablemente erudita. Macario, el ermitaño de la *égloga,* utilizará igualmente un lenguaje culto en contraste con el sayagués de los pastores. Lo mismo una obra que otra acaban con un villancico «en canto de órgano». En el auto de la Pasión, quizá su obra más conocida, hay una conmovedora escena de la crucifixión y una referencia eucarística notable. No obstante, no se sabe que esta obra tuviera que ver con las fiestas del Corpus. Wardropper resume escueta y acertadamente: «[...] sobre todo, inició la costumbre de que los pastores ignorantes hiciesen preguntas al ermitaño y escuchasen atentamente sus respuestas»[50].

Torres Naharro, el otro autor dramático de la época, cuya contribución a la comedia es muy relevante, apenas si tiene importancia en el género que estudiamos, pues su *Diálogo de Nacimiento* es ajeno en gran medida a la tradición de Encina y Fernández, por lo que, como hace Wardropper, creemos que se puede prescindir de él en el diseño de la génesis del auto sacramental.

Gil Vicente tiene mayor importancia, y no porque haya escrito *El auto de San Martinho* —que, como dice González Pedroso, no guarda relación con el misterio eucarístico, aunque fue representado en las fiestas del Corpus del año 1504 en Lisboa—, sino por su manera de tratar el coloquio pastoril a la manera de Juan del Encina, como señala Wardropper. Pedroso, aún a sabiendas de que el auto citado no tenía nada de eucarístico, lo consideró el primer auto sacramental y con él empezó su colección. El error se difundió e hizo entender mal la índole del auto eucarístico. No todo lo que se representó en el Corpus era auto sacramental, incluso en el siglo XVII. *El auto de San Martinho* es en realidad un *seudomisterio* (en la

---

[50] *Ibíd.*, pág. 171.

terminología de Wardropper) y según éste no todos los seudomisterios son precursores del auto sacramental: «Sólo un tipo de seudomisterio, el derivado del *Officium Pastorum*, de asunto navideño y pastoril, pudo engendrar la larga tradición sacramental»[51]. Es en los autos que Gil Vicente compone en la línea de Juan del Encina, como el *Auto pastoril castelhano* (1502) y el *Auto dos Reis Magos* (1502), en donde se aprecian los rasgos tradicionales del género. En esta clase de auto, más bien ritual que teatral, la invención no podía tener una importancia decisiva, pero Gil Vicente supo expresar cierta originalidad fijándose en las reacciones de sus personajes ante el anuncio del nacimiento de Cristo. En el *Auto de la Sibila Casandra* (1513) trata de nuevo un tema navideño, pero como coronación de la peregrina historia de Casandra, la cual no quiere casar, por entender que Dios ha de encarnarse en una virgen. También el *Auto de los cuatro tiempos* (1511 o 1516) incide en el asunto navideño. El *Auto de la Sibila Casandra* prescinde del tiempo histórico. Dice Wardropper que este abandono expreso del tiempo cronológico «establece un precedente del que no dejaron de aprovecharse los futuros artífices de los autos sacramentales»[52].

Un autor que supone un verdadero hito en la evolución del género sacramental es Fernán López de Yanguas. Autor de una *Farsa sacramental* de la que sólo se conservan los fragmentos y resúmenes proporcionados por Cotarelo, presenta un argumento que está dentro del ciclo de los pastores. En boca de uno de los personajes de la pieza se explica el misterio eucarístico. Wardropper no la considera auto sacramental por carecer de sentido alegórico, pero Fernando González Ollé, el estudioso de López de Yanguas, no duda en considerarla como auto sacramental, aunque no en el mismo grado que las obras posteriores. Ollé dice lo siguiente: «No hago sino repetir la doctrina más común al afirmar que las notas esenciales del género que nos ocupa son el motivo eucarístico y su tratamiento alegórico. Pues bien, ambas están

---

[51] *Ibíd.*, pág. 172.
[52] *Ibíd.*, pág. 175.

presentes en la *Farsa sacramental*»[53]. Naturalmente la opinión de González Ollé se basa exclusivamente en el texto conservado de la *Farsa*, la única dificultad estriba en la fecha de composición de la *Farsa*, pues otra obra anónima, atribuida con dudas por Cotarelo al propio López de Yanguas, y a la que González Ollé llama —para evitar confundir con la anterior— *Farsa del Santísimo Sacramento* (de 1521), sí posee unas características que la aproximan de manera fundamental al auto sacramental, si bien tanto Wardropper como González Ollé no se atreven a denominarla «auto sacramental». La innovación mayor en opinión de éste último es «la explicación del misterio eucarístico por medio de un personaje alegórico, la *Fe*, no por medio de un ángel o un pastor»[54] (en la *Farsa sacramental* era un ángel el que explicaba a cuatro pastores la significación de la Eucaristía).

Diego Sánchez de Badajoz es otro autor clave en la evolución del género. No obstante, no llegó a escribir un auto verdaderamente sacramental. Su aportación la resume Wardropper así: «Dramatización de la teología escolástica, renovación de los temas litúrgicos, prefiguración sobrecargada, personajes alegorizados, argumentos simbólicos, apoteosis finales; todo esto constituye la contribución de Diego Sánchez al teatro religioso»[55]. Sánchez de Badajoz sigue la tradición pastoril, pero opera con una serie de elementos reductivos, deja un pastor único, y en vez de hacer que un sabio le explique los problemas teológicos, trata de realizar la exposición de una forma dramática. Lo pastoril queda propiamente para la loa inicial, y lo teológico forma parte de la estructura de la obra misma. Su teatro se recogió en un volumen titulado *Recopilación en metro* (Sevilla, 1554). En él hay veintiocho piezas dramáticas y algunas composiciones líricas. Las *Farsas* de Diego Sánchez, como ha estudiado su mejor crítico actual, Miguel Angel Pérez Priego, ponen de manifiesto una concep-

---

[53] Fernán López de Yanguas, *Obras dramáticas*. Edición, estudio preliminar y notas de Fernando González Ollé, Madrid. Espasa-Calpe, *Clásicos Castellanos*, 1967, pág. XXXVII.

[54] *Ibíd.*, pág. XLII.

[55] Wardropper, *op. cit.*, pág. 207.

ción importante por sí misma, no sólo como aportación al futuro del auto sacramental. Es un teatro el suyo «esencialmente catequístico y doctrinal» que pretende abarcar «todos los puntos de la doctrina cristiana, tanto teológica como moral». De todas formas, es evidente que su contribución al auto, que es lo que aquí nos interesa destacar, es muy considerable; en este sentido la «*Recopilación en metro* [dice Pérez Priego], es el ejemplo más elocuente y granado de un teatro catequístico que se desarrolla cronológicamente entre el teatro celebrativo de la Edad Media y el teatro dogmático sacramental»[56]. Diego Sánchez escribe auténticas piezas alegóricas, como la *Farsa moral*, la *Farsa militar*, la *Farsa racional del libre albedrío* y la *Farsa del juego de cañas*. En ellas presenta conjuntos de personajes característicos del auto: la Justicia, la Prudencia, el Espíritu, la Carne, el Libre Albedrío, el Entendimiento, la Razón, etc. Los propios argumentos tienen también relación con los de los autos. Pero sólo se aproximó al género eucarístico en la *Farsa de la Iglesia*, y de manera circunstancial. Para Marcel Bataillon bastaría a lo que él llama «moralidades» de Gil Vicente y Diego Sánchez para transformarse en autos «adaptarse a la celebración de la fiesta del Corpus y desembocar, mediante algún procedimiento ingenioso, en la glorificación de la Eucaristía»[57]. La proximidad a esta tentativa hipotética se había hecho mucho más cercana con Diego Sánchez.

Gracias al llamado *Códice de autos viejos*, publicado por Léo Rouanet en 1901, estamos en condiciones de acceder a las primeras verdaderas manifestaciones de autos sacramentales. Consta la colección de noventa y seis composiciones, y de ellas unas treinta y seis obras tratan el tema eucarístico referido a la fiesta del Corpus. Todas las obras constan de un sólo acto, aunque ninguna se llama «auto sacramental», todavía se siguen llamando «farsas». Son obras muy rudimentarias. Como dice Rouanet, es característico de ellas «su falta de movimiento, de acción y de resortes dramáticos». Wardropper considera que las «mejores no son tan adelantadas como

[56] M. A. Pérez Priego, *op. cit.*, pág. 211.
[57] M. Bataillon, *op. cit.*, pág. 456.

las mejores alegorías de Diego Sánchez, a pesar de pertenecer a una época posterior»[58]. En general, la época de todas estas farsas puede situarse en la segunda mitad del siglo XVI. El P. Aicardo, que ha estudiado de forma acertada la colección, propone la idea de que la mayor parte de sus anónimos autores son religiosos eruditos y teólogos sin ningún interés por la honra y el provecho, y sin verdadero interés en la excelsitud estética; quieren ser simples transmisores de un mundo sobrenatural ateniéndose a los cánones elementales del arte[59]. El estudio de estas piezas anónimas es arduo, y el mismo hecho de su anonimato ha impedido o limitado el interés de la crítica por ellas. Wardropper ha hecho un buen resumen de las posibilidades de enfoque para el estudio de este teatro. Siguiendo a Marcel Bataillon, rechaza la idea de la importancia del villancico en el nacimiento del género, tal como habían propugnado Pedroso y sus seguidores. Dice González Pedroso: «Mas ya que no otra cosa, se puede suponer rectamente que, precediendo también esta vez el canto a la declamación, hubo en las fiestas del Corpus, durante la Edad Media, abundancia de villancicos sacramentales, cuáles cantados por una sóla voz, cuáles a coro»[60]. Examinando el *Códice de autos viejos*, Wardropper observa que sólo en el *Aucto del Magná* (drama no alegórico, basado en el Antiguo Testamento), hay un villancico eucarístico que podía (lo que no es seguro) atraer el tema hacia ese sentido eucarístico. Concluye Wardropper que «en tal cantidad de materia anónima es difícil concebir que una pieza tuviera tanta influencia para dar impulso a la metamorfosis revolucionaria de un género»[61]. El crítico cree hallar mejor camino en el examen de la alegoría y de «los términos descriptivos que preceden a las obras». Del conjunto de las que integran el *Códice*, más de la mitad (cincuenta y una) no son alegóricas, ni siquiera en parte. Rouanet había asegurado que las denominadas «farsas» en el *Códice* eran las precursoras de los autos sacramenta-

---

[58] Wardropper, *op. cit.*, pág. 214.
[59] Citado por Wardropper, *op. cit.*, pág. 215.
[60] González Pedroso, *op. cit.*, pág. XV.
[61] Wardropper, *op. cit.*, pág. 225.

les, mientras que los «autos» eran anticipación de las comedias divinas. La verdad es que los términos no tienen mucha precisión. Después de un detenido análisis, Wardropper halla que las llamadas «farsas del sacramento» son composiciones en las que se habla de la Eucaristía, mientras que las «farsas sacramentales» son ya eucarísticas, es decir presentan un mundo alegórico-sacramental. De éstas contabiliza por lo menos cinco. Por consiguiente, el mundo dramático del *Códice* es todavía ambiguo en la definición del género. Wardropper establece cuatro categorías de piezas: *1)* enteramente alegóricas (20); *2)* predominantemente alegóricas (6); *3)* semialegóricas (13); y *4)* ligeramente alegóricas (6). Son todas ellas muy breves, y si bien significan desde el punto de vista literario un franco retroceso con respecto a las composiciones de Gil Vicente o Diego Sánchez, sin embargo su realidad supone el eslabón necesario para explicar el auto sacramental tal como se configura en el siglo XVII. A este códice hay que añadir siete piezas manuscritas publicadas por Vera Buck y Alice Kemp[62]. Parecen obras compuestas en la última parte del siglo XVI, y son autos más desarrollados que los incluidos en el *Códice de autos viejos;* algunos llevan incluso el título de «comedia y auto sacramental», en donde persiste cierta ambigüedad, vigente, por otra parte, aún en Lope, que definía los autos como «comedias a honra y gloria del Pan». Al igual que los textos del *Códice,* suponen ciertos avances en el género y algunas tentativas menos conseguidas.

Juan de Timoneda es un autor fundamental en la evolución de la farsa sacramental al auto sacramental pleno. Es más un refundidor de piezas ajenas que un creador original, pero no por eso su labor es menos meritoria desde el punto de vista de la evolución del género. Wardropper llega a decir: «Se verá que encaminó la farsa sacramental en dirección a las formas consagradas por Lope de Vega y Valdivielso. En

---

[62] Alice Bowdoin Kemp, *Three Autos Sacramentales of 1590*, Toronto, 1936; Vera Helen Buck, *Four Autos Sacramentales of 1590*, Iowa City, 1937. Estas piezas, las de ambas colecciones, se hallan en un manuscrito fechado en 1590. Ese mismo manuscrito consta de cuatro textos más, de los cuales Carl A. Tyre ha publicado tres en *Religious Plays of 1590,* Iowa City, 1938.

este sentido es el padre del auto sacramental»[63]. En 1575 se editaron seis autos de Timoneda en dos tomos titulados *Ternarios sacramentales*. No obstante su actitud de refundidor, en algunos autos, como el titulado *Aucto de la oveja perdida*, realiza una transformación «en sus cimientos» como dice Wardropper[64]. Este mismo realiza un análisis comparativo de algunas piezas de Timoneda con sus fuentes, y de dicha comparación deduce el mayor cuidado de Timoneda al tratar las cuestiones teológicas que los autores de las farsas, una corrección de los errores y un pulimento de la expresión artística. Entre sus innovaciones figura la glosa de los fragmentos más poéticos de su modelo, incorporando ésta a los recursos característicos del auto tal como lo tratarán luego Lope, Valdivielso y Calderón. El mismo villancico que utiliza Timoneda es muy superior artísticamente hablando a los de las farsas. Por todo ello concluye Wardropper que «Timoneda es el puente que une el territorio enmarañado de las farsas sacramentales con el parque cultivado de los autos sacramentales calderonianos» y añade «sin la labor de Timoneda es dudoso que un género tan mal formado, tan vulgar, hubiera atraído a los grandes dramaturgos del Siglo de Oro»[65].

---

[63] Wardropper, *op. cit.*, págs. 245-46.
[64] *Ibíd.*, pág. 256.
[65] *Ibíd.*, pág. 273.

AUTORES Y OBRAS INCLUIDOS EN ESTA ANTOLOGÍA

Lope de Vega, autor de autos sacramentales

A Lope de Vega, como autor de autos, hay que situarlo en el contexto de la dramaturgia de su época, forjada en parte por él, y en el contexto de la evolución del género, en el que la labor de Lope es un intento de continuación, cuyas innovaciones prácticamente se reducen a adaptar el sistema sacramental a las características de la «comedia nueva». Hay en cualquier caso, dentro de la propia evolución de Lope, un cierto progreso que va desde sus primeras obras sacramentales, muy unidas todavía a las de sus antecesores, a las últimas, más complicadas en su sistema alegórico, más atrevidas como construcción, y paradójicamente menos apreciadas por los estudiosos. Quizá el problema reside en que sobre Lope se ha establecido una caracterización tópica, sobre todo a partir de los estudios de Menéndez Pelayo, por medio de la cual se le considera excelso en lo popular y espontáneo en lo lírico y en lo más sugestivamente poético, y equivocado en lo compositivo, complicado y alegórico. Esto es así porque siempre sobre Lope, y sobre todo en sus autos, gravita la amenaza de Calderón, al que se le valora justamente por aquello de lo que se piensa carece Lope y se le denigra por lo que Lope tiene de válido. Esta es la razón de que sistemáticamente, desde Menéndez Pelayo hasta Vossler o incluso Wardropper, se consideren de mayor interés los primeros autos de Lope que los últimos, o al menos los más simples a los más complicados. En *El peregrino en su patria* (1604) Lope publicó cuatro autos, y ya póstumamente se publicaron doce, con sus loas y entremeses (1644), en un tomo titulado *Fiestas del Santísimo Sacramento,* coleccionados por uno de los amigos del poeta, el licenciado José Ortiz de Villena, quien también coleccionó la *Vega del Parnaso*. Muchos autores prefieren los autos de Lope a los de Calderón basándose en su «sencillez» y «naturalidad». Esto fue frecuente en el siglo XIX, y en el XX ocurre lo mismo con algunos estudiosos del auto lopesco, como Aicardo y Cayuela, según refiere Wardropper. Este mismo considera que «Lope maneja mejor la alegoría cuando la encuentra ya hecha [...]», «rara vez se aventura a subir a regiones alegóricas remotas de las fuentes predilectas. Cuando lo hace, como en *El tusón del Rey del Cielo* o *La Araucana*, produce una alegoría extravagante e inaceptable»[66]. También dice que «Lope pone la teología al servicio de la poesía, y no al revés, como Calderón»[67], pero si bien esto pudiera ser cierto, no es un factor demasiado importante en una obra dramática. Precisamente lo que nadie puede discutir es que las obras de Lope poseen ingredientes poéticos, diríamos más bien líricos, que tienen mucha más intensidad y valor que los de Calderón en sus autos. Decimos que esto no es demasiado importante en una obra dramática, porque lo lírico es un elemento accesorio en una obra teatral, por muy hermoso que sea. Lo importante en realidad es la estructura dramático-escénica, la tensión de las situaciones, y, en el auto concretamente, la sabiduría para crear una fábula alegórica con fuerza y arraigo suficiente en el contexto de la representación total. En esto sí que la diferencia entre Lope y Calderón es decisiva a favor de este último. Dice Wardropper que la «técnica de la apoteosis... es la mayor contribución de Lope al auto sacramental. El cuadro final, sustituto del villancico tradicional, da un sentido estético a la alusión eucarística»[68].

En Lope el auto destaca pues por el sentido tierno, como diría Valbuena Prat, y la «unión amable de lo divino y lo humano» (esto es específicamente claro en el delicioso auto *La siega)*. Este carácter está presente también en *La adúltera perdonada*, analizada por Wardropper, y en el *Auto de los Cantares*. De este último dice Valbuena que la superación de su

[66] *Ibíd.*, pág. 288.
[67] *Ibíd.*, pág. 290.
[68] *Ibíd.*, pág. 291.

fuente (una *farsa* del *Códice de autos viejos)* «va por el lado estrictamente poético, y no por la estructura alegórica». Lo popular y lo cantable están presentes en *La Maya,* auto incluido en *El peregrino.* En estas facetas —y obras— todos los críticos desde Menéndez Pelayo están de acuerdo en resaltar el valor poético, la suavidad de la expresión y la unción religiosa que se desprende de ellas. Lope debía cautivar a su auditorio por el lado cordial y por la poesía efusiva que hay en todos estos autos. Esto es lo que parecen descubrir y admirar en ellos sus mismos lectores modernos. Vossler, por ejemplo, decía: «Sus más deliciosos autos sacramentales son los de menos calibre, aquellos en los que el poeta renuncia a la alta tensión, exentos de aventura, donde se conforma con alegorías corrientes y situaciones conocidas y se apoya más en lo lírico, en el desahogo sentimental y en la musicalidad, como sucede en *La siega* o en *La adúltera perdonada*»[69]. Esta misma senda es la que seguirá, como veremos, José de Valdivielso.

La puente del mundo, de Lope de Vega

Presentación

Hemos elegido intencionadamente para nuestro estudio uno de los autos lopescos en donde la fábula es más atrevida y «extravagante», a juicio naturalmente de Menéndez Pelayo. Creemos que la idea de que estos autos de alegoría más compleja son inferiores a los otros suyos se fundamenta en el prejuicio habitual de considerar a Lope poco hábil para la alegorización original e «inaceptable», como dice Wardropper, cuando se atreve con temas algo lejanos a las alegorías religiosas más o menos dadas por la tradición. Pero creemos igualmente que estos autos son las piezas donde mejor se puede dilucidar la habilidad o torpeza del autor como dramaturgo, y no sólo como ilustrador lírico de una trama tradicional.

---

[69] Karl Vossler, *Lope de Vega y su tiempo,* Madrid, Revista de Occidente, 1940, 2ª ed., pág. 347.

Menéndez Pelayo utilizó toda una serie de calificativos desdeñosos para esta obra. La llama «extravagante», como hemos dicho —lo cual puede ser un defecto o una virtud, según la posición del crítico que se enfrente a esta obra—, «embrollo» y «monstruosidad». Ello no obsta para que vierta otro juicio bien distinto unas líneas más adelante: «No llegaré a decir, como Ticknor, que este auto, en que tan extrañamente se confunden 'la alegoría y la farsa, la religión y la locura', es, a pesar de eso, 'uno de los mejores, si no el mejor de todos', pero sí que a casi todos vence en movimiento dramático, y que a ninguno cede en esplendor y lumbre de dicción poética»[70].

Argumento y fuentes

Al concebir su auto, Lope de Vega tuvo presente para el argumento del mismo el episodio de *La puente de Mantible* originario de la *Chanson de Fierabras* (alrededor de 1170), que relata las aventuras de Fierabrás, un gigante convertido en guerrero cristiano, poema en el cual se narra el episodio al que hacemos referencia. Es dudoso que este poema fuera conocido en España, no así su versión en prosa francesa (1478), que hacia 1525 fue traducida al castellano y tuvo una extraordinaria difusión en España.

Menéndez Pelayo, con toda lógica, sospecha que antes de conocerse la versión dramática sacramental de Lope, pudo pasar al teatro profano. Pudo ser autor de una comedia de este título el propio Lope de Vega, y a ello alude Menéndez Pelayo con el incierto dato de una comedia titulada *La puente de Mantible,* en edición suelta conservada en la Biblioteca Imperial de Viena. No obstante, aunque varios críticos se hacen eco de esto, todo hace pensar que se trata de la comedia del mismo título compuesta por Pedro Calderón de la Barca y publicada en su *Primera Parte de Comedias* en 1636. Si Lope escribió o no una comedia sobre el tema es algo que no hemos

[70] Véase *Obras de Lope de Vega,* ed. y estudio de M. Menéndez Pelayo, Madrid, Atlas, BAE, tomo CLVII, 1963, pág. LXVI.

podido comprobar. Es lógico que los dramas sacramentales de argumento profano tengan un antecedente de este tipo en el género dramático, pero también podían tenerlo de otro género no específicamente dramático. La fuente directa de Lope está por dilucidar, pues su auto probablemente es anterior a la comedia calderoniana.

La puente del mundo apareció como publicación póstuma en el tomo *Fiestas del Santísimo Sacramento* publicado en 1644 por José Ortiz de Villena. La comedia de Calderón puede ser algo anterior a 1635, pero probablemente no mucho, y Lope, que muere en 1635 precisamente, no pudo con seguridad tomar el auto de la comedia calderoniana. Además el parentesco no es tan estrecho como pudiera parecer. El auto, como ahora veremos, apenas si toma del relato de Fierabrás un episodio aislado que sirve de sostén a su alegorización, mientras que Calderón idea un argumento complicado, sobre el que sospechamos gravita más de una fuente.

El argumento del auto es como sigue. *1)* El Mundo, la Soberbia y el Príncipe de las tinieblas discuten acerca de la llegada de un caballero que ha de venir a la tierra a luchar contra este último. La Soberbia dice que ha tenido estas noticias por la «gaceta de Israel». El príncipe, para defender el puente del mundo, pondrá un gigante llamado Leviatán, y así el puente no podrá ser traspasado por nadie que no caiga en sus manos. *2)* La siguiente escena muestra a Adán y Eva «vestidos de franceses», que van peregrinando por el mundo después de haber salido de un bello paraíso, encontrando por doquier tristes aventuras, hasta que llegan al puente del mundo que separa éste de una fortaleza. *3)* Al otro extremo del puente está el gigante Leviatán, armado de una maza, que les impide la entrada si no firman un escrito en que se declaren esclavos y cautivos del Príncipe de las tinieblas. Al fin deciden firmar. *4)* El Amor divino, acompañado de la Música, mueve con ésta al Caballero de la Cruz para que acuda al puente a librar a su esposa del tirano que la tiene presa. *5)* El caballero se arma con una cruz y decide ir al combate. El Príncipe anima a Leviatán a defender el puente. El gigante se ciega con la luz del Caballero y se «hunde». *6)* El Caballero libra al Alma de su prisión y ésta sale por una cruz, que a manera de puente sale del carro de la gloria.

La fuente más o menos remota en que se basa dicho auto en última instancia pertenece a la llamada *Historia del emperador Carlomagno y de los doce pares de Francia, e de la cruda batalla que hubo Oliveros con Fierabrás* (Sevilla, 1525), versión en prosa del Cantar francés mencionado antes, publicada en castellano por Nicolás de Piamonte. En el capítulo XXX de dicho relato se describe el puente. Según Clemencín «Constaba de treinta arcos de mármol y dos torres cuadradas, también de mármol blanco, cada una de ellas con su puerta levadiza y cuatro gruesas cadenas de hierro. Estaba sobre un caudaloso río que no podía pasarse por otra parte, y lo guardaba por el Almirante Balán un espantable gigante, llamado Galafre, que estaba siempre armado y con gruesa hacha de armas en las manos. Cien turcos le ayudaban a cobrar de los pasajeros cristianos el portazgo, que era de treinta pares de perros de caza, cien doncellas vírgenes, cien halcones mudados y cien caballos con sus jaeces, y por cada pie de caballo un marco de oro fino. El cristiano que no pudiese pagar el pasaje había de dejar la cabeza en las almenas de la puente»[71]. También dice Clemencín que este lugar debía de estar en la costa occidental de la Península, pues los extremeños llaman *«puente de Mantible* a unas ruinas con arranques de arcos que se ven sobre el río Tajo en las inmediaciones de las ventas de Alconetar, junto a la confluencia con el Almonte»[72].

Como se ve en los detalles del puente, en el gigante que lo defendía puesto por su jefe, y en el tributo que cobraba al que quería pasarlo, coincide el relato fabuloso del Fierabrás con el argumento de Lope.

Sistema de alegorización y factores estéticos

Lope utiliza tres núcleos temáticos para conformar su alegoría sacramental y una decena de personajes, entre los cua-

---

[71] Diego Clemencín, *Comentario al Quijote* en la edición del mismo de Editorial Castilla (Madrid, s.a. [1966], pág. 1469 a y b).

[72] *Ibíd.*, pág. 1469 b.

les hay que incluir a la Música. Los tres núcleos dramáticos son: la historia de Satanás y su caída, la de Adán y Eva y su expulsión del Paraíso, y la de la Redención de Cristo. Con estos elementos temáticos y numerosos motivos adyacentes, como los que provienen de la devoción mariana, y los referentes al Amor de Dios, más las innumerables referencias bíblicas, Lope construye una armazón simbólica en donde va adaptando el argumento profano a la historia religiosa.

Creemos que la alegoría, con todo lo extravagante que quisiera Menéndez Pelayo, está perfectamente concebida en general: el Redentor destruye el puente de Mantible, puente diabólico, para trazar su puente de salvación. Este es el verdadero núcleo temático. La cuestión es que en el diseño de su estructura Lope ha ideado unos personajes que crean cierta fragmentación alegórica, por la que el autor tiene que rectificar el argumento simbólico en varios momentos. Efectivamente, los personajes de Adán y Eva, que de alguna manera simbolizan la Naturaleza Humana, son abandonados por Lope a mitad de su auto, pues su entidad excesivamente historial y doble hace poco fácil el rescate del Caballero; por eso, a mitad del auto, son sustituidos bruscamente por el personaje del Alma. Cierto es que este hecho se debe a que Lope concibe su alegoría no como un sistema abstracto de referencias, sino como un relato «historizado», con el trasfondo diacrónico de la historia teológica de la Humanidad dividida implícitamente en tres actos: *1º)* La caída de Adán y Eva, *2º)* Su «prisión» temporal en el Mundo, y *3º)* La Redención del alma humana por Cristo. Si Lope hubiera abstraído lo «historial» de Adán y Eva, hubiera podido prescindir en el cuerpo de la alegoría de esos elementos narrativos argumentales, que denotan todavía un apego inevitable a la encarnadura de la Historia, y no hubiera tenido necesidad de crear un nuevo personaje alegórico como el Alma, que implícitamente debería estar incorporado a los personajes «historiales» de los que ha tenido que prescindir. En un estadio más avanzado de la evolución del género, hubiera sido un sólo personaje el que hubiera soportado el edificio de la alegoría. En Calderón, por ejemplo, hubiera sido la Naturaleza Humana, la Infanta, etc. Pero Lope concibe el auto excesivamente todavía bajo el signo de la «comedia». El paso del dúo *Adán-Eva* al *Alma* es, por consiguiente, un tanteo en el proceso de alegorización. Algo que en la madurez del auto no hubiera tenido razón de ser.

Por otra parte, hay una constante intensificación de los elementos simbólicos parciales, sea por medio de lo que se ha llamado *allegoria in verbis* o metafórica, sea por la *allegoria in factis* o de acontecimientos. Esta última, constantemente perseguida por Lope, quizá con el objeto de proporcionar un tejido más transparente a los pormenores del argumento caballeresco[73]. Efectivamente, la interpretación simbólica entre dos acontecimientos (el caballeresco y el bíblico) ofrece en Lope una obsesiva persecución, como puede verse en multitud de ejemplos, que ilustramos con anotaciones en el texto. Es cierto que esta técnica es mucho más abundante en Lope y Valdivielso, por ejemplo, que en Calderón. La razón de ello quizá resida en el afán didáctico, que todavía es más fuerte en los primeros, pero también, y esto nos parece importante, en que, en el auto calderoniano de madurez, el sistema de alegorización entraña una plenitud general de correspondencias que ya no es tan importante cuantificar en detalle. Igualmente en Lope el aspecto teológico entraña menor relieve, mientras que en Calderón es perceptible incluso una evolución en sus autos con respecto a la intensificación de los elementos de la teología.

En *La puente del mundo*, Lope cuida un haz de factores estéticos propios según los cánones de su peculiar modo de entender el auto. De un lado, la versificación se atiene con cuidado a las directrices de su *Arte nuevo de hacer comedias:* en los diálogos, por ejemplo, utilizará la redondilla (vv. 1-304), o el romance en rima aguda cuando la situación es de mayor tensión dramática (vv. 305-390); las octavas cuando la relación es más solemne (vv. 577-608), etc. Por otra parte, en este

---

[73] Estos dos tipos de alegorización parece que proceden de una antigua distinción realizada por Beda el Venerable y desarrollada por Tomás de Aquino. Véase el trabajo mencionado de Pérez Priego (pág. 107), quien sigue el estudio de Armand Strubel «*Allegoria in factis* et *Allegoria in verbis*» (en *Poètique*, 23, 1975, págs. 342-57).

auto de tono épico el cuidado en los aspectos líricos no desaparece. Decía Menéndez Pelayo de este texto: «A pesar de la rareza de su estructura, se recomienda el auto de *La puente del mundo* por cierta unidad de colorido poético, debido en parte a reminiscencias de antiguos romances, artificio que continuamente, y siempre con éxito, empleaba Lope en sus poemas escénicos, para mostrar el enlace de su arte con la tradición popular»[74], y cita a continuación los versos 361-362:

> Yerros, Adán, por amores,
> dignos son de perdonar

que son remedo de aquellos otros del romance de *El conde Claros:*

> Que los yerros por amores,
> dignos son de perdonar[75].

De la misma manera, junto a la desbordada imaginación propia del tema caballeresco, surge la fusión del lirismo amoroso y la música en la escena en que son protagonistas el Amor divino y la Música (vv. 425-488).

En suma, Lope, todavía con una técnica alegórica imperfecta, con unos recursos estilísticos muy propios de su talento y una imaginación atrevida, que entendemos positivamente, construye un auto breve (856 versos), pero que supone un esfuerzo por elevar el argumento y la alegoría fuera de los cauces habituales. Si algo es todavía embrionario en él, es el afán por limitar su materia a un doctrinarismo escriturístico pormenorizado, y la falta de cierta flexibilidad dramática, que por la breve extensión quizá no fuera fácil conseguir. La evidente variedad de tono exigía mayor extensión de tratamiento, la multiplicidad de personajes aludida era más una necesidad doctrinal que dramática, pero el auto conserva la frescura de los romances característicos

> Si dormís, Príncipe mío,
> si dormides, recordad...

---

[74] Véase el mencionado estudio de Menéndez Pelayo, pág. LXVII.
[75] *Ibíd.*, pág. LXVIII.

y el notable atrevimiento a una alegorización infrecuente, y acertada en su diseño general, sin forzar las situaciones concretas de la fábula.

Tirso de Molina, continuador y explorador de posibilidades

Son muy negativas hasta ahora las valoraciones de la crítica con respecto a la aportación de Tirso de Molina al auto sacramental. Tirso poseía en principio cualidades más que suficientes para ahondar en la maduración del género, y lo mismo podía decirse de Lope. Lo que en ambos casos falló precisamente fue lo que en ambos dramaturgos constituía su esencia artística, y no falló en sí misma, sino en su aplicación al género. En Lope, su visión poética podría elevar el género a alturas de belleza y lirismo sin antecedentes, pero esa carga debía afectar a la cohesión y estructura dramático-alegórica. La dependencia de la comedia haría crear autos sin unidad de concepción alegórica y sin tensión mantenida. Algunos autos de Lope dan la impresión de obras en las que el drama se produce por acumulación desorganizada de núcleos poéticos, muy bellos indudablemente, pero que, por la insuficiente extensión y la deficiente organización alegórica, quedan sólo como monumentos poéticos antes que como verdaderos dramas escénicos. Su opción es válida, y desde el punto de vista del lector puede que incluso sean preferibles a los de sus sucesores. Pero no hay que olvidar que el auto es drama escénico, representable y eminentemente teatral, y aquí es donde está quizá su punto más débil. En Tirso, sus propias cualidades teatrales, la organización de la materia dramática, el diálogo intencionado, la fuerza de lo psicológico, eran más que suficientes para enfrentarse con verdadero éxito a cualquier empresa dramática, pero el auto sacramental es un género muy especial, en el que lo dramático está en función de una alegoría que necesita ser planificada desde unos supuestos diferentes a la comedia de personajes, incluso a la comedia religiosa. Lo psicológico no tiene ninguna función en obras en las que lo individual es sólo exponente aparencial de un mundo abstracto. En este sentido Tirso es un mero continuador de Lope, sin sus cualidades y con sus defectos. Pero independientemente de ello, hay un punto de convergencia, como es el intento de buscar caminos nuevos fuera de la tradición al uso. Lope lo hace con *La puente del mundo,* acoplando el carácter épico-caballeresco a la alegoría eucarística; Tirso lo intentará con *El laberinto de Creta,* estableciendo la nueva posibilidad de adaptar el uso mitológico al tema del auto. No obstante, esta última obra es una verdadera caricatura, y lo es no sólo porque, como dice Wardropper, Tirso pierda «de vista el sentido alegórico que quiere exponer», sino porque el dramaturgo no es dueño de la materia dramática, se detiene en largos parlamentos iniciales en boca de Minos, el rey de Creta, y en la de Dédalo, en un auto de suyo ya excesivamente breve; hace intervenir a un gracioso de comedia, Risel, absolutamente innecesario, que hace del encuentro con el Minotauro una escena ridícula e impropia del género, y finalmente Teseo expone el significado de la alegoría sin haber sabido dramatizarla en escena. Un intento atrevido pero fracasado, que sería hoy impresentable en un escenario. Otra obra conocida, por haberse impreso varias veces, es *El colmenero divino.* Estamos ante un nuevo experimento muy atrevido, pero ahora mucho más conseguido que en el caso anterior. Es un auto de mucha mejor factura. No creemos que su defecto radique en su propio atrevimiento, como se suele decir. Wardropper, por ejemplo, lo rechaza por varias razones, entre ellas porque «el exceso de representar los amores de un colmenero por su abeja no deja de ser absurdo»[76]. Nosotros pensamos nuevamente que la audacia artística y la fantasía pueden ser virtudes excelsas y no defectos; lo que sucede es que tienen que ser tratados con una medida diferente a la de una materia tradicional, y más en un auto, cuya armazón está sostenida por una estructura alegórica. Pero aquí algunos defectos de la alegorización de *El laberinto de Creta* están subsanados. Por ejemplo que el Placer sea el gracioso es per-

---

[76] Wardropper, *op. cit.,* pág. 323.

fectamente coherente con su valor simbólico doctrinal. Que un gracioso tenga un papel en un auto es normal; no es su carácter como tipo lo que se discute, sino su oportunidad y su coherencia simbólica con el drama. La expresión de *El colmenero divino* es muy bella, y el diálogo entre la Abeja y el Colmenero es un perfecto diálogo del Alma con Dios, con una simbología insólita, pero desarrollada con convicción y arte exquisitos. El ofrecimiento que hace el Mundo a la Abeja de tres panales en los que se contienen la Carne, el Príncipe de las Tinieblas y los bienes del mundo, podrá ser un ofrecimiento en un sentido alegórico algo infrecuente, pero no cabe duda que es coherente con la ideación que preside el auto; y el ofrecimiento final del Colmenero con el «maná mejor», es digna culminación de un auto muy hermoso y conseguido, quizá el mejor de Tirso, ante lo cual la infrecuente fabulación nos parece una virtud y no un defecto.

Dice Wardropper que Tirso «experimenta» —y esto parece decirlo con cierto reproche—; si no encuentra un «estilo propio», como también dice, es quizá porque no se ha dedicado al género con la intensidad de un Calderón o porque no se ha reducido al género en lo teatral, tal como hizo Valdivielso.

***Los hermanos parecidos*, de Tirso de Molina**

Presentación

Este auto tirsiano fue impreso en el libro misceláneo *Deleitar aprovechando*, publicado en 1635. De *Los hermanos parecidos* da Cotarelo noticias muy curiosas en lo referente a su representación. El propio Tirso asegura que se estrenó el auto entre los dos coros de la Catedral de Toledo por la compañía de Tomás Fernández Cabredo. Hicieron los dos papeles principales los hermanos Juan Bautista y Juan Jerónimo Valenciano, dos galanes que ellos mismos eran también *autores* o empresarios. Como quiera que el auto representa al pecador y criminal, a la vez que a Cristo, al cual confunden con aquél, explica Tirso que a los espectadores «no poco deleitó la notable similitud de los que representaron a los dos hermanos, pues fuera de la uniformidad de los vestidos, en la edad, los talles y casi en las facciones los buscaron de suerte parecidos que no hicieran falta los dos Valencianos, sus primeros recitantes, cuya semejanza tantas veces tuvo confusa a la atención misma»[77]. Sobre la semejanza de los Valencianos escribió Juan de Piña en 1628, citado igualmente por Cotarelo: «De aquí lo debieron de tomar los hermanos Valencianos, autores de comedias y famosos representantes, parecidos en tal manera, que no se podía conocer el mayor o el menor; los nombres les diferenciaban, no lo demás, que las acciones aún eran las que miraban a un mismo fin. Y decía un discreto que sus mujeres pudieran sin culpa engañarse y cometer el delito sin haber pecado»[78]. Doña Blanca de los Ríos fecha *Los hermanos parecidos* en 1615 en lo que se refiere a su representación toledana, la supuesta representación madrileña de *Deleitar aprovechando* puede ser convencional, y la fecha basándose en un documento de Francisco de B. San Román hallado en los Protocolos Toledanos donde se da cuenta de una representación del Corpus a cargo de los hermanos Valencianos con la compañía de Tomás Fernández, justamente compañía y cómicos mencionados por Tirso en el estreno de la obra. La conjetura parece plausible y a su argumentación remitimos al lector[79]. Ultimamente Pilar Palomo acepta esta fecha[80].

Fuentes y argumento

Se ha señalado como fuente de *Los hermanos parecidos* la comedia de Plauto *Los dos Menecmos (Menaechmi)*, que a su vez toma el argumento de Menandro. Hay traducción anónima

---

[77] Emilio Cotarelo y Mori, *Comedias de Tirso de Molina,* Madrid, Bailly-Baillière, NBAE, 1907, t. II, pág. XXIII a.

[78] *Ibíd.,* pág. XXIII b.

[79] Véase Tirso de Molina, *Obras dramáticas completas,* edición de Blanca de los Ríos, Madrid, Aguilar, 1946, tomo I, pág. 1687.

[80] Véase Tirso de Molina, *Obras,* edición de María del Pilar Palomo, Barcelona, Vergara, 1968, pág. 20.

castellana del *Menecmos* (Martín Nucio, Amberes, 1555). La obra pudo influir a su vez en otras obras teatrales de la Europa moderna (Shakespeare, Regnard, Goldoni, etc.). Juan de Timoneda hizo una refundición en prosa en su colección la *Turiana* (1565).

Más que de fuente concreta, hay indudablemente que hablar de posibles reminiscencias, no sabemos por qué conducto, de la comedia de Plauto. Lo coincidente en obras tan disímiles es puramente la anécdota de los dos hermanos idénticos, sus vidas en sitios diferentes y su encuentro final. La preciosa comedia de Plauto, con sus equívocos, su ambiente de enredo y su carácter mundano, poco tiene que ver con la reducción alegórica de Tirso, como no sea en el núcleo señalado antes.

El auto posee un esplendoroso comienzo, en que el Atrevimiento (símbolo del Angel Caído) declara a la Admiración que viene del Cielo a asentarse en la Tierra en casa del Hombre. Sigue un canto con música en el que se anuncia y se da la bienvenida al Hombre, gobernador del Orbe. Los cuatro continentes (Asia, Africa, Europa y América), rinden pleitesía a aquél en largos y solemnes versos. Aparece el Hombre casado con la Vanidad, a quien visita el Atrevimiento, y le induce a que acepte las manzanas que ella tiene en una gaveta y que le ofrece. El las prueba y queda lleno de vergüenza y tristeza. El Deseo quedará como «privado» del Hombre y le servirá el Engaño como bufón. Este le invitará a jugar al ajedrez, a la pelota y finalmente a las cartas. A éstas últimas acepta el Hombre, pero cuando están jugando llega la Justicia a prenderlos por no dar el barato. El Hombre quiere despeñarse y cuando va a hacerlo llega Cristo vestido igual que él y se lo impide. El Hombre se acogerá al sagrado del Hospital de la Cruz, mientras Cristo es detenido por la Justicia, que le confunde con el Hombre, y al que condena a la pena del palo. Cuando van a poner en la cárcel al Hombre, Cristo en la cruz dice que le dejen, mientras él se ofrece en sacrificio eucarístico.

Este auto ha sido tratado con notoria ligereza por parte de la crítica. Wardropper, que lo considera un «verdadero auto sacramental logrado», refiriéndose sin duda a una cuestión de género literario, dice que «no es más que una obra mediocre» y cita las palabras de Valbuena, que había dicho que el auto era una «curiosidad arqueológica»[81]. Wardropper no especifica en concreto por qué le parece una obra mediocre. Habla de que las abstracciones no eran preferencia del mundo dramático de Tirso, pero esto es una generalización. En cuanto a la idea de Valbuena aplicada a este auto, mucho nos tememos que arqueología no sea mucho más de lo que hagan Tirso, Lope, Valdivielso o Calderón en sus autos. Suponer que lo arqueológico es sólo una parcela del arte antiguo es cuestión de gusto, cultura y preparación humanística, y responde más a un criterio de niveles culturales y de afinidades momentáneas que de imposibles valoraciones objetivas. Lo que a uno parece arqueología a otro parece excelsitud artística, y lo que es arqueología hoy puede dejar de serlo mañana, y viceversa. Hace falta un análisis al menos más detallado y ponderado para establecer una valoración precisa. Karl Vossler tampoco le dedicó mucho espacio a este auto, diciendo exclusivamente que Tirso nos presentó «el misterio de la redención como una tramposa picardía en la que Cristo se sustituye por el hombre pecador»[82].

Precisamente porque consideramos que *Los hermanos parecidos* es uno de los pocos autos de Tirso verdaderamente logrados, merece la pena destacar los valores que presiden este logro. En primer lugar, nos parece inexacta la afirmación de Wardropper en cuanto a que su «argumento está, pues, basado en los dogmas del Pecado Original y de la Redención»[83],

---

[81] Wardropper, *op. cit.*, pág. 324.

[82] Karl Vossler, *Lecciones sobre Tirso de Molina*, Madrid, Taurus, 1965, pág. 49.

[83] Wardropper, *op. cit.*, pág. 324.

pues con esta afirmación parece que se nos está indicando que se trata de un auto inspirado en la historia bíblica, y esto es una verdad a medias. Creemos que aquí Wardropper confunde la distinción calderoniana entre *asunto* y *argumento*. El *argumento* de *Los hermanos parecidos* es, como vimos, el tópico clásico de los Menecmos, lo tomase de la obra de Plauto o de cualquier refundición moderna, o simplemente fuera en él una reminiscencia literaria. El *asunto*, lo que tantas veces llamó Valbuena Prat «historia teológica de la Humanidad». En el drama eucarístico, como ya vimos, era perfectamente posible deducir del misterio sacramental la propia historia teológica del Hombre. Por eso nos parece inexacta también la afirmación de Wardropper de que Tirso hace que el «punto central de los autos no es el Hombre, sino un hombre». En este auto es claramente el Hombre como abstracción del ser humano concreto. Que la lectura que hizo Wardropper de *Los hermanos parecidos* fue considerablemente ligera se hace patente en su afirmación de que el Engaño y el Atrevimiento buscan al Hombre para matarle y «se equivocan, matando en lugar del Hombre a su 'hermano parecido', Cristo». Esto no es exacto, y el lector puede comprobarlo en la lectura de la obra. El Engaño y el Atrevimiento no matan a nadie, sino que es la Justicia, acompañada del Deseo y la Envidia, los que ponen «en un palo» a Cristo confundiéndole con el Hombre.

El sistema alegórico de Tirso en este auto se fundamenta en un concepto teológico. Cristo posee una doble naturaleza (Hombre y Dios), y, por esta razón, como hombre puede ser confundido con él y condenado, y como Dios puede redimirlo con su propia Pasión humana. De hecho, en la historia evangélica a Cristo se le condena a muerte por pensar que es un mero hombre, como sucede en el auto. El artificio de Tirso consiste en suponer que la «hermandad» de Cristo hacia el hombre, por amor de Dios cierta, se puede prolongar alegóricamente en una «hermandad» biológica como la de Menecmos. Aquí reside realmente la alegoría del auto, y no en la historia de Adán y Eva, que si se alegoriza es como soporte temático y no argumental. Si Tirso hubiera realizado una transposición sagrada de la obra de Plauto siguiendo literalmente la acción no hubiera podido escribir un auto, pues *Menecmos* es una comedia de enredo costumbrista, llena de lances divertidos, que sólo en su idea general, como vimos, permite una trasposición alegórica. Esto no es un defecto, pues a menudo las alegorías de las fábulas o historias antiguas conservan únicamente de éstas los motivos estructurales y, todo lo más, los nombres de algún personaje y alguna acción significativa.

Peregrino, si se quiere, es el lance tirsiano del juego de cartas, que es el que motiva la persecución de la Justicia. El dramaturgo hace que el Hombre sea víctima del Engaño, juegue a las cartas, y no pague el barato. El episodio incrustado en el centro del auto es un ejemplo costumbrista. Tirso pudiera haber ideado otro, pero eligió éste para justificar la persecución y la confusión de identidad. El motivo en sí es tan aceptable como cualquier otro, aunque éste pueda parecer extravagante. En la obra de Plauto el motivo-objeto que servía para crear el enredo era un mantón, es decir algo bien distinto. El juego de azar entraña una costumbre social, pero además los naipes han sido objeto de atención literaria muy frecuente. Este juego tiene también un significado simbólico, porque en él se decide muchas veces el destino y el futuro del jugador. La vida misma es un juego en el que se apuesta por algo y se gana o se pierde. No es, por consiguiente, un motivo literario meramente exótico o típico, sino que ejerce una función en la que se decide o se puede decidir algo fundamental, y Tirso se aprovecha de esta realidad para trasmutarla a niveles teológicos (véanse los vv. 480 a 637). Puede sorprender en una primera lectura la extensión desmedida de la escena del juego, pero sopesándola nos damos cuenta de que Tirso ha utilizado todo un conglomerado de símbolos, con las bazas y las apuestas, que le han servido para exponer varios casos doctrinales articulados perfectamente en la «historia teológica del hombre», que es el fundamento de la exposición dramática de dicha escena.

Por lo demás, el auto tirsiano posee las cualidades características de gran parte de sus obras teatrales: por ejemplo la crítica cortesana (vv. 332-387), la eclesiástica (vv. 346-355), la política (vv. 400-431; ¿cómo no ver en esos «jirones» del verso 431 una alusión satírica a los duques de Osuna, como ha señalado Blanca de los Ríos?), etc., de forma y manera que hasta el cuerpo de una pieza alegórica sirve al agudo fraile para lanzar dardos contra el mundo y la sociedad contemporáneos. La escena final resulta en verdad introducida de modo algo brusco: la apoteosis eucarística, diseñada con todos los ingredientes del género (cáliz, cruz, hostia, los cinco «caños de sangre»), aparece sin solución de continuidad en el mismo momento culminante de la acción. Escénicamente puede ser convincente, si se sabe representar con habilidad.

Pensamos, en suma, que *Los hermanos parecidos* es un auto con limitaciones, pero de sabia y madura concepción, en cuya realización puso Tirso bastante de su mundo característico. No creemos que el dramaturgo no comprendiese el género, como dice Wardropper, sino que probablemente para él no era una actividad esencial, como muestran los pocos que escribió. Sabido es que los autos por lo general eran composiciones de encargo, y hasta Calderón insistió en esto cuando se disculpó innumerables veces de que si «erraba era por obedecer».

Valdivielso o la creación de un auto con caracteres determinados

Un caso muy distinto es el de Valdivielso. El buen poeta toledano fue un hombre dedicado exclusivamente a componer obras de carácter religioso. Como han visto la mayor parte de sus críticos, el sacerdote que era Valdivielso, tanto en sus obras líricas como dramáticas, fue sobre todo un poeta lírico. Wardropper ha reivindicado a Valdivielso como autor dramático, pero como en toda reivindicación, el punto de ponderación, necesario siempre, se ha desmesurado, al menos a nuestro juicio. Claro que Wardropper ha tenido como punto de mira la evolución del género sacramental, y en este sentido la aportación de Valdivielso fue verdaderamente importante, pero en sustancia no muy diferente de la de Lope, al que imitó y del que era amigo. En cuanto a la utilización que hace Wardropper de las *Aprobaciones* de la época para indagar en el sentido de los autos de Valdivielso, no nos parecen excesivamente significativas. Vicente Espinel, que hizo la aprobación de los *Doze actos sacramentales,* dice que el libro está «tan adornado y sembrado de lugares de Escritura Sagrada, tan bien traída, que no parece sino que se nació en los mismos versos», pero esto, como podemos ver en el auto de Lope, era característica común en los dos escritores, y no vemos que fuera una especial virtud, sino una enfadosa y pueril forma de adoctrinar con citas. Este defecto o virtud, como se quiera, fue común también a Tirso y a Calderón, aunque en este último de manera más comedida, como puede igualmente comprobarse en el auto que editamos, aunque es cierto que no siempre fue así. Era una característica común a los escritores de entonces. En lo que sí tenía razón Espinel era en destacar «el gallardo estilo y lenguaje» de los autos, que precisamente, como en Lope, nos parece su mayor virtud.

Hacemos estas precisiones iniciales porque después de la reivindicación de Wardropper no hay crítico que no exagere el valor de Valdivielso. Ticknor decía que «los autos de Valdivielso no son mejores que los de sus contemporáneos», y esto le parecía a Wardropper que se debía a la «sombra que echó sobre él la gigantesca figura de su amigo Lope»[84]. No nos convencen excesivamente las cuatro proposiciones que establece Wardropper para la tentativa de revalorización de Valdivielso; quizá la última, señalada antes por Salas Barbadillo, tenga más sentido. Nos referimos al hecho de que éste considere que el dramaturgo sacramental había descubierto para el género «las más ingeniosas y seguras sendas», pero como veremos, las sendas fueron tan personales, autónomas y «provincianas» que difícilmente a través de ellas podía el género transcurrir en el futuro, lo cual no quiere decir que esas «sendas» fuesen equivocadas, sino difíciles de transitar por otros escritores con formación y amplitud de miras superiores, difíciles por la misma esencia limitada de sus cauces. En cualquier caso, nos parece irrelevante —cuando no irreverente— comparar a Valdivielso y Calderón, como autores

---

[84] *Ibíd., op. cit.,* pág. 295.

de autos, nada menos que con ¡Mozart y Beethoven!, como hace Wardropper, aunque lo que quiera significar es que cada uno llegó a una culminación en su momento dentro de sus posibilidades. Pero es que Calderón artísticamente hablando está en una esfera de universalidad en la que es absurdo situar a Valdivielso, por mucho encanto que indudablemente tengan sus lirizaciones «a lo divino» de temas populares. Por otra parte, si como dice Wardropper «tanto Valdivielso como Calderón componen unos autos sacramentales perfectos en estilos muy distintos», mal se entiende esto en la línea general de un estudio que tiende a suponer el auto sacramental hasta Calderón como el desarrollo de un proceso embrionario hasta su madurez definitiva, y no parece creíble que esta madurez sea dada ya por Valdivielso, como ahora veremos.

En primer lugar, dice Wardropper que lo que distingue a Valdivielso de Calderón es que «Calderón es el poeta de la Redención mediante el dogma, Valdivielso lo es mediante el arrepentimiento sincero del pecador»[85]; esto no es realmente una diferenciación ni técnica ni artística, ni siquiera dramática, sino puramente doctrinal, y su interés sirve quizá para conocer el talante religioso de ambos dramaturgos, pero no para establecer un modo de construir un sistema de alegorización preciso ni para calibrar su perfección dramática. En todo caso, lo que quiere decir Wardropper es que el «modo» de Valdivielso está más relacionado con el mundo de los afectos, propio de la comedia, que con el mundo de los símbolos, propio del drama sacramental, y si esto es así, evidentemente en Valdivielso es todavía ese mundo un reflejo, como en Lope, de la comedia, y no una entera creación nueva con sus leyes propias. Cierto es que suponer en el auto sacramental una forma netamente distinta de los géneros dramáticos habituales es no tener en cuenta lo que significa la tradición teatral de los géneros de la época. Nunca el auto se liberó de su dependencia con respecto a la comedia, y esta posible emancipación sólo era deseable en la medida en que el nuevo sistema alegórico sirviese a su propio objetivo. Valdivielso

---

[85] *Ibíd.*, *op. cit.*, pág. 296.

mantiene en gran manera esa dependencia, como la mantendrá igualmente Calderón, para dar necesaria encarnadura al drama, pero sólo Calderón lo hará con sabiduría dramática suficiente. Un ejemplo, estudiado hace tiempo por nosotros, nos lo mostrará en mayor evidencia.

Cuando Valdivielso escribe su auto *Psiques y Cupido* utiliza un modo de alegorización muy hábil, pero todavía con algunos puntos de dudosa efectividad. Calderón, que compuso dos autos sobre idéntico asunto, perfeccionó sin duda ese mismo sistema. En la trasposición del mito de Psique a lo divino, ambos nos hacen seguir el hilo de la fábula con notoria fidelidad, pero al llegar el momento culminante del descubrimiento de Cupido, Valdivielso desaprovecha el episodio y se limita a narrar sus efectos por boca de la desgraciada protagonista, mientras que Calderón, más atrevido, escenifica el hecho en los dos autos. Es decir, aprovecha dramáticamente la fuente original. Valdivielso se limita a cantar la conocida «serranilla de la zarzuela», procedimiento menos teatral que está en la línea de los autos de Lope de Vega[86]. Otros aspectos de la diferente técnica dramática están indicados en el estudio referido.

Pero es que además lo que en la época podía ser considerado como una baza positiva en Valdivielso, hoy no tiene por qué parecérnoslo así. Por ejemplo el tan mencionado por Wardropper resorte dramático de Valdivielso, su llamada al perdón, muy válida doctrinalmente, es más que discutible como efectiva visión del hecho teatral. Valdivielso construye doctrinalmente el auto como un sacerdote que invita al arrepentimiento y a la vida devota, pero lo hace con una exagerada ingenuidad y con un paternalismo que supone un espectador sin la menor cultura y sentido crítico. Como ha dicho Charles V. Aubrun: «El 'acto de devoción' ('auto') a través de los meandros de cualquier intriga, termina con el *mea culpa* y el *miserere* del hombre y con el perdón misericordioso de Dios hecho hombre. Valdivielso tenía vocación pastoral y cumple con su deber de cura de almas sencillas a través del

---

[86] Enrique Rull, «Psiques y Cupido, auto sacramental de Valdivielso», en *Segismundo*, II, págs. 139-40.

teatro edificante, con alegorías coherentes»[87]. Esto mismo es lo que hace hoy inservible, para un público medianamente instruido, el mensaje teatral: la puerilidad en los modos de adoctrinar, la falta de confianza en la dignidad de la persona y en su criterio. Es frecuente también en los autos de Valdivielso que el paternalismo pastoral se revista de un incongruente desprecio por la razón, al hacerla enemiga de la fe, como ya señalara Bonilla y San Martín[88].

En resumen, nosotros vemos a Valdivielso como un hábil continuador de Lope, sin su audacia, pero conservando su exquisito lenguaje lírico, lo mejor de su producción sin duda, y capaz de encontrar una fórmula de alegorización moderada y uniforme, sin altibajos, excelente núcleo de dramatización de historias, por medio del cual sirve a sus sucesores un material coherente y equilibradamente formado.

Valdivielso escribió doce autos de la edición mencionada, más algunos otros inéditos, y dos comedias religiosas que componen el volumen dedicado al Cardenal Infante y publicado en Toledo en 1622[89]. De esos doce autos algunos se han divulgado considerablemente por haber sido editados en la BAE (tomo LVIII) en la edición de González Pedroso y luego en otras ediciones modernas. Entre ellos hay que destacar *El hijo pródigo, La serrana de Plasencia, El hospital de los locos, La amistad en el peligro* y *El peregrino*. Los tres últimos, según Wardropper, son los mejores autos de Valdivielso, por no utilizar una fábula ajena, sino servirse únicamente de su propia imaginación. Acertadamente el mismo crítico estudia diversos aspectos de su técnica dramática y se centra sobre todo en el auto *El peregrino*, del que hace un magnífico análisis[90]. *El hospital de los locos* es sin duda uno de los más originales. Lo

---

[87] Charles V. Aubrun, *La comedia española (1600-1680)*, Madrid, Taurus, 1968, pág. 193.

[88] Adolfo Bonilla y San Martín, *El mito de Psyquis*, Barcelona, 1909, pág. 47.

[89] Véase nuestra Bibliografía. La bibliografía más completa de Valdivielso se halla en el libro de J. M. Aguirre, *José de Valdivielso*, Toledo, CSIC, 1965.

[90] Wardropper, *op. cit.*, págs. 293-320.

ha estudiado y editado J. L. Flecniakoska[91]. Probablemente, apunta éste, le sería inspirado por «el espectáculo que ofrecía a Valdivielso el horrendo y famoso manicomio de Toledo, llamado el Hospital del Nuncio»[92]. Los «locos» del auto son Luzbel, el Género Humano, la Envidia, la Gula, el Mundo y la Carne. El Alma, seducida por el Deleite, es arrastrada al hospital y de allí liberada, al confesar su error, por la Inspiración. La alegoría es realmente magnífica, y lo único triste es comprobar el criterio de la época para con los enfermos mentales (prisión, palizas, cabezas rapadas y capirotes). Pero Valdivielso ha sabido idear y dramatizar un argumento de forma muy original y eficaz.

Otro auto importante, por la tradición literaria que supone y por su acertada transposición «a lo divino», es *La serrana de Plasencia*, del que nos vamos a ocupar aquí.

La serrana de Plasencia, de Valdivielso

Presentación

El tema de la serrana de la Vera de Plasencia tiene una antigua tradición, que se remonta a los romances tradicionales, como ha señalado Ramón Menéndez Pidal[93]. El mismo tema de las serranas en general es también muy antiguo, siendo su exponente más ilustre el de Juan Ruiz en *El libro de buen amor*. Pero la tradición en la que seguramente ha bebido Valdivielso es la del Romancero y la de dos comedias profanas sobre el mismo tema de igual título, las de Lope de Vega (1600?) y Vélez de Guevara (1613), como apunta Enrique Rodríguez Cepeda[94]. También hay que considerar *La*

[91] Véase José de Valdivielso, *El hospital de los locos* y *La serrana de Plasencia*, edición de Jean-Louis Flecniakoska, Salamanca, Anaya, 1971.

[92] *Ibíd.*, págs. 14-15.

[93] Véase su edición de Vélez de Guevara, *La serrana de la Vera*, Centro de Estudios Históricos, Madrid, 1916, págs. 134 y sgs.

[94] Véase su edición de Vélez de Guevara, *La serrana de la Vera*, Madrid, Alcalá, Colección «Aula Magna», 1967, págs. 19-22.

ninfa del Cielo, comedia de Tirso de Molina, sobre la que es difícil decidir si pudieron influir las anteriores comedias (Blanca de los Ríos supone que si las conoció fue por la escena, no por la lectura), e igualmente hay que tener en cuenta el auto del mismo Tirso y de igual título (*La ninfa del Cielo,* representado en Sevilla en el año 1619). Es imposible estudiar tan arduo problema en el breve espacio de esta edición, problema que parece obviar Flecniakoska en su edición, limitándose a señalar los antecedentes conocidos del romance «Allá en Garganta-la-Olla» y la comedia de Vélez. En cualquier caso, el auto de Valdivielso debió de ser compuesto antes de 1620, e incluso podemos precisar que algunos años antes. En los *Anales del Teatro de Sevilla* de Sánchez Arjona, citados por Blanca de los Ríos, consta que en 1619 se representaron dos autos, precisamente *La ninfa del Cielo* y *La serrana de Plasencia*[95]. El problema de las fuentes se complica, por consiguiente. Al no tener constancia de la fecha de composición de ambos, es muy difícil saber cuál de ellos es anterior al otro y si pudieron influir uno en el otro, y dilucidar, si esto fue así, cuál pudo hacerlo en cuál.

Argumento y alegorización

Pensamos que *La serrana de Plasencia* debe probablemente a sus fuentes una mera estructura de motivos básicos, pues el sistema de alegorización característico de Valdivielso supone una gran economía en la adquisición de elementos argumentales y una gran elaboración original de sus materiales «a lo divino». Esto, que sucede en todos sus autos, no podía ocurrir de otra manera en éste. Lo que sí hace Valdivielso es incrustar innumerables referencias bíblicas y, sobre todo, utilizar los elementos de la lírica tradicional a su alcance que tuvieran alguna afinidad con el argumento escogido. El autor toledano se interesa sobre todo por la materia argu-

---

[95] Véase Tirso de Molina, *Obras dramáticas completas,* edición de Blanca de los Ríos, Madrid, Aguilar, t. II, pág. 747, *a* y *b*

mental desde una perspectiva esquemática. No obstante, es posible que en algunos puntos la obra de Vélez haya dejado huellas en él, como veremos ahora.

Como prólogo a la acción del auto dialogan el Desengaño y la Razón acerca de las fechorías de la Serrana, que inducida por el Engaño, lleva una vida de salteadora. En la escena siguiente se ve a la Serrana armada con ballesta y espada, acompañada del Engaño y la Juventud, a los que luego se unirá la Hermosura. La Serrana confesará que fue robada por el Engaño a su Esposo y que no piensa volver con él. Mientras, se divierte con los músicos. A su vez, la Razón explica el Esposo (vestido de pastor), cómo ha sido asaltada por la Serrana en Garganta-la-Olla y le ha arrebatado la capa. El Esposo dice al Desengaño que comunique a la Serrana sus desvelos y el amor que la tiene. Esta, entre tanto, persigue al Gusto, que huyendo de ella esconde bajo su capa un esqueleto, que se descubre cuando la Serrana lo alcanza. El Desengaño trata de convencer al Engaño y a la Serrana de que el Esposo no la olvida. Y el Esposo, disfrazado de pastor, va a verla y a tratar de enamorarla. Ella se entrega a él y le pide perdón, pero el Esposo manda a la Santa Hermandad que la prendan, lo que no tardarán éstos en hacer. La ponen en un palo y cuando la van a asaetear el Esposo se pone en medio y recibe él las heridas. La Serrana, arrepentida, llora por el dolor del Esposo, mientras el Engaño es a su vez atravesado por las flechas. El Esposo invita a la Serrana y a todo el pueblo a comer y beber, siguiendo la costumbre de dar pan y vino a los presentes en los ajusticiamientos.

Además de las coincidencias generales en el planteamiento argumental con la tradición de la Serrana de la Vera, como pueden ser la situación de salteadora de ésta, su aspecto decidido y su persecución de galanes poco escrupulosos, la Serrana de Valdivielso coincide con la de Vélez en cuestiones de detalle, sobre todo en la última parte de la historia. No obstante, en lo que se refiere al personaje, la Serrana de Valdivielso no se muestra tan fieramente encarnizada con los hombres como la deshonrada Gila de Vélez. El Esposo del auto no tiene correspondencia exacta con la obra de Vélez, quizá en algún aspecto de respeto con el padre de Gila. En lo que sí coincide el argumento es en la detención de la Serrana por la Santa Hermandad y en su ajusticiamiento en el palo y asaeteada. La diferencia más evidente reside en que este ajusticiamiento en el auto es estorbado por el Esposo, que perdona a la Serrana. Aquí se cumple el dictamen sobre el honor y su vinculación, que señaló Wardropper en un artículo revelador acerca de la diferencia del honor en la tradición social de los dramas de la época frente al sentido religioso del perdón enarbolado por Valdivielso desde una posición de amor cristiano tan lejano de las bárbaras costumbres sociales[96].

En el auto, la Serrana representa el alma caída en el pecado y salvada por Cristo. El Engaño es Satanás, y el Esposo, Cristo. Como ha visto Flecniakoska, los personajes centrales representan la Dama y el Galán de la comedia clásica, el Engaño el gracioso y el Desengaño el «barba», ya que suele salir de viejo. Unos personajes aparecen vestidos de labradores o de pastores, y otros, como la Hermosura, el Gusto, la Juventud o el Honor «visten lucida indumentaria, señalando así la oposición entre aldea y Corte, es decir, entre virtudes y vicios»[97]. Lo que implica naturalmente una toma de posición siguiendo el tópico renacentista, pero también el mito de la pureza del campo frente a la vida urbana. Así el Esposo vestirá de pastor, lo que significa no sólo una correspondencia con este tópico, sino una simbolización cristiana con la idea del «buen pastor». Como en la comedia de Vélez, aquí se dramatiza también un caso de «honra», pues la Serrana ha dejado sin ella al Esposo al abandonarle; de ahí que éste aparentemente proceda a la venganza, pero con el distinto resultado que ya vimos con relación al habitual tema del honor en la comedia de la época.

El sistema de alegorización no sólo se establece de la manera general como *allegoria in factis*, sino de la manera intencionada buscada por el poeta, como *allegoria in verbis*. Es más, este sistema último es muy frecuente en Valdivielso en el des-

---

[96] Bruce W. Wardropper, «Honor in the Sacramental Plays of Valdivielso and Lope de Vega», en *Modern Language Notes*, 1951, LXVI, págs. 81-88.

[97] Flecniakoska, *ed. cit.*, pág. 17.

arrollo de todos sus autos, y aquí no podía ser menos. Las mismas referencias bíblicas surgen de manera constante ante cualquier situación, aunque aquí parecen agruparse en núcleos o tiradas de versos, generadas unas de otras (p. ej., vv. 870-900; 959-963), y mucho menos frecuentes que en otros autos suyos.

La acción del auto es viva desde la primera escena, la variedad grande, la tensión creciente, sobre todo al final. En el sentido dramático, no cabe duda que la construcción es hábil y eficaz. Pero lo mejor es la expresión, adecuada a cada situación y siempre fresca, con sus hermosos «contrafacta» de los romances y canciones de la serrana tradicional. Hay que reconocer que este auto mantiene una hermosa factura incluso desde el punto de vista doctrinal, en donde, a diferencia de algún otro, hasta la Razón aparece como un personaje positivo, y la actitud piadosa del Esposo resulta menos convencional, quizá porque contrasta con la actitud habitual del esposo ante el honor. El recurso, que Wardropper llama «particularización»[98], y que consiste en adaptar un principio general a la concreta costumbre del auditorio de la época, es muy usado por Valdivielso como procedimiento para acercar el hecho abstracto a la realidad temporal y concreta de cada situación. En *La serrana de Plasencia* esto es particularmente notable y el mismo Wardropper se preocupó en señalar algún caso concreto de esta obra: la detención de la Serrana por la Santa Hermandad, por ejemplo. Cierto es que, como ya vimos, esto pudiera ser una reminiscencia de la comedia de Vélez, pero ello no resta un ápice de esa función, por concretar en el terreno de lo temporal el carácter abstracto de los símbolos, en este caso la Justicia. Wardropper cae en la tentación de decir que «En cierto sentido, los autos de Valdivielso son comedias a lo divino»[99]. Esto, que puede parecer una concesión e incluso tergiversación del género por parte de Valdivielso, nos parece un enorme acierto y un paso adelante en la confirmación definitiva del auto. Los mismos autos de Calderón profundizarán en esta técnica. En el auto

---

[98] Wardropper, *Introducción al teatro religioso..., ed. cit.*, pág. 313.
[99] *Ibíd.*, pág. 314.

que comentamos, Valdivielso explora lo que llamaba Wardropper «particularización» hasta el punto de que la apoteosis final, como vimos, era un caso notable de ésta, con el reparto de «pan y vino», costumbre de la época y misterio sacramental a un tiempo. Es indudable que el autor toledano tenía una fina sensibilidad para transformar cualquier hecho de la vida cotidiana en materia simbólica y crear así una obra llena de referencias a ambos mundos, imposibles de separar y perfectamente captables por sus espectadores.

Calderón. La fijación y culminación del género

Tiende a pensarse que en Calderón están cifradas las características generales y peculiares del auto sacramental, hasta tal punto que inconscientemente el género lo relacionamos con el autor que supo darle la forma más decididamente acabada. No podemos aquí plantearnos todos los problemas que se refieren al auto sacramental calderoniano, porque es tarea que excede no ya a un prólogo de estas características, sino a copiosas monografías. Es evidente que el género en manos de Calderón ya no es lo que fue en sus antecesores, pero no se crea que nació de sus manos de forma definitiva. Pacientes indagaciones nuestras están demostrando que hay en él una labor de ensayo o preparación en autos primerizos hasta la eclosión en fecha todavía temprana de sus solemnes y ricas piezas sacramentales[100].

Hay un hecho que queremos destacar de manera primordial: lo que hace de Calderón la cumbre del género no es un aspecto aislado en la composición y factura del auto, no es ni siquiera un factor cuantitativo de elementos añadidos, y menos aún un enfoque diferenciado, pero parcial, con respecto a sus antecesores; es la conjunción de diversos aspectos, que determina una unidad netamente distinta. Por eso nos

---

[100] Véase Enrique Rull y J. C. Torres, *Calderón y Nördlingen*, Madrid, CSIC, 1981. Igualmente nuestro estudio y edición de *La montañesa*, otro auto primerizo de Calderón.

parece que no es acertada la tesis de Wardropper al intentar reivindicar a Valdivielso como una cumbre definitiva en la elaboración del auto, porque entonces Calderón sólo sería un autor que alteraría éste cuantitativamente, pero no cualitativamente. Es bien sabido, por otra parte, que el incremento de factores cuantitativos en la realidad puede determinar un cambio cualitativo, pero este no es sólo el caso en la evolución del género sacramental. El género, como dice Wardropper, «está ya preparado para un genio propio»; sería inconcebible que Calderón —sin el precedente de Lope, Tirso, Valdivielso y otros— hubiera compuesto sus autos como los compuso, pero, como dice también el propio Wardropper, «Calderón no continúa la obra de Valdivielso», sino que se replantea los problemas de su estructura y su alcance como misterio y como drama. Es decir que el propio crítico sienta las bases para replantearse el género desde otra perspectiva que la de Valdivielso. La fórmula de éste era válida, pero demasiado ligada a la de sus contemporáneos y amigos, principalmente Lope de Vega, y su solución abarcaba sólo una fórmula doctrinal: la del arrepentimiento del pecador y la misericordia de Dios. Por eso es verdad que agota todas las posibilidades del género, pero, como dice Wardropper, «tal como lo concibe él». Y aquí está el verdadero problema, pues si puede ser concebido de otra forma mejor, más ambiciosa y perfecta, está claro que las posibilidades de Valdivielso eran menguadas y no perfectas, como dice el mismo crítico.

En Calderón sí se dan esas posibilidades insuperables, como ahora veremos. Decía Valbuena en el año 1941 que Calderón «poseía grandes condiciones para el género del auto sacramental. Su extraordinario poder sintético le hacía, desde el primer momento, captar las ideas generales que tan bien se acomodaban a la naturaleza alegórica del género, para estrecharlas, escénicamente, en torno a una estricta unidad»[101]. Estas palabras de Valbuena nos parecen muy importantes, y es lástima que él mismo no llegase a detallar con amplitud suficiente lo que sabía con tanta claridad. Otro

---

[101] Angel Valbuena Prat, *Calderón,* Barcelona, 1941, pág. 184.

autor que ha sentado la base sobre la que construir un edificio crítico con respecto al auto calderoniano es A. A. Parker. En su obra fundamental sobre el auto de Calderón, el ilustre hispanista se daba cuenta de que el auto era una pieza integradora, en la que todos los elementos que entran en juego para su construcción «se integran entre sí para formar una unidad artística, y que falla ésta cuando algunos de ellos quedan demasiado reducidos o cuando uno o dos de estos elementos cobran demasiada amplitud en detrimento de los otros. Los elementos de esta construcción son: la dicción poética, la imaginería, la técnica (estructura dramática y escenificación) y el contenido intelectual (ideas teológicas y filosóficas integradas en el tema y la acción)»[102]. Por tanto, Parker detalla algo más que Valbuena los elementos integradores del auto para que éste sea una realidad completa, artística y doctrinalmente hablando. Pero en su obra no llegó a presentar sistemáticamente estos aspectos por él señalados y su función en el auto calderoniano.

Lo que nos interesa destacar aquí son, justamente, los elementos que conforman el auto calderoniano como síntesis integradora. Precisamente, y ahora estamos en condición de verlo, lo que impedía que los autos anteriores, incluidos los de Lope y Valdivielso, fueran autos definitivos como género, era el hecho de que no habían sabido integrar y sintetizar todas las posibilidades del género.

Por eso hemos destacado las opiniones de dos ilustres calderonistas en torno a la verdadera constitución del auto y a la cualidad específica de Calderón de ser un magnífico constructor de síntesis. Vemos nosotros al dramaturgo madrileño como un artista especialmente dotado para la creación de arquitecturas teatrales, a lo que debemos añadir su facultad verbal extraordinaria, su facilidad para asimilar la tradición escolástica y su fantasía para concebir situaciones dramáticas de cualquier argumento, por convencional que fuese. Nada tiene de extraño que el auto sacramental fuese para él un género sin dificultades. Además, en sus últimos años se dedicó

---

[102] A. A. Parker, *Los autos sacramentales de Calderón de la Barca, ed. cit.*, págs. 43-44.

casi por entero al cultivo del género. Por ello fue no sólo un artista dotado, sino un escritor entregado, que no componía autos de manera ocasional, sino sistemática. Todo parecía posibilitar, por consiguiente, que su actividad en el género sacramental fuese satisfactoria.

Por esas *facultades de síntesis* de las que hablamos, Calderón constituye el auto sacramental con por lo menos cinco grandes líneas de síntesis, que determinamos y estudiamos brevemente a continuación:

1) *Síntesis cósmica*, organizada en sus elementos primarios.
2) *Síntesis de la Historia humana*, dividida en sus etapas fundamentales.
3) *Síntesis del Hombre mismo*, descompuesto en sus atributos y potencias (microcosmos).
4) *Síntesis del universo geográfico*, analizado en sus continentes y regiones fundamentales y en el predominio de las diferentes sectas y creencias religiosas.
5) *Síntesis estético-dramática*, armonizadora de las artes.

A través de estos elementos de síntesis compone Calderón sus autos, valiéndose además de las doctrinas que desde el punto de vista filosófico y teológico estaban vigentes en la España de su tiempo. Calderón no supo o no quiso asimilar las corrientes de pensamiento europeo de sus contemporáneos, quizá porque ya preludiaban la «crisis de la conciencia europea», y no le habrían servido como fundamento de su pensamiento, que tendía a una concepción del mundo férreamente ordenada y jerarquizada, sobre todo en un género tan esquemático y dogmático como el auto sacramental.

La primera síntesis, que llamamos *síntesis cósmica*, supone una concepción del universo extraída de consuno de la concepción poética ovidiana *(Metamorfosis)*, y del libro del *Génesis*. Lo dice el propio Calderón en varios de sus autos. Lo importante de esta visión es que el dramaturgo descompone los elementos primarios del cosmos (aire, fuego, tierra, agua) para crear unos personajes alegóricos y dar una medida cabal de que el mundo es un *caos* (o una nada) que hay que ordenar. Estos aspectos de alguna manera ya han sido estudiados por Valbuena Prat y por Wilson[103], principalmente por este último. Es en *La vida es sueño* (auto) donde se dramatizan los elementos de forma primordial, porque es un texto en el que asistimos al proceso de formación del propio cosmos, pero en otros muchos autos los elementos tienen papel importante, e igualmente en algunas comedias se alude a ellos. La Creación supone precisamente el ordenamiento de ese caos, pero la armonía establecida puede ser alterada en cualquier momento; como dice Wilson «cada elemento es estable y fijo si no se sale de sus límites, pero si los sobrepasa nos hallamos de nuevo ante el caos primitivo»[104]. Por consiguiente, el cosmos para Calderón se fundamenta en un equilibrio inestable que puede destruirse por el mal, por el error o por el azar. El hombre en este mundo después de la Creación es señor de los elementos, pero después de su Caída es sometido a ellos para ser su prisionero.

Esta síntesis cósmica, por tanto, supone una visión del universo de la que el pensamiento teológico y poético se apropian para establecer una especial dramatización alegórica. Calderón en muchos autos aludirá a este fenómeno, lo que demuestra la coherencia de su pensamiento en el acto de la creación literario-sacramental. Estamos pues ante un punto de síntesis que forma la columna vertebral de su quehacer dramático, extensible incluso al género comedia, como apuntábamos antes. Un estudio pormenorizado del tema desde esta perspectiva nos daría la clave de su importancia en el género, la cual, en cualquier caso, puede el lector ampliar con los estudios de Valbuena y Wilson mencionados.

La segunda síntesis, que denominamos *síntesis de la Historia humana,* ha sido descrita por nosotros en varios trabajos[105].

---

[103] A. Valbuena Prat, «El orden barroco en *La vida es sueño»,* en Durán y González Echevarría, *Calderón y la crítica* (Véase Bibliografía), t. I, págs. 264-65. Edward M. Wilson, «Los cuatro elementos en la imaginería de Calderón», en Durán y González Echevarría, *op. cit.,* págs. 277-99.

[104] Wilson, «Los cuatro elementos...», *op. cit.,* pág. 297.

[105] Principalmente en «Hacia la delimitación de una teoría político-teológica en el teatro de Calderón», en *ed. cit.,* y en otros trabajos sobre la función política de la Loa en el teatro del Siglo de Oro y en Calderón.

Supone que para la elaboración de sus autos Calderón parte de una concepción de la historia del hombre desde sus orígenes hasta el fin del mundo. Por ello mismo esta concepción tiene matices proféticos y fundamentos teológicos. El mundo está dividido en tres Edades: la Primera Edad abarca el período de la historia del hombre, durante el cual éste está sometido a las leyes de la naturaleza, vive sin otro horizonte y se comporta conforme a las mismas. Es el período en que gobierna la Ley Natural. La Segunda Edad es el período que supone la revelación escrita, transmitida por medio de las Escrituras del Antiguo Testamento, y dada a conocer al mundo por Dios a través de Moisés y los profetas. Es la época de la Ley Escrita. La Tercera Edad es una época en la que Dios se revela al hombre mediante su hijo, por medio de la Encarnación, como don que el Creador hace al hombre para su salvación. Esta época corresponde a la Ley de Gracia. El propio Calderón en uno de sus primeros autos ya lo indicaba claramente:

SABIDURÍA

¿No está claro,
que si la Ley Natural
desde Adán duró, hasta tanto
que en el Monte Sinaí
Dios se la dio escrita en mármol
a Moisés, que será él
quien la prosiga, mostrando,
que en la Natural y Escrita
fueron los primeros ambos?
[...]

IGNORANCIA

Y ¿quién la prosigue cuando
de Adán y Moisés están
ya aquellas luces borradas?
De dudas soy un abismo.

SABIDURÍA

¿Quien ha de ser, sino el mismo
Cristo? Que si las pasadas
leyes fueron empezadas

en Adán y Moisés, visto
está, que ley que ha previsto
el medio en nuestra desgracia
y que ha de ser Ley de Gracia
sólo ha de empezarla Cristo.

(*Los misterios de la misa,* Pando, 2, págs. 298 y 300.)

La historia de la humanidad, por consiguiente, con sus hechos históricos concretos, se corresponde enteramente a este sistema. El mundo moderno, para Calderón, vive inmerso ya en la Ley de Gracia y en la Tercera Edad, y tiene una misión universal de extender el mensaje de gracia por todos los continentes, para lo cual la Providencia elige una estirpe, que será la de los Austrias. El mundo diseñado por Dios como arquitecto, pintor y músico del universo, penetra así, como concepción teológica, en el tiempo histórico del hombre, y determina el progreso de éste hasta la extensión total de su mensaje y el triunfo sobre las fuerzas que se resisten a él. La historia del hombre es, pues, una historia que él hace, pero cuyo marco general ha sido diseñado por la Providencia divina.

La tercera síntesis corresponde al Hombre mismo como individuo (*síntesis del Hombre mismo*). Calderón acepta aquí la idea de que el hombre es un «pequeño mundo» y que en él se dan, al igual que en el cosmos, unas fuerzas positivas y otras negativas, nacidas del equilibrio inestable en que el hombre vive a causa del Pecado Original. La caída del hombre supuso el triunfo de las fuerzas destructoras y de la muerte, pero por la Gracia el hombre recobró su equilibrio y el camino de la salvación. No obstante, este equilibrio puede romperse en cualquier momento por la culpa y caer entonces el hombre en poder de las fuerzas del mal. En muchos autos se descompone el Hombre en sus atributos positivos y negativos. En estos atributos hay una jerarquía nacida de su propia esencia y de su utilización. Así, por ejemplo, en *Los encantos de la Culpa,* el Hombre aparece acompañado de sus sentidos (*Gusto, Olfato, Vista, Oído*), y del *Entendimiento,* que dirige la nave de la vida. Entre las potencias negativas están la *Lascivia* y la *Culpa,* a las que se añadirán la *Lisonja* y la *Gula.* En *El jardín de Falerina* aparecerán de nuevo los cuatro sentidos, la *Lisonja,* la *Culpa* y la *Lascivia,* más la *Envidia* y la *Murmuración.* Los ejemplos serían innumerables, pero hay que destacar que las fuerzas negativas suelen predominar en número. En *La vida es sueño,* sin embargo, el reparto es más equilibrado. El hombre, pues, es una entidad abstracta, que aparece como tal, representando a cada uno de los hombres, como personaje diferenciado, pero a su vez, puesto que está concebido como pequeño cosmos, es susceptible de ser dividido en toda clase de potencias y atributos positivos y negativos. Con ello la dimensión de éste es casi infinita y el juego de posibilidades dramáticas innumerable. Pero lo importante es que Calderón sea capaz de establecer un sistema generalizado por el que las facultades humanas y sus vicios y virtudes se integran en una síntesis dramática eficaz. Esto no sólo pudo ser debido a la cantidad de autos que escribió, sino a la especial contextura de éstos, por la cual el Hombre mismo era historia y fábula a un tiempo. Es innecesario decir que estos personajes alegóricos no fueron inventados por Calderón, sino que pertenecen a la más antigua tradición del teatro religioso alegórico. Lo que sin embargo es cierto es que rara vez en sus antecesores las facultades del Hombre revisten un carácter tan sistemático y de síntesis completa como en Calderón.

La que hemos llamado cuarta síntesis corresponde al universo geográfico, es decir a la distribución de la Tierra en continentes característicos, capaces de albergar concepciones distintas de la vida y del pensamiento. En *La semilla y la cizaña,* por ejemplo, se dramatiza simultáneamente la relación entre los cuatro continentes (Asia, Africa, América y Europa) y las cuatro formas de religión correspondientes (Judaísmo, Paganismo, Idolatría y Gentilidad). En otros autos de sentido más historial, Calderón sustituirá el Paganismo por la Secta de Mahoma (como ocurre por ejemplo en *La iglesia sitiada,* uno de los primeros suyos), y en *El Santo Rey Don Fernando,* y en otros hará intervenir a la Apostasía *(El socorro general)* o a la Herejía *(La protestación de la fe).* Por tanto, se trata de una visión teológica del mundo, pero atenta a la realidad temporal y geográfica, por medio de la cual con una sola mirada el dramaturgo puede abarcar en estrecha síntesis el mundo histórico y contemporáneo para dar explicación de su realidad y de su sentido. Se argüirá que esa síntesis implica una excesiva simplificación. Y es cierto. Pero en la visión del auto es necesario operar de forma sintética, esquemática y simplificatoria, pues el propio sistema de alegorización es un sistema de abstracciones y no de realidades concretas.

A esta gran síntesis podrían añadirse otras menores que atañen de forma más reducida a ámbitos de la realidad concreta especificada en las alegorías sacramentales. Por ejemplo la que se refiere a la organización social. En *El gran teatro del mundo* está perfectamente ejemplificada. Sucede con esa síntesis de organización social que algunos críticos modernos no han comprendido el carácter de selección (a través de las Escrituras) que implica la elección de los distintos sectores o personajes-tipo que los representan. Calderón podía tener una concepción muy ortodoxa de la organización social de su tiempo y país, y trasladar sus esquemas a los autos (lo cual, por otra parte, sería congruente con su adaptación al mundo de la realidad inmediata), pero sucede que el dramaturgo lo que realmente hace es abstraer, a partir de los datos de la realidad, los elementos emblemáticos en el orden social de la misma, para elevarse a una realidad paradigmática universal, inspirada en la concepción jerárquica de los libros sagrados, que son realmente los que le sirven el esquema alegórico. Es decir, que de la realidad contemporánea e histórica toma el marco y la denominación, pero de las Escrituras toma los símbolos que definen esa realidad. Y todo ello es forjado mediante una reducción sintética a los elementos teológicos más característicos. Ver en el auto una reproducción de la realidad es simplista, puesto que el auto es producto necesario de una apretada reducción simbólica. Lo importante es que Calderón en sus autos, como vamos viendo, tiende a las grandes síntesis y a las concepciones globales, con lo que el género alcanza una dimensión que se quiere universal. Esto era impensable en los dramaturgos que le precedieron.

El quinto y último punto que indicábamos, en este proceso general de síntesis universalizadora, lo hallamos en la propia concepción de su obra de arte. Los dramas sacramentales son igualmente el resultado de una síntesis estético-dramática para la que se han utilizado todos los elementos que podían proporcionar las distintas artes: la *poesía,* desarrollando la creación de un mundo verbal dramático majestuoso, expresivo, variado y de notable belleza; la *pintura,* elevando este arte a categoría dramática por la composición escénica, la tendencia barroca a la acción más expresiva y desbordada, el brillante vestuario, y la misma inmanente significación pictórica de su lenguaje y de algunos temas (por ejemplo en el auto *El pintor de su deshonra)*[106]; la *arquitectura,* por la relevante introducción de las maquinarias, tramoyas, efectos de ingeniería y del mismo decorado; y la *música,* por la concepción de algunos autos (como *El Divino Orfeo)* como verdaderas pequeñas óperas en las que las partes cantadas son minuciosamente preparadas para formar un haz de significación en el conjunto del drama, que alcanza a su misma estructura y a su propio sentido. Se ha dicho multitud de veces que Calderón es un precursor del «arte total», precisamente por esta síntesis de las artes, que es perceptible en sus autos de manera creciente en la propia evolución que el género tiene en sus manos.

Gracias, por tanto, a la amplitud de estas *síntesis generales* y a la propia extensión de su obra sacramental, Calderón ha podido realizar un verdadero universo estético tan rico y personal que desborda los intentos de sus predecesores. Y lo ha podido forjar como resultado de su extraordinaria mente sintetizadora y de la grandeza imaginativa de su concepción dramática.

---

[106] Sobre el tema del valor y sentido de la pintura en Calderón puede verse «Calderón y la Pintura», por Enrique Rull, en *El arte en la época de Calderón,* Madrid, Ministerio de Cultura, diciembre 1981-enero 1982, págs. 20-25. Un excelente estudio de la comedia *El pintor de su deshonra,* donde se analiza también el significado teatral de la pintura en Calderón, puede verse en la ed. de esta obra por Manuel Ruiz Lagos, Madrid, Alcalá, Colección «Aula Magna», 1969.

El divino Orfeo, de Calderón de la Barca

Presentación

Existen dos versiones del mito de Orfeo «a lo divino» realizadas por Calderón en distintos períodos de su actividad. Una de ellas se conserva en manuscritos[107] y la otra en la edición de los Doce autos de 1677. Las dos han sido editadas por Valbuena Prat en su colección de Aguilar. Antes, la manuscrita fue reproducida por Pablo Cabañas en su libro *El mito de Orfeo en la literatura española*[108]. De la discusión sobre cuál es anterior, si el manuscrito o el impreso, hoy casi unánimemente se está de acuerdo en defender que el impreso es la versión definitiva, y por tanto posterior, mientras que el manuscrito sería una versión primeriza, de gran belleza, pero sólo un intento previo. Aunque Cabañas sostuvo que el manuscrito era posterior, nadie le ha seguido en su opinión, aceptándose como buena, por el contrario, la de Valbuena Prat, que siempre sostuvo que el impreso era auto de mayor madurez y, por tanto, posterior. En su cronología de autos calderonianos, Parker considera que *El divino Orfeo* en su primera versión es anterior a 1635 y que la segunda versión pertenece a 1663, indudablemente el impreso, conocido como representado en esa fecha por la *Memoria de las apariencias* conservada[109].

Conocida es la fábula original de Orfeo contada por innumerables poetas de la antigüedad, entre ellos por Virgilio (*Geórgicas, IV*) y por Ovidio (*Metamorfosis, X* y *XI*). La monografía de Pablo Cabañas sobre el tema, mencionada antes,

---

[107] De la primera versión del auto publicó Pablo Cabañas el texto utilizando el manuscrito de la Biblioteca Nacional de Madrid con signatura 14.849. Otro manuscrito de la misma Biblioteca, con signatura 16.278, sólo lo utilizó esporádicamente.

[108] La reproducción del auto se encuentra en las págs. 243-87 del mencionado libro. Posteriormente Valbuena Prat lo reprodujo en su colección de autos calderonianos de Aguilar (Madrid, 1952, págs. 1820-834).

[109] Dicha *Memoria* es acorde con la versión impresa del auto *El Divino Orfeo* en 1677. La publicó Cristóbal Pérez Pastor, en *Documentos para la biografía de Don Pedro Calderón de la Barca, ed. cit.*, págs. 299-301.

nos excusa de cualquier intento de hacer referencia a su tradición en España, y de su valor y significado en su proyección literaria; no obstante, carece de algunos datos que sí mencionaremos.

Calderón utilizó el tema mitológico en sus comedias y autos de forma insistente por dos razones fundamentales. La primera, porque era un tema muy apropiado al tratamiento estético del teatro de espectáculo, por el que el autor dramático dedicaba su esfuerzo para satisfacer un tipo de teatro palaciego que le era frecuentemente demandado[110]; la segunda, porque la mitología, debido a su tradición alegórica medieval, le servía de cauce para sus fabulaciones eucarísticas. Además, en plena época barroca, como antes en el Renacimiento, en la vida artística de poetas, pintores y tratadistas, la mitología era todavía un hecho relevante, como lo sería incluso un siglo más tarde. Pero en el Barroco adquirió incluso un sentido vitalista, debido a que algunos mitos se asimilaron a las preocupaciones humanas, sociales y políticas de entonces. Los temas mitológicos dentro y fuera de España eran especialmente aptos para la representación escénica y operística. En Italia, por ejemplo, el *Orfeo* de Angelo Poliziano (1480) fue una de las primeras obras de carácter dramático sobre el tema[111], pero, sobre todo, es relevante que las primeras óperas tuvieran como argumento los desgraciados amores del poeta y músico tracio. Como decíamos en otro trabajo, «no es casualidad que el tema tratado originariamente en las primeras óperas sea el de Orfeo (*Eurídice*, de Peri, de 1600; *Eurídice*, de Caccini, de 1602; *Orfeo*, de Monteverdi, de 1607)»[112]. Y no es casualidad, porque Orfeo, además de músico mítico que representaba esta actividad, era para los músicos florentinos un símbolo de la doctrina humanística platónica, pues el propio Platón, iniciado órfico de al-

---

[110] Véase «Calderón y la síntesis de las artes», por Enrique Rull Fernández, en *Historia 16*, núm. 66, octubre de 1981, págs. 65-71.

[111] Afortunadamente contamos con una moderna edición y versión al castellano: Angel Poliziano, *Estancias. Orfeo*, ed. bilingüe de Félix Fernández Murga, Madrid, Cátedra, 1984.

[112] En «Calderón y la síntesis de las artes», *ed. cit.*, pág. 68.

guna manera, había fijado los conceptos por los que debía instaurarse la educación musical en el libro III de *La República*. Así, Orfeo, como inspiración temática y como guía mítico de una específica educación musical, se hace prototipo de la música, y su fábula se extiende por Europa a través de la poesía, el teatro y la ópera, llegando a España como tema de poemas tan característicos como los de Jaúregui y Pérez de Montalbán[113]. De esta forma, cuando Calderón lo asimila ya está el mito impregnado de connotaciones musicales y revestido de una simbología platónico-pitagórica. Incluso en la poesía latina medieval el tema de Orfeo fue muy querido, como ya apuntara E. R. Curtius[114]. Así pues, la tradición órfica hay que observarla desde una perspectiva múltiple, poética, musical, dramática e incluso filosófica. Y en este último sentido no solo desde un punto de vista pagano, sino cristiano. La alegorización de Orfeo como Cristo, y de Cristo como músico es muy antigua. Dice Curtius al respecto: «Cristo es el divino Orfeo, cuya lira es el madero de la cruz; hechiza con su canto a la naturaleza humana [se refiere al auto de Calderón]. Es éste el *Christus musicus* de Sedulio, y en su origen está el Cristo órfico de San Clemente»[115]. No es probable que Calderón haya bebido en fuentes tan remotas, pero los tratados de Pérez de Moya y de Baltasar de Vitoria los tenía muy próximos, y de ellos pudo tomar cierto sentido alegórico-moral. Vitoria, a su vez, refundió la obra de Giovanni Boccaccio *Genealogiae deorum gentilium libri*, en la que se citan las interpretaciones alegóricas de Lactancio y Fulgen-

[113] El *Orfeo* de Juan de Jaúregui es de 1624. Ha sido modernamente editado por Pablo Cabañas (Madrid, CSIC, 1948). El de Pérez de Montalbán es del mismo año, y ha sido igualmente editado por Pablo Cabañas (Madrid, CSIC, 1948).

[114] Ernst Robert Curtius, *Literatura europea y Edad Media latina*, México, Fondo de Cultura Económica, 1976, 2ª reimpresión, t. I, págs. 345-46, y nota 40 de esta última página.

[115] Curtius, *op. cit.*, pág. 346. Quizá haya que indicar que Sedulio fue un poeta latino-cristiano del siglo V, autor, entre otras obras, de un *Himno a Cristo*. San Clemente, conocido también por Clemente de Alejandría y que por cierto fue excluido del santoral por Benedicto XIV (siglo XVIII), trató de armonizar el cristianismo con el helenismo. Fue un escritor del siglo III.

cio[116], que Calderón pudo conocer. Sobre todo algunos detalles en la etimología de los nombres (Orfeo, Eurídice), que explicamos en las notas, revelan o el conocimiento de Boccaccio o de Fulgencio, éste último autor de esas interpretaciones filológicas[117].

Calderón, por consiguiente, está inmerso en una tradición que no hay que perder de vista para entender su adaptación poético-dramática y musical, de un lado, y alegórico-religiosa, de otro.

Argumento y concepción alegórica

Aunque existe una comedia profana de Lope de Vega sobre el tema de Orfeo *(El marido más firme)*[118], no es probable que Calderón tomase nada fundamental de ella para la configuración de su argumento. La comedia lopesca no es una obra importante; Montiano y Luyando la atacó con dureza, y el propio Menéndez Pelayo, que rebatió a Montiano, no dejó de ponerle reparos considerables. También Antonio de Solís escribió una comedia titulada *Eurídice y Orfeo,* publicada probablemente por vez primera en 1662[119]. Según Menéndez Pelayo, el tema lo trata el autor «como una comedia de capa y espada».

---

[116] De la importantísima obra de Boccaccio tenemos por fortuna una útil traducción al castellano, muy reciente: *Genealogía de los dioses paganos,* ed. de María Consuelo Alvarez y Rosa María Iglesias, Madrid, Editora Nacional, 1983.

[117] *Fulgentii Episcopi Carthaginensis Mythologiarum ad latum liber III,* París, 1542. Hay un ejemplar en la Biblioteca Nacional de Madrid, con signatura 2/14.398.

[118] Editada en la colección de Menéndez Pelayo, reimpresa por Editorial Atlas, BAE, 190, t. XIV de las *Obras de Lope de Vega,* Madrid, 1966, págs. 135-84. El estudio de Menéndez Pelayo puede verse en el tomo anterior (XIII), págs. 257-64.

[119] Contamos con una edición moderna del teatro de Solís: *Comedias de Antonio de Solís,* ed. crítica de Manuela Sánchez Regueira, Madrid, CSIC, 1984 (2 tomos). *Eurídice y Orfeo* se encuentra en el tomo I, págs. 146-222. La autora indica una primera edición de la comedia en 1662 (véase pág. 28 de su estudio).

Existe la idea de que el tema de Orfeo es poco apto para el teatro. Dice en este sentido Pablo Cabañas: «No es ciertamente en el teatro donde resaltan mejor las cualidades del mito»[120]. No obstante esto, el auto de Calderón ha sido considerado como una pieza casi perfecta. Quizá el hecho mismo de su trasposición alegórica facilitaba la síntesis argumental, difícil de mantener en una comedia, al parecer de algunos. Pero la misma tradición dramática y operística del tema órfico parece desmentir el que la fábula no se adapte bien a lo teatral.

El divino Orfeo de Calderón ha parecido a la crítica una de sus mejores obras. A. A. Parker decía: «auto de tan gran encanto poético que después de la primera lectura uno se siente tentado de clasificarlo como el mejor de todos»[121], aunque más adelante, basándose en su supuesto previo de que no hay auto dogmático que sea verdaderamente bueno, acepta la excelencia de éste «en la profunda delicadeza con la que Calderón es capaz de explotar el encanto del mito»[122]. Parker ha analizado los autos desde unas premisas excesivamente doctrinales, quizá como reacción plausible a una «desacralización» del drama eucarístico. Históricamente tiene acaso razón, pero hoy día no se puede pretender que el drama simbólico de Calderón tenga sólo vigencia para los espectadores creyentes. O son buenos dramas, o no lo son. Parece que Parker tiende a considerar que los dramas de Calderón son peores cuanto más dogmáticos y teológicos, pero según eso, serían mejores dramas sacramentales los primerizos o los anteriores a él (los de Lope, Valdivielso, Tirso, etc.). Es cierto que, en determinados autos, el drama toca de cerca a mayor número de espectadores, en cuanto que es más próximo a problemas generales, como en *La nave del mercader* o *El pastor Fido*, señalados por él mismo, pero no creemos que la sustancia teológico-dogmática altere o

---

[120] Pablo Cabañas, *El mito de Orfeo en la literatura española, ed. cit.*, pág. 47.

[121] A. A. Parker, *Los autos sacramentales de Calderón de la Barca, ed. cit.*, pág. 188.

[122] *Ibídem.*

no el interés del espectador actual. Este, convencionalmente, ya sabe lo que es un auto sacramental y su condición alegórico-religiosa, y su participación en mayor o menor grado de creencia no aumenta o disminuye de por sí su interés por el valor del auto. El espectador actual tiene en cuenta otros valores dramáticos derivados de la función estética del auto y del acorde de sugerencias emotivo-simbólicas derivadas de la alegorización de un tema cualquiera, sean éstas religiosas en un sentido de concreta confesionalidad, o no. Si aceptáramos la teoría de Parker, el interés de los autos sacramentales se vería hoy seriamente disminuido.

El divino Orfeo parte de una concepción sintética en todos sus elementos. Como ha dicho Alice M. Pollin, en un excelente artículo sobre el tema, «llega a ser una suma de poesía dramática en su polifacético contenido doctrinal, histórico y estético»[123]. Lo que a juicio de Parker podía ser un cierto obstáculo de dramatización, es decir el carácter dogmático de algunas concepciones sacramentales, en este y otros casos tiene al menos la ventaja estructural de proporcionar un marco adecuado a la gran síntesis estética y universalizadora de la forma dramática. Efectivamente, lo que Valbuena llamaba «historia teológica de la humanidad» es lo que aquí se dramatiza. Situados en el campo de la convención artística, lo de menos es que aceptemos doctrinalmente o no esta «historia», como no siempre aceptamos como posibles en la realidad las fábulas de la mitología, de la comedia de enredo o de los dramas de honor del teatro calderoniano. Quizá una concepción «realista» del arte lleve a predicar ciertas descalificaciones de la literatura dramática de cualquier tiempo. Son los «referentes», en cualquier caso, al hombre mismo y a sus inquietudes reales o imaginarias, los que permiten que cualquier mensaje pueda ser aceptado, pese a su concepción «irreal».

Esta concepción «sintética» en la creación de *El divino Orfeo* es perceptible desde su comienzo en distintos órdenes, que

---

[123] Alice M. Pollin, «*Cithara Iesu:* la apoteosis de la música en *El divino Orfeo* de Calderón», en *Homenaje de Casalduero,* Madrid, Gredos, 1972, pág. 426.

se van superponiendo, como ahora veremos, a través de su exposición dramática: de un lado, en el primer carro, aparece la nave del Príncipe de las Tinieblas acompañado de la Envidia; de otro, en el segundo carro, surge la nave de Orfeo; en un tercero se nos presenta a la Naturaleza Humana acompañada de los siete Días, que estarán dormidos. Orfeo, que es el Creador, irá despertando con su canto (en estilo recitativo) a los Días, en el acto progresivo y gradual de la Creación. Finalmente, despertará también a la Naturaleza Humana. De un escollo próximo a la nave del Príncipe surgirá Leteo, que simboliza la Muerte, quien junto con la Envidia promete ayudar al Príncipe para conseguir que el Hombre le obedezca. La Naturaleza, entonces, sale bailando y cantando acompañada del Placer y de los siete Días. En esto se acercará Orfeo cantando, e invitará a la Naturaleza a que entre como Esposa a su Alcázar; todos le siguen, excepto el Placer que queda solo. Entonces el Príncipe y la Envidia tentarán a la Naturaleza con la fruta de un manzano. La Naturaleza probará la manzana sintiendo entonces los efectos de su culpa, mientras los Días desfilan ante ella y su desgracia, para al final caer en los brazos del Príncipe, quien la entrega a Leteo. Orfeo, con «un harpa al hombro» y «cantando», llega a rescatarla y, al luchar con Leteo y vencerle, se siente a su vez herido, mientras un ruido de terremoto cierra la escena. Finalmente Orfeo abrirá las puertas de las «funestas oscuridades» de la muerte y salvará a la Naturaleza, llevándola a su nave, mientras todos cantan «buen viaje, buen pasaje» a la nave de la Vida.

A través de este breve esquema argumental podemos observar cómo Calderón ha dramatizado varios aspectos dogmáticos y de las Escrituras, además de aludir en el texto poético a diversos motivos doctrinales. En primer lugar, Calderón funde, con los motivos marinos de las naves, dos cuestiones de la simbología profana y cristiana: la nave en la mitología clásica puede ser la de Aqueronte, que a través de la laguna Estigia lleva al reino de la Muerte. Leteo es uno de los ríos que conducen al Infierno pagano. Pero la nave en sentido cristiano es la Iglesia y la Vida de salvación. Por ello el poeta idea esa duplicidad de naves en el origen mismo, que crea un sabio contraste ideológico y estético, pues la nave de Orfeo, según consta en la *Memoria de las apariencias*, es de color «azul y oro», mientras que la nave del Príncipe de las Tinieblas es «negra». En segundo lugar, el dramaturgo sintetiza en Orfeo a Dios creador y a Cristo hombre. Por medio de la primera configuración se dramatiza el mismo momento de la Creación, con la aparición de los Días sucesivos y la extraordinaria imaginería que los acompañan (hachas encendidas, ondas, flores y frutas, sol, estrellas y luna, peces y pájaros, cabezas de animales, etc.). En tercer lugar, se representa la caída de la Naturaleza Humana. En cuarto lugar, la Pasión de Cristo. Y finalmente la Redención del Hombre. Son diversos motivos bíblicos, enlazados por un tema: la historia teológica y dogmática del Hombre. Pero en la dramatización misma, esta historia, como vemos, está penetrada sabiamente de otros elementos doctrinales a los que da sentido y cuerpo.

El mito de Orfeo ofrece posibles aspectos para la estructuración del argumento en motivos alegóricos muy definidos. Recordemos que en la tesis de Cabañas sobre nuestro mito, consideraba éste los siguientes motivos centrales: I. El tema de la fidelidad. II. La intervención de los agüeros. III. El tema de la curiosidad. IV. El tema de la desgracia. V. La seducción por la música. Naturalmente que Cabañas no consideraba el mito desde una perspectiva dramática ni lineal: simplemente tenía presentes los motivos más relevantes de la fábula. Si entendemos ésta desde un punto de vista dramático, tendremos los siguientes puntos centrales, según el relato de Baltasar de Vitoria, una de las posibles lecturas de Calderón: *1)* Eurídice, casada con Orfeo, es perseguida por Euristeo, y en la huida una serpiente le muerde el pie, causando su muerte; *2)* Por esa razón bajó Eurídice al Infierno, y Orfeo, no pudiendo vivir sin ella, tomó su cítara y llegó cantando hasta el mismo, mientras conseguía cautivar con su canto a las Euménides y lograba que Plutón y Proserpina consintiesen en que Eurídice abandonase el Infierno, pero con la condición de que volviese el rostro para mirar a su esposa hasta que estuviese fuera de los límites del recinto infernal; *3)* Pero su deseo de verla fue tan intenso que volvió la cabeza para mirarla y la perdió de vista definitivamente[124]. Calderón excluye de su auto lógicamente el tercer punto del relato y, por supuesto, la muerte de Orfeo, que ni siquiera hemos mencionado y de la que existen distintas versiones.

La materia central de la fábula, asimilable a lo alegórico, parece realmente escasa. Se circunscribe a varios motivos insertos en los dos puntos mencionados: la persecución de Eurídice por Euristeo o Aristeo (Aristeo dice Calderón en este auto y en la versión anterior), la mordedura de la serpiente y su muerte, la llegada a los infiernos, la búsqueda de Orfeo, su posible acceso (gracias a sus facultades musicales) y la liberación de Eurídice. Un esquema aparentemente reducido de la fábula, que Calderón enriquece con varios motivos alegóricos no presentes en la narración del mito. Pero si profundizamos un poco veremos que Calderón no sólo ha utilizado la fábula como pauta o esquema argumental, rellenando su contenido con otros referentes teológicos, sino que sus motivos básicos están perfectamente conservados de forma alegorizada en el auto. Volviendo a los motivos centrales indicados por Cabañas, parecen solo pertinentes, en principio el IV y el V, pero ya el I nos lo parece también, si consideramos que la «fidelidad» es el amor de Cristo a la Naturaleza Humana o al Alma, y que la intervención de los agüeros (II) está trasladada o transformada en las maquinaciones del Príncipe de las Tinieblas y la Envidia, y que el tema de la curiosidad (III) está trasladado a la tentación de la manzana del árbol de la ciencia. En definitiva, ha utilizado lo esencial del mito clásico, transformando lo que no se aviene al tema sagrado de manera inmediata. Pero, insistimos, aunque aparentemente la fábula esté utilizada como mero esquema, en el fondo no hay un sólo punto de ella que no esté considerado, alegorizado, transformado o adaptado.

---

[124] *Primera Parte del Teatro de los dioses de la Gentilidad*, por Fray Baltasar de Vitoria, Valencia, 1646, págs. 626-39.

Hay algo todavía más importante que esta aparente correspondencia entre los aspectos temáticos de la fábula y los correlatos alegórico-teológicos. Nos referimos a la conservación escrupulosa del «espíritu» del mito a través del fundamento musical que otorga Orfeo al desarrollo de la acción dramática. Y es importante tanto desde el punto de vista de la concepción teológica como artística, con lo que se puede percibir que la mera alegorización descansa no sólo en los fundamentos estructurales del relato mitológico y del dogma, sino en la raíz simbólica y demiúrgica del poeta y músico Orfeo. Esta raíz evidentemente gozaba ya de una cierta tradición. Pierre Grimal dice en su *Diccionario de la Mitología griega y romana:* «El mito de Orfeo es uno de los más oscuros y *más cargados de simbolismo* de cuantos registra la mitología helénica. Conocido desde época muy remota, ha evolucionado hasta convertirse en una verdadera teología [...]»[125]. En seguida los tratadistas cristianos lo asimilaron a su religión. En el siglo XVII, Baltasar de Vitoria señalaba también ese aspecto teológico que rodeaba su figura; dice así: «Fue Orfeo el primer teólogo de los griegos, como lo dice Lactancio Firmiano, y instituyó ciertas ceremonias y oraciones [...]»[126]. Como indica también Alice M. Pollin, el Orfeo como Cristo con la lira en la mano aparece «representado en las catacumbas cristianas»[127]. En general, por consiguiente, la aceptación calderoniana parte de unos supuestos enraizados fuertemente en la tradición clásica y cristiana[128]. Y está claro que, al elegir y dramatizar el personaje de Orfeo, el dramaturgo tiene una clara conciencia de las implicaciones alegóricas del mismo en un sentido a la vez artístico y teológico. Orfeo es el Verbo de San Juan y es también la capacidad de resolver el drama eucarístico en unas coordenadas estéticas modernas,

---

[125] Pierre Grimal, *Diccionario de la Mitología griega y romana,* Barcelona, 1965, pág. 391 b.

[126] Baltasar de Vitoria, *op. cit.,* pág. 628.

[127] Alice M. Pollin, *op. cit.,* pág. 427.

[128] Véanse los estudios citados de Alice M. Pollin y de E. R. Curtius.

que presuponen la revolución musical que se produjo en Italia y que originó la ópera de Monteverdi. Como ha visto muy bien Alice M. Pollin, la advertencia que hace Calderón en las acotaciones de que Orfeo al cantar ha de hacerlo «en estilo recitativo», responde a esa clara intencionalidad. Miguel Querol ha estudiado la música en el teatro de Calderón[129], y ha comprendido también, aunque sea sucintamente, el paralelo entre el carácter creador del Verbo de Orfeo y su significación musical. El «estilo recitativo», que consiste en poner música a la palabra (monólogo o diálogo), tratando de imitar las inflexiones del discurso oral y acompañando la voz solamente de acordes, fue verdaderamente la renovación más importante llevada a cabo por la «camerata fiorentina» para la introducción del género operístico. Calderón no era ajeno a este sobresaliente empeño italiano y trató en España de competir con esas innovaciones. En óperas, autos y comedias utilizó este lenguaje musical[130] y en algunos lugares de su obra expresó mediante afirmaciones muy concretas ese sentido competitivo del que hablamos. Así en la loa de *La púrpura de la rosa:*

> ha de ser
> toda música que intenta
> introducir este estilo
> porque otras naciones vean
> competidos sus primores[131].

Y en otras ocasiones, como en la loa de *El laurel de Apolo,* advertirá que el espectador no va a ver una comedia habitual

> sino sólo
> una fábula pequeña

---

[129] Miguel Querol, *La música en el teatro de Calderón,* Barcelona, Instituto del Teatro, 1981.

[130] *Ibídem.* Véase también «La música teatral del siglo XVII español», de Antonio Martín Moreno, en *La música en el Barroco,* Universidad de Oviedo, 1977, págs. 125-46. Igualmente deben consultarse los ya clásicos estudios de José Subirá.

[131] Véase *Obras de Calderón de la Barca,* Madrid, Atlas, BAE, 9, 1945, tomo II, pág. 676.

en que, a imitación de Italia,
se canta y se representa[132].

Así pues, Calderón tenía muy clara la entidad de su mensaje y en *El divino Orfeo* la música desempeñará el doble papel de *tema* y *estilo* a la vez. Orfeo, con sus características de músico y dramaturgo, será el tema del auto (*asunto* y *argumento* a la vez, como diferenciara el propio Calderón), y la música, es decir el Verbo, constituirá el eje de Creación-Redención teológicas y el fundamento estético del auto mismo. Por eso, aunque *El divino Orfeo* no sea cuantitativamente un auto tan musical como otros de los últimos años del dramaturgo[133], sí lo es de forma alegórica y puramente estructural. La música de Orfeo es elemento de salvación esencial: por ella Orfeo ha compuesto el mundo (el Verbo creador) y cuando este se trastorna por la culpa, su misma música (el Verbo redentor) vuelve a recomponerlo. Toda la escena de la Creación está cantada por Orfeo. La acotación así parece indicarlo: «Adviértase que cuando represente ha de ser cantado en estilo recitativo». Igualmente la escena de la Redención será cantada: «Sale Orfeo con un harpa al hombro, cantando, en cuyo bastón vendrá hecha una cruz». El principio y fin (la creación y la salvación) son actos musicales, no meramente ornamentales y estéticos, aunque también lo son, con los que se cierra en perfecto círculo el sentido del auto. En la loa para el auto *El jardín de Falerina* explicó Calderón pormenorizada-

---

[132] *Ibíd.*, pág. 676.

[133] En este sentido Miguel Querol habla de una verdadera «infraestructura musical de los Autos» (*op. cit.*, págs. 11 y 61-65). No hay auto calderoniano sin música, aunque lógicamente en los últimos ésta es más abundante. En las *loas* que los preceden es aún, si cabe, más importante la intervención musical, y, por supuesto, ésta es esencial en zarzuelas y óperas. En éstas últimas (*La púrpura de la rosa* y *Celos aún del aire matan*), todo el texto es cantado. Véase igualmente de Miguel Querol, *Teatro musical de Calderón*, Barcelona, 1981. Ultimamente, Louise K. Stein está llevando a cabo una exhaustiva investigación de la música en las obras de Calderón por las bibliotecas y archivos españoles. Como anticipo de su labor hay que conocer su comunicación en el Congreso Internacional sobre Calderón de 1981 (*op. cit.*, vol. II, págs. 1161-172), titulada «Música existente para comedias de Calderón de la Barca».

mente todo el simbolismo musical del universo, sus fuentes bíblicas y su sentido netamente cristiano y sacramental. En *El divino Orfeo* se hace práctica dramatización de esa doctrina, con unos medios estéticos y una sabiduría compositiva que alcanzan una verdadera apoteosis teatral.

CRITERIOS DE ESTA EDICIÓN

Reunimos en este volumen cuatro autos del Siglo de Oro de los autores más representativos. En esta selección de obras hemos seguido un criterio de variedad argumental y de calidad sobre cualquier otro criterio. También hemos procurado salir algo del camino trillado en la edición de autos. La variedad nace del distinto carácter de cada una de las obras: *La puente del mundo,* de argumento caballeresco; *La serrana de Plasencia,* legendario y popular; *Los hermanos parecidos,* elaboración culta de un tema de raíz literaria clásica; *El divino Orfeo,* de argumento mitológico. La calidad de las obras procede del criterio casi unánime de considerar al primero «extravagante, pero uno de los mejores»; al segundo, como una de las muestras más características de su autor; el tercero, como el más acabado de Tirso; y al cuarto, como uno de los más bellos de Calderón. Ninguno ha sido editado con frecuencia, salvo quizá el de Valdivielso, autor excelente, conocido exclusivamente por sus obras sacras, y cuya contribución al género ha destacado siempre la crítica. Para una representación antológica más completa faltarían alguno de Mira de Amescua, de Vélez de Guevara, de Moreto y de Bances Candamo, pero el espacio impide su reproducción.

Para *La puente del mundo* de Lope de Vega seguimos el texto de la edición *princeps* de 1644. Hemos tenido también en cuenta el m. 15.256 de la Biblioteca Nacional de Madrid, pero sólo para señalar alguna curiosa variante, nunca para rectificar el original, pues el manuscrito carece de interés filológico. También hemos tenido en cuenta la edición en la BAE de Menéndez Pelayo, quien ha seguido el texto original con bastante fidelidad, si bien lo ha alterado en la ortografía de nombres propios y en algún otro pormenor. Sus mínimos errores de lectura son registrados por nosotros en nota.

Para *La serrana de Plasencia* de Valdivielso seguimos el texto de la edición *princeps* (Toledo, 1622), aunque hemos aceptado muchas de las rectificaciones de J. L. Flecniakoska, algunas de R. Arias e incluso de E. González Pedroso. De esas rectificaciones dejamos constancia en nota. Las de Flecniakoska se basan fundamentalmente en el manuscrito 15.677 de la Biblioteca Nacional de Madrid, que posee variantes considerables en el número de versos y en algunas palabras aisladas de los mismos. En ciertos casos mejora el texto impreso, en otros no.

Para *Los hermanos parecidos* de Tirso de Molina hemos seguido el texto de la primera edición del auto, incluido en el texto de la obra *Deleitar aprovechando* (1635). Reproduce este texto E. Cotarelo. Cotarelo desliza algunos errores de transcripción. Blanca de los Ríos reproduce el texto de Cotarelo añadiendo alguna errata. R. Arias parece reproducir el texto de Doña Blanca. Se imponía una edición moderna basada en el texto original de 1635, que es lo que hemos hecho nosotros, indicando los errores de Cotarelo y sus seguidores, en los casos más relevantes.

Para la edición de *El divino Orfeo* de Calderón seguimos el texto de la edición *princeps* de 1677. Cotejamos con las dos impresiones de Pando, las dos fechadas en 1717, pero la primera más fiel al original, y la segunda con un cierto número de errores. La primera se distingue de la segunda por la portada impresa en tintas negra y bermeja, mientras que la segunda está impresa únicamente en negro. Son dos tiradas de la misma edición, pero la primera superior en fidelidad a los textos. De las diferencias entre las dos impresiones advirtió Wilson hace ya tiempo en varios artículos. Como quiera que las dos están fechadas en idéntico año, es fácil pensar que son idénticas, como parece que le ocurrió al propio Valbuena Prat. Cotejamos también con la edición de divulgación de este último, que lamentablemente parece seguir el texto de la segunda impresión o de alguna otra posterior, basada en ella.

Respecto a la ortografía, puntuación y acentuación, seguimos un criterio moderno, en líneas generales. La ortografía de la época en muchos casos es vacilante. Sólo respetamos los arcaísmos cuando suponen algo más que una variante ortográfica. Así, respetamos en el auto de Lope el uso de formas como *efetos* por *efectos*, *psalmos* por *salmos*, *agora* por *ahora*, etc., y, a veces, por mera cuestión estética, podemos respetar ortografías originales, aun cuando no representen variantes fonéticas, como *harpa* por *arpa*. En los autos de Valdivielso y Tirso aceptamos formas de habla rústica, característica de los personajes de este tipo en comedias y autos, y elemento distintivo imposible de modificar sin alterar el valor estilístico de los textos. En el auto de Calderón, las vacilaciones de época también se respetan (*agora, ahora; obscuridad, oscuridad; infelice, infeliz; yerro, hierro; redempción, redención; desto, de esto; disfamen, difamen; produzga, produzca; psalmo, salmo; exceptada, exceptuada; sulcar, surcar*, etc.). En todos estos casos preferimos la forma más arcaica, que es la más fiel al texto original de 1677.

Para las notas utilizamos las obras más frecuentes que pueden ayudarnos a comprender el léxico, modismos y acepciones de época. Así, el llamado *Diccionario de Autoridades (Dic. Aut.)*, el *Tesoro de la lengua castellana* de Covarrubias *(Cov.)*, y el *Vocabulario de refranes y frases proverbiales* de Gonzalo Correas *(Correas)*, en la ed. de Combet de 1967, que reproduce el texto de 1627. Hemos tenido en cuenta también los modernos diccionarios de la Academia (ed. 1970), *Ideológico* de Casares, *Etimológico* de Corominas y *Diccionario de uso* de María Moliner, sólo en aquellos casos en que nos ha sido necesario.

En lo referente a anotaciones de los nombres mitológicos o de otra índole más circunstancial, damos la referencia bibliográfica en la nota correspondiente.

Las citas bíblicas, muy abundantes —como es lógico— en estos textos, están tomadas de la versión española de Luis Alonso Schökel y Juan Mateos (Madrid, Ed. Cristiandad, 1975). Las citas bíblicas latinas están tomadas de la versión de la *Vulgata* de Colunga y Turrado (Madrid, Biblioteca de Autores Cristianos, 1965). Algunas citas y referencias las hemos compulsado también con otros textos bíblicos, como la conocida *Biblia de Jerusalén (La Bible de Jerusalem*, París, 1974). Utilísimas igualmente nos han sido obras como el *Comentario bíblico «San Jerónimo»* de R. E. Brown, J. A. Fitzmyer y R. E. Murphy (Madrid, Ed. Cristiandad, 1971), el *Diccionario de la Biblia* de H. Haag, A. van den Born y S. de Ausejo (Barcelona, Herder, 1975), y otras monografías y estudios generales que sería premioso enumerar.

Aunque los episodios bíblicos pueden ser suficientemente conocidos por los lectores, no nos conformamos con dar la referencia escueta, sino que procuramos ilustrar, aunque sea muy brevemente, dichos episodios con un resumen de ellos. Queremos así ahorrar al lector la posible búsqueda a cada paso de los textos bíblicos pertinentes, aunque siempre podrá hacerlo por darse puntualmente la referencia en todos los casos. Siempre preferimos pecar por exceso de obviedad que dejar oscuridades para el lector no muy preparado. Lo mismo sucede con las notas de léxico o de nombres históricos o de cualquier otro tipo.

BIBLIOGRAFÍA SELECTA

Estudios de tipo general

AGUIRRE, J. M.: *José de Valdivielso y la poesía religiosa tradicional*, Toledo, Diputación Provincial, 1965.

ALENDA y MIRA, Jenaro: *Relaciones de solemnidades y fiestas públicas de España*, Madrid, Rivadeneyra, 1903.

ARIAS, Ricardo: *The Spanish Sacramental Plays*, Boston, Twayne P., 1980.

BRYANS, J. V.: *Calderón de la Barca: Imagery, Rhetoric and Drama*, London, Támesis Books, 1977.

BUCK, Vera Helen (ed.): *Four Autos of 1590:* Sacramento de la Eucaristía, La Conversión de Sant Pablo, El Castillo de la Fee, El Testamento de Christo, Iowa City, 1937, University of Iowa Studies.

COTARELO Y MORI, E.: *Bibliografía de las controversias sobre la licitud del teatro en España*, Madrid, Imp. de la Revista de Archivos, Bibliotecas y Museos, 1904.

CRONAN, Urban: *Teatro español del siglo XVI*, Madrid, Sociedad de Bibliófilos Madrileños, 1913.

DURÁN, M. y GONZÁLEZ ECHEVARRÍA, R.: *Calderón y la crítica: Historia y Antología*, 2 tomos, Madrid, Gredos, 1976.

FLECNIAKOSKA, Jean-Louis: *La formation de l'auto religieux en Espagne avant Calderón (1550-1635)*, Montpellier, 1961.

—: *La loa*, Madrid, SGEL, 1974.

FOTHERGILL-PAYNE, L.: *La alegoría en los autos y farsas anteriores a Calderón*, London, Támesis Books, 1977.

FRUTOS, Eugenio: *La filosofía de Calderón en sus autos sacramentales*, Zaragoza, CSIC, 1981.

HERMENEGILDO, Alfredo: *Renacimiento, teatro y sociedad. Vida y obra de Lucas Fernández*, Madrid, Editorial Cincel, 1975.

HESSE, Everett W. y VALENCIA, Juan O.: *El teatro anterior a Lope de Vega* [antología], Madrid, Ediciones Alcalá, 1971.

KEATES, L.: *The Court Theater of Gil Vicente*, Lisboa, 1962.

LÓPEZ MORALES, Humberto: *Tradición y creación en los orígenes del teatro castellano*, Madrid, Ediciones Alcalá, 1968.

LÓPEZ PRUDENCIO, José: *Diego Sánchez de Badajoz: estudio crítico, biográfico y bibliográfico*, Madrid, 1915.

MARCOS VILLANUEVA, Balbino: *La ascética de los jesuitas en los Autos sacramentales de Calderón*, Bilbao, Universidad de Deusto, 1973.
MARISCAL DE GANTE, Jaime: *Los autos sacramentales desde sus orígenes hasta mediados del siglo XVIII*, Madrid, Ed. Renacimiento, 1911.
MCGARRY, Francis de Sales: *The allegorical and metaphorical language in the Autos Sacramentales of Calderón*, Washington D. C., The Catholic University of America, 1937.
PARKER, Alexander A.: *Los autos sacramentales de Calderón de la Barca*, Barcelona, Ariel, 1983.
PÉREZ PRIEGO, Miguel Angel: *El teatro de Diego Sánchez de Badajoz*, Cáceres, 1982.
RENNERT, Hugo A.: *The Spanish Stage in the Time of Lope de Vega*, Nueva York, The De Vinne Press, 1909. Reimpreso por Dover Publications, Nueva York, 1963.
SHERGOLD, N. D.: *A History of the Spanish Stage from Medieval Times until the End of the Seventeenth Century*, Oxford, Clarendon Press, 1967.
SHERGOLD, N. D., y VAREY, J. E.: *Los autos sacramentales en Madrid en la época de Calderón, 1637-1681*, Madrid, 1961.
SUBIRA, José: *Historia de la música teatral en España*, Barcelona, Labor, 1945.
—: *Historia de la música española e hispanoamericana*, Barcelona, Salvat, 1953.
VALBUENA PRAT, Angel: *Los autos sacramentales de Calderón*, en *Revue Hispanique*, 1924 (tirada aparte del t. LXI).
WARDROPPER, Bruce W.: *Introducción al teatro religioso del Siglo de Oro (La evolución del auto sacramental 1500-1648)*, Salamanca, Anaya, 1967.

Estudios parciales y ediciones

AICARDO, P. José María: «Autos anteriores a Lope de Vega», en *Razón y Fe*, Madrid, V, 1903, págs. 312-26; VI, págs. 20-33, 201-14, 446-58; VII, págs. 163-76.
—: «Autos sacramentales de Lope de Vega», en *Razón y Fe*, Madrid, XIX, 1907, págs. 459-70; XX, 1908, págs. 277-88; XXI, págs. 31-42, 443-53; XXII, 1909, pág. 319; XXIII, págs. 289-300.
ARIAS, Ricardo: *Autos sacramentales (El auto sacramental antes de Calderón)*, México, Porrúa, 1977.
ARIAS, Ricardo, y PILUSO, Robert V.: *José de Valdivielso, Teatro completo*, Madrid, Isla, 1975.

BATAILLON, Marcel: «Ensayo de explicación del auto sacramental», en *Varia lección de clásicos españoles,* Madrid, Gredos, 1964, págs. 183-205.

CAMPS POCH, Jaime: «La Eucaristía en el teatro clásico español», en *Apostolado Sacerdotal,* CI-CII, 1952, págs. 168-71.

CAÑETE, Manuel: *Discurso acerca del drama religioso español antes y después de Lope de Vega,* Madrid, Manuel Tello, 1862.

—: *Teatro español del siglo XVI. Estudios histórico-literarios,* Madrid, Col. Escritores Castellanos, 1885.

CASCÓN, Miguel: «Fuentes jesuíticas en el teatro de Lope de Vega», en *Boletín de la Biblioteca Menéndez Pelayo,* XVII, 1935, págs. 388-400.

CAYUELA, Arturo M: «Los autos sacramentales de Lope de Vega, reflejo de la cultura religiosa del poeta y de su tiempo», en *Razón y Fe,* Madrid, CVIII, 1935, págs. 168-90, 330-49.

CORRALES EGEA, J.: «Relaciones entre el auto sacramental y la Contrarreforma», en *Revista de Ideas Estéticas,* Madrid, III, 1945, págs. 511-14.

COTARELO y MORI, Emilio: «El primer auto sacramental del teatro español y noticia de su autor el Bachiller Hernán López de Yanguas», en *Revista de Archivos, Bibliotecas y Museos,* VII, 1902, págs. 251-72.

ENTWISTLE, W. J.: «La controversia en los autos de Calderón», en *Nueva Revista de Filología Hispánica,* II, 1948, págs. 223-38.

FERNÁNDEZ, Lucas: *Farsas y églogas,* ed. de John Lihani, Nueva York, Las Américas, 1969.

—: *Farsas y églogas,* ed., pról. y notas de Alfredo Hermenegildo, Madrid, Escélicer, 1972.

FLECNIAKOSKA, Jean-Louis: «Les Fêtes du Corpus à Ségovie (1594-1636): Documents inédits», en *Bulletin Hispanique,* LVI, 1954, págs. 14-37, 225-48.

—: *La formation de l'«auto» religieux en Espagne avant Calderón (1550-1635),* Montpellier, Imprimerie Paul Déran, 1961.

—: «Les rôles de Satan dans les pièces du *Códice de autos viejos»,* en *Revue des Langues Romanes,* Montpellier, LXXV, 1963, págs. 195-207.

—: «Les rôles de Satan dans les 'autos' de Lope de Vega», en *Bulletin Hispanique,* LXVI, 1964, págs. 30-44.

—: «La 'Loa' comme source pour la connaissance des rapports troupe-public», en Jacquot, Jean *et al.* (eds.), *Dramaturgie et societé:* Rapports entre l'oeuvre théâtrale, son intreprétation et son public aux XVIe et XVIIe siècles, 2 vols., París, Eds. du Centre Nationale de la Recherche Scientifique, 1968, págs. 111-16.

FLECNIAKOSKA, Jean-Louis: «Vestiaire, accessoirs, mise en scène et jeux scéniques dans le Théâtre de Diego Sánchez de Badajoz», en Dufornet, Jean, *et al.*, *Mélanges de langue et le littêrature médievales offerts a Pierre Le Gentil*, París, SEDES et CDU Réunies, 1973, págs. 245-56.
—: *La loa*, Madrid, SGEL, 1974.
GONZÁLEZ-OLLÉ, F.: «La Farsa del santísimo sacramento, anónima, y su significación en el desarrollo del auto sacramental», en *Revista de Literatura*, 71-72, 1969, págs. 127-65 (texto, págs. 143-62).
LÓPEZ DE YANGUAS, Hernán: *Obras dramáticas*, ed., estudio, pról. y notas de Fernando González-Ollé, Madrid, Espasa-Calpe, Clás. Cast., 1967.
KEM, Alice B.: *Three Autos Sacramentales of 1590:* La Degollaçión de Sant Jhoan, El Rescate del Alma, Los Amores del Alma con el Príncipe de la Luz, edited with Introd. and Notes by..., Toronto, 1936.
PÁRAMO POMAREDA, J.: «Consideraciones sobre los 'autos mitológicos' de Calderón de la Barca», en *Thesaurus*, 12, 1957, págs. 51-80.
POLLIN, Alice M.: «Cithara Iesu»: La apoteosis de la música en «El divino Orfeo» de Calderón, en *Homenaje a Casalduero*, Madrid, Gredos, 1972, págs. 419-31.
—: «Calderón de la Barca and Music: Theory and examples in the 'autos' (1675-1681)», en *Hispanic Review*, XLI, 1973, págs. 362-70.
RESTORI, Antonio: *Degli 'autos' di Lope de Vega Carpio*, Parma, R. Pellegrini, 1898.
RÉVAH, I. S.: *Deux 'autos' de Gil Vicente restitués a leur auteur*, Lisboa, 1949.
REYES, Alfonso: «Los autos sacramentales en España y América», en *Capítulos de literatura española*, 2.ª serie, México, 1945.
REYNOLDS, John J.: «The Source of Moreto's Only Auto Sacramental», en *Bulletin of the Comediantes*, 24, 1972, págs. 21-22.
—: *Juan Timoneda*, Boston, Twayne Publishers, 1975.
ROUANET, Léo: *Colección de autos, farsas y coloquios del siglo XVI*, Madrid-Barcelona, Biblioteca Hispana, 1901, 4 vols.
ROUX, Lucette: «Quelques aperçus sur la mise en scène de la 'comedia de santos' dans la première moitié du XVIIe siècle», en Jacquot, Jean *et al.* (eds.), *Le lieu théâtral à la Rennaissance*, París, Eds. du Centre National de la Recherche Scientifique, 1964, págs. 235-52.
—: «Cent ans d'expérience théâtral dans les collèges de la Compagnie de Jésus en Espagne: Deuxième moitié du XVIe siècle-Première moitié du XVIIe siècle», en Jacquot, Jean *et al.* (eds.), *Dramaturgie et societé:* Rapports entre l'oeuvre théâtrale, son interprétation et son public aux XVIe et XVIIe siècles, 2 vols., París, Eds. du Centre Nationale de la Recherche Scientifique, 1968, págs. 479-523.

RUIZ LAGOS, Manuel: «Una técnica dramática de Calderón: la pintura y el centro escénico», en *Segismundo*, 2, 1966, págs. 91-104.
SAGE, Jack: «Calderón y la música teatral», en *Bulletin Hispanique*, LVIII, 1956, págs. 275-300.
SALOMON, Noel: «Sur les représentations théâtrales dans les 'pueblos' des provinces de Madrid et Tolède (1589-1640)», en *Bulletin Hispanique*, LXII, 1960, págs. 398-427.
SÁNCHEZ DE BADAJOZ, Diego: *Recopilación en metro* del Bachiller... Reimpresa del ejemplar único por el Excmo. señor D. V. Barrantes, 2 vols., Madrid, Librería de los Bibliófilos, 1882-1886, Libros de Antaño, XI y XII.
—: *Obras*, ed. de José López Prudencio, Badajoz, 1910.
SANVISENS, Alejandro: *Autos sacramentales eucarísticos*, selecc. y revisión de..., prólogo de J. M. Castro y Calvo, Barcelona, Editorial Cervantes, 1952.
SANZOLES, Fray Modesto de: «La alegoría como constante estilística de Lope de Vega en los autos sacramentales», en *Revista de Literatura*, XVI, 1959, págs. 90-133.
SCHMIDT, Dr. P. Expeditus: *El auto sacramental y su importancia en el arte escénico de la época*, Madrid, Blass, 1930.
SERRANO Y SANZ, Manuel: «Farsa Sacramental compuesta en el año 1521», en *Revista de Archivos, Bibliotecas y Museos*, X, 1904, págs. 67-71, 447-50.
SHERGOLD, N. D. y VAREY, J. E.: «Documentos sobre los autos sacramentales en Madrid hasta 1636», en *Revista de la Biblioteca, Archivo y Museo*, XXIV, 1955, págs. 203-313. Reimpreso aparte por Artes Gráficas Municipales, Madrid, 1958.
—: «Autos sacramentales en Madrid hasta 1636», en *Estudios Escénicos*, Barcelona, IV, 1959, págs. 51-98.
TIMONEDA, Juan: *Auto sacramental de la oveja perdida*, ed. de Antonio García Boiza, Salamanca, M. Pérez Criado, 1921.
—: *«Aucto del Castillo de Emaus»* and *«Aucto de la Iglesia»*, edited with Introduction, notes and Translation into English by Mildred Edith Johnson, Iowa City, Iowa University Press, 1933.
—: *Obras*, ed. de E. Juliá Martínez, 3 vols., Madrid, Aldus, 1947-1948, Sociedad de Bibliófilos Españoles, Segunda Epoca.
TIRSO DE MOLINA (Fray Gabriel Téllez): *Obras dramáticas completas*, ed. por Blanca de los Ríos, 2 vols., Madrid, Aguilar, 1946-1958.
TREND, John Brande: «Escenografía madrileña en el siglo XVII», en *Revista de la Biblioteca, Archivo y Museo del Ayuntamiento de Madrid*, III, 1926, págs. 269-81.
TYRE, Carl Allen: *Religious Plays of 1590:* Comedia de la Historia y Adoración de los Tres Reyes Magos, Comedia de Buena y Santa

Doctrina, Comedia del Nacimiento y Vida de Judas, ed. with Introd., and Notes by..., Iowa University, 1938.

VALDIVIELSO: *El hospital de los locos. Auto sacramental,* ed. de Juana Granados de Bagnasco, Milán, 1950.

—: *El hospital de los locos. La serrana de Plasencia,* ed. de Jean-Louis Flecniakoska, Salamanca, Anaya, 1971.

—: *Teatro completo,* ed. de Ricardo Arias y Arias, y Robert V. Piluso, Madrid, Ediciones y Distribuciones Isla, 1975, 2 vols.

VAREY, J. E.: «La mise en scène de l'auto sacramental à Madrid aux XVI et XVII siècles», en *Le lieu théâtral à la Rennaissance,* eds. du Centre National de la Recherche Scientifique, 1964, págs. 235-52.

VAREY, J. E. y SHERGOLD, N. D.: «La Tarasca de Madrid. Un aspecto de la procesión del Corpus durante los siglos XVII y XVIII», en *Clavileño,* IV, marzo-abril de 1953, págs. 18-26.

VEGA, Lope de: *Obras (Autos y coloquios),* edición y estudio de M. Menéndez Pelayo, Madrid, Atlas, BAE, 1963.

VÉLEZ DE GUEVARA, Luis: *La serrana de la Vera,* ed. y estudio de Enrique Rodríguez Cepeda, Madrid, Alcalá, 1967.

—: *Autos,* ed. y prólogo por Angel Lacalle, Madrid, Hernando, serie escogida de autores españoles, vol. IX, 1931.

VICENTE, Gil: *Obras dramáticas castellanas,* 2.ª ed.; ed., introd. y notas de Thomas Hart, Madrid, Espasa-Calpe, 1968.

WARDROPPER, Bruce W.: «The Search for a Dramatic Formula for the Auto Sacramental», *PMLA,* LXV, 1950, págs. 1196-211.

—: 'Honor in the Sacramental Plays of Valdivielso and Lope de Vega», en *Modern Language Notes,* LXVI, 1951, págs. 81-88.

WEBER DE KURLAT, Frida: «Gil Vicente y Diego Sánchez de Badajoz. A propósito del Auto da Sibila Casandra y de la farsa del juego de cañas», en *Filología,* B. Aires, IX, 1963, págs. 119-62.

Ediciones y manuscritos utilizados

I. LA PUENTE DEL MUNDO

FIESTAS/DEL SANTISSIMO/SACRAMENTO,/REPARTIDAS EN DOZE AVTOS/ sacramentales, con sus Loas, y Entremeses./Compuestas por el Phénix de España Frey Lope Félix/ de Vega Carpio, del Abito de San Iuan./ *RECOGIDAS POR EL LICENCIADO IOSEPH ORTIZ DE/Villena, y dedicadas al Tumulo y Fama inmortal suyo.../ Con licencia:* En Çaragoça, por Pedro Verges,

Año MDCXXXXIIII / *A costa de Pedro Verges Mercader de libros. En la calle de Toledo.*

[El libro se compone de XII Fiestas. El auto *La puente del mundo* está incluido en la fiesta XII, fols. 135 v. a 142 r. El ejemplar utilizado pertenece a la Biblioteca Nacional de Madrid, R-17934.]

M. 15.256 de la Biblioteca Nacional de Madrid. *Avto sacramental de la puente del mundo/ por Lope de bega carpio este año de 1616 / figuras las siguientes...*

[El texto corresponde al del impreso en líneas generales, con algunas supresiones ligeras, que son correcciones y tachaduras sobre la primera línea de redacción y que no mejoran nunca el original. Parece copia para uso de cómicos y carece de interés filológico. Son 17 hojas. En 4º.]

II. La serrana de Plasencia

DOZE ACTOS / SACRAMENTALES,/ Y DOS COMEDIAS DIVINAS. / AL SERENISSIMO SEÑOR CARDENAL IN-/ fante Don Fernando, Arçobispo de Toledo. / POR EL MAESTRO IOSEPH DE / Valdiuielso. Año IHS 1622. / CON PRIVILEGIO. / En Toledo, por Iuan Ruyz. / A costa de Martín Vázquez de la Cruz, merca-/der de libros. [Ejemplar de la B.N. de Madrid, R-13.721.]

[Otra edición en Braga, año 1624, con el mismo contenido. Es texto con abundantes portuguesismos gráficos.]

MS. 15.677 de la Biblioteca Nacional de Madrid. *La serrana de la Vera de Plasencia.*

[El texto corresponde al auto de Valdivielso, con numerosas variantes y considerable número de versos añadidos. Letra del siglo XVII. En 4.º. No se indica el nombre del autor.]

III. Los hermanos parecidos

DELEYTAR / APROVECHANDO. / POR EL MAESTRO Tirso de Molina./ A / DON LVIS FERNANDEZ DE CORDOVA, / y Arze, Señor de la villa de Carpio, Cauallero / del habito de Santiago, y Veyntiquatro / de Cordova./ Año 1635 / CON PRIVILEGIO / EN MADRID, En la Imprenta Real.

[Ejemplar que lleva el sello de Pascual de Gayangos. La guillotina ha cortado los datos del librero en la parte inferior.

En 8º. Pergamino con lazos. 334 folios numerados en los folios rectos. En el folio IV, a tinta y con letra antiguas, indica que el ejemplar perteneció a Fray Juan Cayetano Ximénez Escolano de la Orden de la Santísima Trinidad de Granada. El auto *Los hermanos parecidos* se incluye en los fols. 173-181 vueltos. Ejemplar de la B.N. de Madrid, R-11905.]

IV. EL DIVINO ORFEO

AVTOS / SACRAMENTALES, / ALEGORICOS, / Y HISTORIALES. / DEDICADOS / A / CHRISTO / SEÑOR NVESTRO / SACRAMENTADO./ COMPVESTOS / POR DON PEDRO CALDERON / de la Barca, Cauallero de la Orden de Santiago, Capellán de / Honor de su Magestad, y de los Señores Reyes Nueuos / de la Santa Iglesia de Toledo. / PRIMERA PARTE. / CON PRIVILEGIO. / En Madrid, en la Imprenta Imperial, por Ioseph Fernandez/de Buendia, Año de 1677. Y a su costa. Vendese en su casa/ en la calle del Duque de Alva.

[Es la primera edición. *El divino Orfeo* se halla en las págs. 155-76. El ejemplar utilizado es de nuestra propiedad.]

Otras ediciones que se han tenido en cuenta

I. LA PUENTE DEL MUNDO

Obras de Lope de Vega (Autos y coloquios), edición y estudio de M. Menéndez Pelayo, Madrid, Atlas, BAE, t. VI, 1963, págs. 399-411.

II. LA SERRANA DE PLASENCIA

Autos sacramentales desde su origen hasta fines del siglo XVII, Colección escogida, dispuesta y ordenada por Eduardo González Pedroso, Madrid, Atlas, BAE, t. LVIII, 1952, págs. 244-56.

José de Valdivielso, *El hospital de los locos, La serrana de Plasencia*, ed. de Jean-Louis Flecniakoska, Salamanca, Anaya, 1971, págs. 85-133.

José de Valdivielso, *Teatro completo,* ed. y notas de Ricardo Arias y Robert V. Piluso, Madrid, Ediciones y Distribuciones Isla, 1975, págs. 427-58.

III. Los hermanos parecidos

Comedias de Tirso de Molina, Colección ordenada e ilustrada por D. Emilio Cotarelo y Mori, Tomo II, Madrid, Bailly/Baillière, NBAE, 1907, págs. 709-18.

Tirso de Molina, *Obras dramáticas completas,* ed. crítica por Blanca de los Ríos, Madrid, Aguilar, 1946, tomo I, págs. 1690-705.

Autos sacramentales (El auto sacramental antes de Calderón), selección, introducción y notas de Ricardo Arias, México, Ed. Porrúa, 1977, págs. 405-27.

IV. El divino Orfeo

Autos sacramentales alegóricos e historiales del insigne poeta español Don Pedro Calderón de la Barca... Obras póstumas que del Archivo de la Villa de Madrid saca originales a la luz Don Pedro de Pando y Mier... Parte Sexta. Madrid. En la Imprenta de Manuel Ruiz de Murga, Año de 1717. Primera impresión, págs. 237-59.

Idem que la anterior. Segunda impresión, págs. 235-57.

Don Pedro Calderón de la Barca, *Obras completas,* Tomo III, *Autos sacramentales,* recopilación, prólogo y notas por Angel Valbuena Prat, Madrid, Aguilar, 1952, págs. 1839-855.

AUTOS SACRAMENTALES
DEL SIGLO DE ORO

LOPE DE VEGA

LA PUENTE DEL MUNDO

PERSONAS

EL PRÍNCIPE *de las tinieblas*
UN GIGANTE, *llamado Leviatán*
CABALLERO *de la Cruz*
ADÁN
EVA
SOBERBIA
EL ALMA
EL MUNDO
AMOR DIVINO
MÚSICOS

Sale el MUNDO *y la* SOBERBIA, *el* PRÍNCIPE *de las tinieblas, el* MUNDO *loco.*

SOBERBIA
Esto se dice por cierto.

PRÍNCIPE
Cualquier suceso en mi daño,
no será, Soberbia, engaño.

MUNDO
Si fuera bien, fuera incierto.

PRÍNCIPE
5 Pero ¿quién te ha dicho a ti
que ha de venir a la tierra
el caballero que encierra
tanto valor contra mí?
¿Cómo ha de querer bajar
10 desde el seno de su Padre
y tomar humana Madre?

SOBERBIA
Porque queriendo librar
al hombre de la prisión
en que le tiene el pecado,
15 aquel pecho inmaculado
en su pura Concepción...

PRÍNCIPE
No querrá que horror le dé,

de quien se dirá una cosa,
que no es bien, por fabulosa,
20 que crédito se le dé,
si del cielo al suelo miras
distancias tan apartadas;
y al fin, de largas jornadas
se cuentan grandes mentiras.

SOBERBIA

25 La distancia yo la sé
como quien ya la midió
cuando del cielo cayó,
lugar donde me engendré.

MUNDO

En verdad que os alabáis
30 de una cosa bien famosa:
necia sois, mas sois hermosa:
no es mucho que lo seáis.
Siempre habláis, Soberbia, a tiento:
nunca tuvisteis cordura;
35 que es pensión de la hermosura
tener poco entendimiento.
De vuestra naturaleza
no tenéis que os alabar,
pues en tan bello lugar
40 se engendró tanta fiereza.

SOBERBIA

Si este loco viene aquí,

---

v. 31. En m. «necia sois aunque curiosa», superpuesto al texto correspondiente del impreso, que se tacha.

v. 33. *a tiento:* Menéndez Pelayo anota: «Tiempo dice erradamente la primera edición». Pero nosotros en el texto de 1644 que hemos manejado (BN: R-17.934) no hemos observado error alguno. Bien fue una reimpresión con erratas la que manejó don Marcelino (hecho hipotético y poco probable), o bien fue un descuido suyo de transcripción.

v. 35. *pensión:* aquí tiene un valor figurado similar al que da el *Dic. Aut.:* «Se toma por el trabajo, tarea, pena o cuidado, que es como consecuencia de alguna cosa que se logra y la sigue irreparablemente».

En m. «que es pensión de la locura».

nunca hablaremos en seso.

MUNDO

En lo del loco, os confieso,
por vos, Soberbia, lo fui.
45 El mundo soy, ¿qué miráis?
Vos me habéis enloquecido,
que desde que habéis caído,
a ser loco me enseñáis.
Que estas colores, par Dios,
50 que son de vuestros efetos.

SOBERBIA

Líos se hacen de discretos.

MUNDO

Pues no se dirá por vos.
¡Pues ver aquel loco sueño,
que os hizo perderlo todo!
55 Ande yo de aqueste modo.
y como veis, vuestro dueño,
como quiso hacerse Dios,
lo mismo le dijo a Adán,
y a fe de loco, que están
60 muy bien medrados los dos;
el uno vuelto serpiente
va por la tierra arrastrando,
y el otro la anda cavando,
porque su vida sustente.

PRÍNCIPE

65 Oyete, Mundo, que estoy

---

v. 49. *estas colores: color,* como *puente, centinela,* etc., se usaba como femenino.

v. 50. *efetos:* como corresponde a la rima con «discretos» del verso siguiente. M. Pelayo rectifica «efectos».

v. 60. *medrados:* «adelantados, aumentados o mejorados» *(Dic. Aut.).* Aquí tiene sentido irónico.

vv. 61-64. Es la idea expresada en el libro del *Gén.* 3, 14-20, en donde Dios dijo a la serpiente: «te arrastrarás sobre el vientre y comerás polvo toda tu vida...», y al hombre: «maldito el suelo por tu culpa: comerás con fatiga mientras vivas...».

para truhanes muy triste:
¿de quién, Soberbia, supiste
tan extrañas nuevas hoy?

SOBERBIA

No son extrañas, ni nuevas:
70 la gaceta de Israel
dice aquestas cosas dél,
si nuevas suyas apruebas.
Jacob dice que vendrá
y con sus hijos lo trata,
75 porque hasta entonces dilata
el empeño de Judá;
Moisés, Profeta, le llama
Salvador; Restaurador,
Rey Saúl, Intercesor,
80 David músico de fama.
Ya se cantan por ahí
de sus psalmos mil traslados.

PRÍNCIPE

Por mi temor y cuidados
sátiras son para mí.

MUNDO

85 ¡Quien tanto estimó su talle,
que pierda tan altas sillas,
y que os canten seguidillas
los muchachos de la calle!

---

v. 70. *gaceta de Israel:* curiosa expresión anacrónica para referirse a los escritos bíblicos, pues «gaceta» significaba en la época de Lope de Vega más o menos lo que hoy: «Sumario o relación que sale todas las semanas o meses de las novedades de las provincias de la Europa, y algunas del Asia y Africa» *(Dic. Aut.)*.

vv. 73-76. El mesianismo del texto de Jacob acerca del «que vendrá» se halla en su testamento profético, cuando Jacob reunió a sus hijos y les predijo el futuro (véase *Gén.* 49, 1-28). Aunque fue Judá el que recibió la primacía de elección por Jacob (no obstante sus preferencias por José), ésta se dilató, como dice Lope de Vega, hasta la vinculación del mesianismo en la estirpe de David, verdadero fundador de la nación de Israel (1012-972 a. de C.).

v. 79. En m., tachado «Intercesor», y en su lugar «vida y honor».

No en versos tan levantados
90 de un Rey tan grande profeta,
sino de un vulgo poeta
en los casos desastrados!

SOBERBIA
Sacerdote a Dios le nombra
Zacarías, y Samuel
95 fue sombra y figura dél.

PRÍNCIPE
Ya con la sombra me asombra.

SOBERBIA
Finalmente le ha llamado
Ezequïel gran Pastor,
que vuelto un Argos de amor,
100 guarde y defienda el ganado.

PRÍNCIPE
Ya yo he visto este lugar,
y dice David...

SOBERBIA
¿No has visto,
que en David se entiende Cristo?

MUNDO
Las cosas que dan pesar,
105 no las saben entender
los que las quieren sentir.

PRÍNCIPE
Bien sabes tú que el morir
es fuerza, si ha de nacer.

SOBERBIA
El nacer, y de doncella,
110 claro lo dice Esaías.

---

vv. 93-95. Quizá en *Zac.* 6, 9-15.
vv. 97-98. Posiblemente en *Ez.* 36, 22-24 y 37, 24-25.
vv. 109-110. Efectivamente así consta en *Is.* 7, 14: «Mirad: la joven está encinta y dará a luz un hijo, y le pondrá por nombre Dios-con-nosotros (Emanuel)».

MUNDO

Qué, ¿luego tú no sabías
lo que desta Virgen bella
dijo Dios a Ezequïel
cuando le mostró la puerta
115 a su sol divino abierta,
cristal de los rayos dél?

PRÍNCIPE

¡Ay de mí, que ya sabía
esto que a decirme vienes!

MUNDO

Años sospecho que tienes
120 y más edad que la mía;
pero no tratemos de años,
que es conversación odiosa.

SOBERBIA

Su muerte ya es cierta cosa
para bien de tantos daños,

---

vv. 119-120. La idea de que el Príncipe de las Tinieblas tiene muchos años quizá proceda no sólo de la historia bíblica, sino del dicho popular «más sabe el diablo por viejo que por diablo».

vv. 123-129. En m. tachado el v. 122 y sustituido por «el morir ya es cierta cosa». La referencia consta en *Is. II*, 53, 1-12. Calderón en *El cordero de Isaías* dramatiza este texto, aludiendo concretamente al cap. 53:

«... el capítulo es
número cincuenta y tres
del Gran Profeta Isaías.
(Lee.)
Como al Cordero, que va
voluntario al sacrificio,
sin dar el menor indicio
de que ante el tendente está,
con tan blanda propensión
que no intenta resistillo
ni a la garganta el cuchillo,
ni a la tijera el vellón,
sin gemir y sin balar,
irás de uno y otro acero.

(Pando, V, pág. 232a.)

125 que la refiere Esaías
como si pasada fuera,
y teñido en sangre viera
su vestido aquellos días:
al fin es cierto el venir.

PRÍNCIPE

10 Yo me tengo de guardar:
Rey soy de la tierra y mar:
con Dios puedo competir.

MUNDO

Y no es nuevo en vos con Dios;
pero mirad cómo os fue,
135 pues de solo un puntapié
dio en el infierno con vos.

PRÍNCIPE

Ahora bien: cuando él viniere
a probar esta aventura,
no la ha de hallar tan segura,
140 ni tan fácil como quiere.
Las selvas, donde yo vivo,
están todas encantadas,
pasos y puertas cerradas,
y con cuidado excesivo.
145 Ese Amadís celestial,

---

vv. 145-146. Amadís es el más famoso personaje de los libros de caballería, protagonista de *Amadís de Gaula,* obra de Garci Rodríguez de Montalvo, quien, según parece, corrigió, modificó y eliminó fragmentos de una obra previa de varios autores y cuyo origen es difícil de determinar. Amadís, como personaje y novela, tuvo una amplia descendencia desde 1508 (fecha de la primera edición conocida, impresa en Zaragoza y en castellano). Descendiente de Amadís fue Esplandián a quien sucedió su hijo Lisuarte, quien a su vez fue padre de don Flores de Grecia y de Amadís de Grecia, el llamado «caballero de la ardiente espada», como reza en el título de la edición del *Amadís de Grecia,* de 1530, cuyo autor fue Feliciano de Silva. El referirse Lope aquí a Amadís como «de Grecia» no tiene tanta trascendencia literaria (aunque pudiera tenerla en parte, sobre todo en lo referente a su sobrenombre de «caballero de la ardiente espada» ya que en el auto Cristo aparece como un personaje simbólicamente combativo y vengador), como estilística, por cuanto permite introducir un verdadero juego de palabras entre Grecia y «Gracia» (v. 146), al fundir el personaje real y el simbólico en una curiosa paronomasia.

de Grecia o de gracia venga,
y el alta Alemania tenga
por su patria natural,
que yo me avendré con él.

SOBERBIA

150 El vendrá con traje humano.

MUNDO

Si es cristianísimo, es llano,
pues tiene el Mundo por él,
que vendrá en el traje hermoso
de la bella flor de lis,
155 pues la dio el cielo a París
para su Imperio famoso.
Que estas cosas de aventuras,
de bosques, selvas y amores,
todos los historiadores,
160 ya que hablamos por figuras,
las dan a los doce Pares;

---

vv. 147-149. El Príncipe de las Tinieblas refiere el origen del «que va a venir» a Alemania, pues así se avendrá con él. Está claro que es una alusión intencionada al protestantismo alemán, con el que, según la mentalidad de la época, el demonio sí puede pactar.

v. 150. Alusión a la encarnación de Cristo.

vv. 151-154. Cristianísimo, como es bien sabido, se llamaba al rey de Francia. De ahí la idea de que «vendrá en el traje hermoso/de la bella flor de lis» (vv. 153-154).

vv. 155-156. La flor de lis era el símbolo de la monarquía francesa desde que el rey Clodoveo la eligió como símbolo de purificación al convertirse al cristianismo. La idea del cristianismo de Clodoveo (años 466 a 511), fundador del reino de los francos, y la descendencia en la monarquía francesa todavía tendrán en Calderón una repercusión importante, sobre todo en sus autos, como en *El lirio y la azucena*. El «imperio famoso» es el de los francos, que adquirió con Carlomagno tal rango (a. 768 a 814) cuando en el año 800 se coronó Emperador en Roma.

vv. 160-161. Los Doce Pares de Francia eran los nobles guerreros que acompañaban, según la tradición caballeresca, a Carlomagno. Entre ellos se encontraba Roldán, Oliveros y Turpín. Aquí se juega con el equívoco intencionado simbólicamente de los doce Pares como los doce Apóstoles. El número doce tuvo un gran valor simbólico en el cristianismo, heredado seguramente de la tradición babilónica.

y pues las ha de tener,
Cristo, ahí se pueden hacer
metáforas singulares.
165 ¿Y qué nombre le han de dar
al Príncipe de la luz?

SOBERBIA

Caballero de la Cruz
dicen que se ha de llamar.
Porque desde el mismo instante
170 de su pura concepción,
ha de pensar su pasión
como bueno y firme amante.
Esto le ha de entretener
nueve meses que ha de estar
175 en aquel claustro sin par.

MUNDO

Sí, que después de nacer,
cierto estoy que será Cruz
cuanto ha de pasar por él:
luego este apellido en él
180 viene como al sol la luz.

PRÍNCIPE

Ahora bien: el alto fuerte
deste valle y bosque umbroso,
tenga un río caudaloso
de los que el infierno vierte;
185 llamémosle Flegetonte,
y hágase en él una puente
que divida su corriente,
y llegue de monte a monte.

---

vv. 167-168. Nuevo intento de hallar un simbolismo cristiano-caballeresco, en este caso utilizando el personaje del Caballero de la Cruz, las aventuras del cual se novelan en la *Crónica de Leporemo, llamado el Caballero de la Cruz* (Valladolid, 1521). De este libro habla Cervantes en el *Quijote* (Parte I, cap. VI).

v. 185. *Flegetonte:* es un río mitológico que se decía era de fuego y se hallaba en el Infierno; se unía al Cocito para formar el Aqueronte. Por su referido carácter ígneo se le llamó también Piriflegetonte, y por ello mismo quizá aquí Lope lo utiliza con valor simbólico referido al Demonio.

Esta será levadiza,
190 y con dos fuertes cadenas
colgará de sus almenas.

MUNDO

¡Qué bien el fuerte autoriza!
Mucho se ha de parecer
a la puente de Mantible.

SOBERBIA

195 Será aventura imposible
de conquistar y vencer,
aunque venga Carlomagno
y todos los doce Pares.

MUNDO

Vengan de Francia millares,
200 que será conquista en vano.

PRÍNCIPE

Para defensa del puente
quiero poner un Gigante,
que con solo verle espante
al más gallardo y valiente.
205 Y pondréle un nombre fiero.

SOBERBIA

De su nombre temblarán.

PRÍNCIPE

El gigante Leviatán,
Soberbia, llamarle quiero.

---

vv. 193-194. *puente de Mantible:* la historia de este puente se refiere en un libro, impreso innumerables veces a partir de 1525, titulado *Historia del Emperador Carlomagno y los Doce Pares de Francia,* traducido por Nicolás de Piamonte (véase nuestro *Estudio Preliminar* para lo referente a las posibles fuentes del auto de Lope). Calderón trató el tema en su comedia *La puente de Mantible.*

vv. 207 y sgs. Efectivamente las referencias de Leviatán constan en *Job* 3, 8; 26, 13; y 40, 20, e igualmente en *Is.* 27, 1; 51, 9, en *Amós* 9, 3 y en *Sal.* 74, 14; 104, 26. Según algunos textos bíblicos (*Ez.* p. ej.), Leviatán era un monstruo marino, una especie de pez enorme y fabuloso, símbolo del poder egipcio y asirio. El nombre de Leviatán es hebreo y parece querer significar un animal reptante, tipo serpiente. El texto aludido por Lope parece coincidir con *Job* 40, 20 y sgs., pero naturalmente a través de la *Vulgata* latina: «An extrahere

MUNDO

No sé si aciertas.

PRÍNCIPE

¿Por qué?

MUNDO

210 Porque en Job se ve rendido,
y de cierta argolla asido
y con su cadena al pie.

PRÍNCIPE

¿A Leviatán?

MUNDO

Si era Dios
el que le ató, ¿qué os espanta?

PRÍNCIPE

215 Yo le daré fuerza tanta,
que salgan, Mundo, los dos
algún día a la estacada.

MUNDO

Será necio en porfiar;
que a palos le ha de matar
220 con cierta leña cruzada.

SOBERBIA

Necio estás.

---

poteris leviathan hamo, et fune ligabis linguam eius? Numquid pones circulum in naribus eius, aut armilla perforabis maxillan eius?». Aquí está clara la referencia a la «cierta argolla», aunque no consta la «cadena al pie». Quizá se entienda ésta con el v. 25: «Numquid illudes ei quasi avi, aut ligabis eum ancillis tuis?». Lo que sí está claro es que en los textos bíblicos Leviatán era una especie de serpiente o monstruo marino (*cocodrilo* traducen Schökel y Mateos), que simboliza una fuerza del mal, originaria del Caos primitivo, y que se hizo arquetipo del monstruo vencido en los orígenes por Yavé. Lo que en los textos sacros es un animal fabuloso, en Lope se transforma en un gigante (v. 202).

Del valor de los símbolos bíblicos e igualmente mitológicos para las encarnaciones modernas más heterogéneas, bastará recordar el famoso tratado de Hobbes, titulado precisamente *Leviatán,* escrito por el filósofo inglés hacia 1651. Con este nombre quería simbolizar el Estado, es decir el poder político y el orden social.

vv. 219-220. Clara alusión ambivalente, por un lado a la maza guerrera, por otro a la cruz cristiana.

MUNDO

Siempre lo fui,
y quizá de andar con vos.
No hay gigantes para Dios:
El sí, cuando corra aquí,
225 correrá como gigante.

SOBERBIA

¿Cómo le das ese nombre?
Pues cuando venga a ser hombre,
será enano y tierno infante,
porque al fin ha de vivir
como siervo.

MUNDO

230 Eso es verdad,
pero aquella majestad
cifrada se ha de encubrir.
Mas dadme, aunque no la muesa,
que la entienda, y veréis vos
235 que le llega el pecho a Dios
y que aun le asienta a su mesa.

Sacan un escudo con un cartel.

PRÍNCIPE

Dadme, Soberbia, el papel
que esta mañana escribí.

SOBERBIA

Toma.

MUNDO

¿Qué dices aquí?

PRÍNCIPE

240 Que sepan todos por él,

---

vv. 227-228. Referencia obvia a Cristo niño. El m. sustituye el v. 228 por el siguiente texto: «será niño y tierno infante».

v. 233. *muesa* por *nuestra.* «En el pronombre, los villanos del teatro del siglo XVII dicen *mueso... por nuestro»* (R. Lapesa, *Historia de la lengua española,* Madrid, Gredos, 1981, 9.ª ed., pág. 471).

que el pasar es imposible
por el puente ningún hombre,
sin que mi esclavo se nombre.

MUNDO

¿Esclavo? ¡Pensión terrible!

PRÍNCIPE

245 Cuélguenle, y toquen a guerra.

MUNDO

¿Para Dios puente? Eso no,
si no es la que Jacob vio
para bajar a la tierra.

Vanse, y salen ADÁN *y* EVA *vestidos de franceses, muy galanes.*

ADÁN

Por estas selvas oscuras
250 pienso que vamos errados.

EVA

¡Que propio de desdichados
es el buscar aventuras!

ADÁN

Después, Eva, que salí
de aquel bello paraíso,
255 toda cuanta tierra piso
es encanto para mí,
y aun cantos dijera bien,
pues toda produce abrojos.

EVA

La memoria causa enojos
260 del bien perdido también.

---

vv. 246-248. Se refiere a la famosa escala de Jacob, mencionada en el sueño que tuvo éste (*Gén.* 28, 11 y sgs.) por la cual dos mensajeros de Dios subían y bajaban por ella, y el propio Dios habló desde lo alto a Jacob para anunciarle que tendría numerosa descendencia. El extremo alto de la escala ha simbolizado la esforzada persecución del ideal.

Bien estábamos allí,
que era un París paraíso
tan celestial, cuanto quiso
el gran Señor que ofendí
265 por la engañosa serpiente,
que nos dio aquella manzana.

ADÁN

Desdicha tan inhumana,
con el castigo se siente.
Bien lo pagamos los dos,
270 y lo que es mayor cuidado
es ver a Dios enojado,
que está enojado, y es Dios.
Estoy de tristezas loco:
grandes mis desdichas son,
275 que Dios, y con gran razón,
no se enoja para poco.
Verdad es que en cierto sueño
me reveló cosas tales,
que en la copia de mis males
280 no fue consuelo pequeño.
Desde que peregrinamos
por estas selvas del mundo,
donde otro mar profundo
de lágrimas fabricamos,
285 no hemos topado aventura
que no nos salga a la cara.

EVA

En que se cumple repara
lo que Dios promete y jura,
y que fue su maldición.

ADÁN

290 El encuentro era bastante

---

v. 262. *París paraíso:* juego paronomásico que justifica quizá el hecho del atuendo con que Lope presenta a Adán y Eva, y que procede de la idea caballeresca de Carlomagno y los Doce Pares de Francia.

de la Envidia, aquel gigante
que mató a Abel a traición.

EVA

¿Qué paso es este?

ADÁN

No sé.

Un río se mira aquí,
295 y una fortaleza allí
entre mil peñas se ve:
esta tierra está de guerra,
que no ha de faltar recelo,
porque quien ofende al cielo,
300 no ha de hallar paz en la tierra.

EVA

Vuelve atrás, mas poco atajas
la muerte, fin tuyo y mío.

ADÁN

El puente han echado al río
y al arma tocan las cajas.

Tocan al arma y echen una puente de lo alto, que llegue abajo, y sale un GIGANTE *con maza, que se llama Leviatán.*

GIGANTE

305 ¿Quién va, soldados? ¿quién son,
que se atreven a llegar
al río y puente del mundo
donde mi defensa está?

ADÁN

Tened las armas, señor,
310 que no venimos por mal,

v. 291. La Envidia es el símbolo de Caín, que dentro del espíritu novelesco del auto Lope personifica como un gigante.

v. 303. *cajas:* lo mismo que «tambores».

aunque de males tenemos
más copia que de agua el mar.

GIGANTE

Digan quién son, o por vida
del poder mismo infernal,
315 que los atraviese a entrambos.

ADÁN

Los dos venimos de paz.
Si sois guarda desta puente
y sus derechos cobráis
decidnos lo que se paga.

GIGANTE

320 Por bien me podrán llevar
hasta el infierno, si quieren,
mas no iré al cielo por mal.

EVA

Decís muy bien, caballero:
por bien van los que allá van,
325 porque en la patria del bien,
por mal nadie puede entrar.
Aunque del reino del cielo
algún tiempo se dirá,
que padecer fuerza puede,
330 pero no entrarse por mal.
¿Quién es señor destas selvas?

GIGANTE

¿Por qué vos lo preguntáis,
que la hermosura que miro
se puede hacer respetar?
335 El Príncipe de tinieblas
se llama, y también le dan
nombre de señor del mundo.

---

v. 312. *copia:* en el sentido de «abundancia».

vv. 320-322. *por bien [...] por mal:* en el sentido de «por fuerza». Por eso Eva contesta más adelante, jugando con la expresión, con el sentido literal (vv. 323-326). La polivalencia de la expresión la propia Eva la indica en los vv. 327-330.

EVA

¿Pues no es el Rey celestial?

GIGANTE

Aquí no hay rey, que el del cielo,
340 después que enojado está,
dejó su imperio a Luzbel.

ADÁN

Los dos queremos entrar,
que venimos de París,
paraíso terrenal,
345 de aquella Francia divina,
que los dos perdimos ya.
Decidnos lo que se paga.

GIGANTE

¡Hola, Mundo!

Sale el MUNDO.

MUNDO

¿Quién va allá?

GIGANTE

Un caballero y su dama
350 la puente quieren pasar:
alcanza el cartel.

MUNDO

¡Buen talle!
Por mi vida que es galán;
y huélgome que el primero
que en el mundo quiere entrar,
355 traiga tan hermosa dama.
¿Cómo, señor, os llamáis?

---

v. 351. Alude al cartel que anunciaba el sometimiento de todo el que pasara por el puente, como se refiere luego en los vv. 391-398.

vv. 356 y sgs. En el diálogo entre el Mundo y Adán se dramatiza simbólicamente la caída de éste y las consecuencias que tuvo para el Mundo (v. 359),

ADÁN

Adán me llaman a mí.

MUNDO

¿Adán sois?

ADÁN

Yo soy Adán.

MUNDO

¿Vos el que tal me pusistes?

ADÁN

360 El amor podéis culpar,
que por gusto desta dama
quise hacer su voluntad.

GIGANTE

Yerros, Adán, por amores,
dignos son de perdonar.

MUNDO

365 ¡Pardiez que fuistes un loco,
que pudiérades andar
de selva en selva contento,
y de ciudad en ciudad,
y sin gastar en comida
370 ni en vestidos un rëal,
gozar una alegre vida!

ADÁN

Quise bien, y pude errar.

MUNDO

¿Que os atrevistes a Dios?
¡Oh qué hermosa necedad!
375 no teniendo en todo el mundo
sagrado donde os guardar.
Cuando haya santos en él
y una Virgen que tendrá
nombre de abogada nuestra,
380 sagrado y puerto hallarán;
pero ¿vos en que os fiastes?

---

sirviéndole de disculpa el que esta caída fuera por una dama, siguiendo en este concepto el código caballeresco (vv. 363-364).

ADÁN

En la misma que ha de dar
el fruto de mi remedio.

MUNDO

Pues Dios lo dijo, será.

EVA

385 Vos veréis que a la serpiente
estampa el pie de cristal
en la frente de diamante.

GIGANTE

Ea, déjense de hablar,
y paguen aquí el tributo.

ADÁN

390 Señor, el cartel mostrad.

Lee el cartel ADÁN.

ADÁN

Cualquiera caballero venturero,
que por el puente deste Mundo entrare,
del Capitán de las tinieblas fiero
por esclavo y cautivo se declare.
395 Desde el hombre que Dios formó primero,
la herencia cobra, sin que nadie pare;
que es deuda de su carne contraída,
y tiene sucesión de vida en vida.

GIGANTE

Ella es fuerza.

MUNDO

Entrad alegre.

---

vv. 385-387. El texto del *Génesis*, que establece la enemistad entre la serpiente y la mujer (*Gén.* 3, 15), ha sido entendido por la tradición católica como un texto mariológico. El *Ap.* 12, 1-6, sentó las bases de esta interpretación.

v. 396. El texto impreso dice «nadie pase», pero por la rima se exige la lectura «pare», que aceptó ya Menéndez Pelayo.

GIGANTE

400 Dadle pluma y firmará.

MUNDO

Tomad tinta.

ADÁN

Por los ojos
la pluma quiero pasar;
que tan desdichadas letras
con llanto se han de firmar.

MUNDO

405 Señor Adán, advertid,
que aquí habéis de trabajar;
porque en aquesta Ginebra,
el hombre más principal
no ha de comer sin sudor;
410 que la mayor majestad
come de cuidados llena,
y desde el cetro Rëal
hasta el pastor más humilde.

ADÁN

Bien sé que comen el pan
415 en el sudor de su rostro.

---

vv. 407 y sgs. Creo que se refiere a la ciudad suiza que se convirtió en sede del protestantismo calvinista, y, por tanto, para la mente católica de Lope y sus contemporáneos, en lugar de pecado. Así, sería un lugar simbólico dentro del auto, en donde está circunscrita la región dominada por el gigante Leviatán. Ginebra también era la reina a la que amó Lanzarote del Lago. Aquí no se refiere a ella obviamente. *Ginebra* como nombre común significaba «ruido confuso de voces humanas» *(Dic. Aut.)*. Lope más adelante da otra referencia a la ciudad de Ginebra en los vv. 641 y sgs. Recordemos que por el contexto, en ambos casos, la referencia pertenece a un lugar. En la comedia de Lope *El sufrimiento premiado* (vv. 2251-2252) también se hace referencia a la ciudad. Victor Dixon, editor de esta última obra, explica en nota: «La ciudad de *Ginebra,* por su supuesta libertad de conciencia religiosa, se consideraba en la época un confuso babel de herejías y desorden moral. Su nombre se hizo proverbial; así las casas de juego, por ejemplo, se llamaban de *Ginebra*». El mismo crítico da más referencias en Cervantes y Lope (véase su ed. de esta comedia en London, Támesis Books, pág. 149).

vv. 414-415. Alusión al castigo de Adán y Eva, tal como se refiere en el *Gén.* 3, 19.

MUNDO

Alza el puente, Leviatán,
en pasando aqueste hidalgo,
si hidalgo se ha de llamar
con tantos hijos pecheros,
420 que menos que estrellas hay.

GIGANTE

Corrido va el caballero.

MUNDO

Gritad que corrido va:
tal mayorazgo instituyo
del pecado original.

[Vanse].

Alcen el puente; sale el AMOR *divino y la* MÚSICA.

AMOR

425 Cantalde, por vida mía,
en tanto que se levanta.

MÚSICA

De que lo digas me espanta,
pues vela Dios noche y día;
que vela mi corazón
430 dice él mismo, cuando duerme.

---

vv. 417-420. Llama «hidalgo» a Adán y «pecheros» a sus descendientes. *Pechero* era el que tenía que pagar tributo frente al *hidalgo* que no lo pagaba por estar exento del mismo. Aquí se juega con la idea de *pechero,* equivalente espiritual de *pecador*. Adán estuvo libre del pecado en su origen, no así sus descendientes.

v. 421. *corrido:* equivale a «avergonzado».

vv. 422-424. Recuérdese que después del pecado Adán y Eva quedaron «corridos» o avergonzados y tuvieron que ocultarse, con ello instituyeron ese «mayorazgo» o sucesión al pecador.

v. 425. *cantalde:* metátesis frecuente por «cantadle».

vv. 428-430. Es la idea que se halla en los *Sal.* 3, 4; 4, 9, y en los *Prov.* 3, 24.

AMOR

Este gusto habéis de hacerme.

MÚSICA

Escoge tú la canción.

AMOR

Decid una que le quite
el sueño al Rey en mi nombre,
435 y que el remedio del hombre
tiernamente solicite.

MÚSICA

Si dormís, Príncipe mío,
si dormides, recordad:
que vuestra querida Esposa
440 en manos ajenas va.
Cautiva la tiene el Moro,
y si vos os descuidáis,
quitarle quiere la fe
después de la libertad.
445 Tomad las armas de presto,
¡oh Príncipe de la paz!
Que el de las tinieblas quiere
eclipsar su claridad.

AMOR

Pásense ya los enojos,
450 divino Rey celestial,
que en un pecho como el vuestro
no es justo que duren más.
Mirad que el alma es mujer:
harto os he dicho: mirad
455 que no puede durar firme
con la vida que le dais.
Señor mío, el Amor soy:
el Amor soy: escuchad
esta música divina,
460 que os sirve de memorial.

---

vv. 437 y sgs. Lope parece imitar algún romance de cautivos, contrahecho a lo divino en todo caso.

No permitáis que se pierda,
Príncipe: no permitáis
que deshagan la pintura
de quien sois original.
465 El cruel Príncipe Moro
un fuerte labrando está
cercado de almenas fuertes
para prisión inmortal.
Sobre el foso y contrafoso,
470 a donde hay de fuego un mar,
una puente levadiza
a nadie deja pasar.
Todos le pagan tributo
desde la culpa de Adán,
475 sin que nadie se reserve;
que a todos hace pagar.
A la entrada, con sus armas
ha puesto, por más crueldad,
para cobrar los derechos,
480 al gigante Leviatán.
Del Mundo loco se sirve
con harta desigualdad,
que viste varias colores
en figura de truhán.
485 Doleos, Señor divino:
tened, Príncipe, piedad;
que en los mayores peligros
se conoce la amistad.

---

v. 475. *se reserve:* lo mismo que «se exceptúe». Uno de los valores de este verbo, recogido por *Dic. Aut.*, dice: «Significa también exceptuar o privilegiar de alguna ley común».

v. 481. El Mundo en los autos sacramentales suele hacer de rústico o loco (véase *El hospital de los locos* de Valdivielso, ed. de Flecniakoska, Salamanca, Anaya, 1971). Con la variedad de colores de su atuendo, evidentemente se quiere simbolizar la variedad del Mundo, de sus habitantes y costumbres.

v. 487. Esta frecuente idea fue dramatizada por Valdivielso en el auto *La amistad en el peligro,* donde incluso se menciona con versos muy semejantes a los de Lope: «Porque en el mayor peligro/se conoce la amistad» (véase González Pedroso, *op. cit.*, BAE, t. LVIII, pág. 243).

Sale el CABALLERO *de la Cruz, a lo francés, muy galán.*

CABALLERO
¿Tan de mañana, Amor mío?

AMOR
490 No es nuevo, eterno Señor,
daros mil voces Amor;
y justamente confío
de que le escucháis con gusto
y que del Alma os doléis,
495 que entre glorias que tenéis,
es la de piadoso y justo.
A todas horas querría
deciros el triste estado
a que cautiva ha llegado
500 el Alma que en vos confía.
Ya no tiene amparo alguno,
sino es a mí, gran Señor:
no os espantéis que mi amor
parezca a Dios importuno.

CABALLERO
505 A quien ama, no lo es
el cuidado de lo que ama:
tu amor me provoca y llama:
no es mucho que me le des.
Tu música me ha movido,
510 y bastaba, Amor, tu nombre
que a memoriales del hombre
nunca he cerrado el oído.
Que en viéndolos, en efeto,
decir que esto pide, Amor,
515 es cierto que en su favor
ha de salir el decreto.
Basta que el Rey arrogante
de las tinieblas ha hecho
fortaleza sin provecho,
520 cuando fuese de diamante.
Puente labra con defensa:

Gigante pone en su guarda:
alguna guerras aguarda:
algunas desdichas piensa.
525 Pues no sabe su temor
la fuerza de mi poder,
y no sabe que ha de ser
tan poderoso mi amor,
que del celestial París
530 me ha de llamar a su Argel.

AMOR

Señor, bien teme Luzbel
que cumplís lo que decís;
y que palabras de Dios
no pueden volver atrás:
535 fíase en que el tiempo es más,
para que salgáis los dos
al campo del desafío,
donde le vais a vencer;
que en el fuerte no hay poder,
540 ni en la Puente, ni en el río.
Aunque es terrible aventura
la que vos queréis probar;
que al fin os ha de costar
la vida y la sangre pura.
545 ¡Ay dél cuando levantéis
como sierpe de metal

---

vv. 529-530. *celestial París:* equivale a la Corte de Carlomagno en sentido simbólico-cristiano, frente a Argel, símbolo del lugar a donde eran enviados los cautivos. La literatura sobre el tema de cautivos en el Siglo de Oro es muy abundante.

vv. 546 y sgs. *como sierpe de metal:* se refiere a la serpiente que hizo Moisés, cuyo sentido se explica en *Núm.* 21, 8-9. Cuando el pueblo de Israel iba con Moisés por el desierto y sus hombres fueron mordidos por serpientes venenosas «Moisés rezó al Señor por el pueblo, y el Señor le respondió: Haz una serpiente venenosa y colócala en un estandarte: los mordidos de serpiente quedarán sanos al mirarla. Moisés hizo una serpiente de bronce y la colocó en un estandarte. Cuando una serpiente mordía a uno, él miraba a la serpiente de bronce y quedaba curado». Sobre este tema realizó Calderón un auto sacramental de su última época (1676), que tituló precisamente *La serpiente de metal.* Parece

ese cuerpo celestial,
con que el Puente quebrantéis!
Que con dos palos quebrados
550 una espada habéis de hacer,
que pueda a esos pies poner
sus enemigos domados.
De la manzana primera,
que dio tal dentera a Adán,
555 en un bocado de pan
les quitaréis la dentera.
De la ballena de mármol
saldréis dentro de tres días,
donde las vitorias mías
560 os ciñan de Febo el árbol.
Y a su pesar de Luzbel
entraréis, Rey de luz,
con la Corona y la Cruz,
que es la espada y el laurel.
565 Que aunque la formen de espinas,
cuando subáis desde el suelo,

---

que desde muy antiguo en la tradición cristiana la serpiente de metal ha simbolizado la cruz, o sea la Redención. Aquí Lope parece hallarse inmerso en esa tradición (vv. 549 y sgs.).

v. 549. Como decimos en la nota anterior la serpiente equivale a la cruz, que aquí se simboliza en un objeto ambivalente (palos quebrados/espada), quizá por tratar de superponer la imagen simbólico-religiosa a la caballeresca del argumento.

v. 553. Alusión al objeto de pecado (manzana), que es neutralizado por otro alimento (pan), el puramente eucarístico.

v. 557. No es idea de Lope la asimilación del sepulcro de Cristo a la ballena en la que estuvo Jonás tres días, sino que el propio Cristo en el Evangelio de Mateo lo indica claramente en el ejemplo que se ha llamado «la señal de Jonás»: «Porque si tres días y tres noches estuvo Jonás en el vientre del monstruo, también tres días y tres noches estará este Hombre en el seno de la tierra» (*Mt.* 12, 40). De ahí proviene la imagen sintética de Lope «ballena de mármol».

v. 560. El árbol de Febo es el laurel, que, como es sabido, era el símbolo con que se coronaba al vencedor en el combate y, posteriormente, al artista triunfante. Aquí el laurel es también símbolo de la cruz, como se ve más adelante (vv. 563-564).

primero que a vos el cielo
le correrá las cortinas.
Dirán entonces: ¿Quién es
570 este que viene de Edón,
pues que de púrpura son
sus ropas hasta los pies?
Todos verán que sois vos
Caballero de la Cruz,
575 que hazañas de tanta luz
solo son de un hombre y Dios.

CABALLERO

Amor, de mi mortal sabiduría
era deleite, porque no te asombres,
que siendo yo quien veis que soy, temía
580 el jugar con los ojos de los hombres.
A las tablas, en fin, jugando un día,
porque mi Cruz la fiesta y juego nombres,
entró el Emperador mi Padre amado,
de cuya luz estoy clarificado.
585 «Agora es tiempo —dijo— que se goce
el Príncipe del Mundo, de que viva

---

vv. 570-572. *Edón:* alude al episodio narrado en el *Gén.* 25, 24-30 en donde se llama *Edón* (Rojo) a Esaú, que había nacido «rojo, peludo como un manto» («qui prior egressus est, rufus erat, et totum in morem pellis hispidus: vocatumque est nomen eius Esau»). Esaú, que era un experto cazador, un día, regresando de sus correrías halló a Jacob haciendo un potaje de color rojo y le pidió de dicho alimento: «Da mihi de coctione hac rufa, quia oppido lassus sum. Quam ob causam vocatum est nomen eius Edom». Por lo que se justifica el nombre de Rojo (Edón) a Esaú. Lope hace una interpretación de este texto aplicándolo a Cristo y a la vestidura purpúrea, símbolo de su Pasión.

v. 577. *mortal sabiduría:* el m. corrige «inmortal sabiduría».

vv. 581 y sgs. Las *Tablas* era un conocido juego de mesa, que se realizaba sobre un tablero en el que había dispuestas doce casas a cada lado, huecas y en semicírculo. Según *Dic. Aut.* era uno «de los más nobles juegos que se han inventado». Nótese que Lope juega con el vocablo al atribuir un valor simbólico a este juego, pues «tabla» también era la mesa de los Doce Pares de Francia, que presidía el Emperador, aquí símbolo de Dios. La idea se prolonga, como es normal en este auto de contenido caballeresco, con la alusión a los «nobles doce» que son los caballeros de la Tabla Redonda y los apóstoles.

v. 582. En el m. «... mi juego y fiesta nombres».

su Esposa, que un tirano desconoce
por tantos años en su Argel cautiva:
baja a la tierra, y con tus nobles doce,
590 de su poder la Puente vil derriba,
porque solo aventura tan gallarda
al Caballero de la Cruz se guarda.
Toma tus armas, fuerte Caballero,
pues lo eres como yo; que no es hurtado
595 el nombre que te iguala verdadero
al mismo de quien eres engendrado.
Parte, que orillas del Jordán te quiero
llamar a voces Hijo y Hijo amado,
porque como testigo en fin de vista,
600 diga tu nombre el precursor Bautista.»
Yo, Amor, como me precio de obediente,
y porque solo yo satisfacía
a mi infinito Padre omnipotente,
tomé las armas de mi Cruz un día.
605 ¡Hola! Mostradme aquel resplandeciente
escudo, a donde de la lanza mía
se miran los despojos y trofeos,
y cúmplanse del Alma los deseos.

Saquen una lanza dorada con una cruz pequeña, y un escudo con los pasos de la Pasión, y un yelmo plateado, ceñido con una corona de espinas.

Dadme ese yelmo, que el laurel corona
610 de mi Pasión, que vamos a la tierra
a ver este enemigo que blasona.

AMOR

Armas, Señor: comiéncese la guerra,
que en viendo los contrarios tu persona,
pues la divina luz que el Alma encierra

vv. 597-600. Alusión al episodio evangélico del bautismo de Jesús a orillas del Jordán por Juan Bautista (*Mt.* 3, 13; *Mc.* 1, 9; *Lc.* 3, 21-22).

615 saldrá por el vestido acuchillado,
darán la Puente y el Gigante atado.

CABALLERO

¡Ay, Amor, qué me cuestas, pues a cuestas
tengo en fin de llevar aquesta lanza!
Pero yo lograré lo que me cuestas,
620 cumpliéndole a mi Esposa la esperanza.

AMOR

¡Oh, qué bien tus grandezas manifiestas!
Toma, Señor, deste traidor venganza.

CABALLERO

Vamos, Señor: la lanza pon al hombro,
pues Caballero de la Cruz me nombro.

Vanse, y salen el PRÍNCIPE *y la* SOBERBIA *y el* MUNDO.

MUNDO

625 ¿Ansí pagan desta suerte?

SOBERBIA

Todos, como digo, pagan.

MUNDO

Notable Puente habéis hecho:
nadie sin tributo pasa:
¡Pobre Mundo, cuál estoy!

SOBERBIA

630 Pasó Adán con una dama,
que se la dio el mismo Dios
por mujer.

MUNDO

¿Luego Dios casa?

---

v. 615. *vestido acuchillado:* era una forma de vestido con aberturas que se usaba en la ropa de la época.

v. 625. *ansí:* frecuente arcaísmo por *así*.

SOBERBIA

¿Pues no? A los que junta Dios,
¡ay de aquel que los aparta!

MUNDO

635 Eso es cuando hay causas justas.

SOBERBIA

El que no da justa causa,
a sí se engaña.

MUNDO

Es verdad,
mas cuando el Amor les falta,
buscan tantas, que es vergüenza.

PRÍNCIPE

¿Y qué hace Adán?

MUNDO

640 Trabaja
como los demás cautivos.

SOBERBIA

Desta Ginebra del Alma
pasaron Caín y Abel,
Set, Enoc, y con sus canas
645 Matusalem y Lamet,
y el artífice del arca
con Sem y Cam y Jafet,
que el mundo en tres partes varias

---

vv. 633 y sgs. El tema del divorcio en el Nuevo Testamento se explica en *Mt.* 19, 1-9.

v. 642. Véase nota a los vv. 604 y sgs.

vv. 643 y sgs. Aquí Lope da una lista de los descendientes de Adán y las principales ramas de sus hijos Caín y Set (Abel fue asesinado por Caín). Set y Enoc (Enós) son respectivamente hijos de Adán y de Caín; Matusalem y Lamec son descendientes de la rama de Caín, según una tradición; según otra proceden de la rama de Set. Ambas se refieren en *Gén.* 4, 17-24, la de los cainitas; y 4, 25-32, la de los setitas. Noé hijo de Lamec, era el progenitor de Sem, Cam y Jafet. La intención de Lope con esta lista es, trazar un cuadro de descendientes que abarquen las generaciones que proceden de Adán, para indicar que ninguna se libró del «tributo» o pecado original, incluso los que más destacan por diversas cualidades, como los que se indican en los vv. 654 y sgs., con objeto de destacar de todos ellos el excepcional caso de María (v. 676).

dividieron, y tras ellos
650 el heroico Patriarca
Abraham, Isac, Jacob.

MUNDO

¿Y todos tributo pagan?

SOBERBIA

Todos.

PRÍNCIPE

¿Y quién más pasó?

SOBERBIA

Josef, de hermosura rara,
655 Moisés, Josué, Sansón,
Samuel, Saúl y el del harpa.

MUNDO

¿David el Profeta Rey?
¡Oh, qué lindamente canta!
¿Y deste también cobraste?

SOBERBIA

660 Ninguno, Mundo, se escapa.
Pasó el sabio Salomón,
y con él cuantos Monarcas
el mundo tuvo hasta César,
el Emperador de Italia.
665 Pero estando Leviatán
del Puente una tarde en guarda,
llegó una niña a pasar
de rara hermosura y gracia,
y dijo que no debía
670 al Puente del Mundo nada,
porque para Madre suya
Dios la preserva y levanta.

PRÍNCIPE

¿Qué dices?

---

v. 649. En el impreso original «tras ellas». Debe ser errata, ya subsanada por M. Pelayo.

v. 653. *pasó:* en m. «pagó».

SOBERBIA

Que no pagó.

PRÍNCIPE

¿Que no pagó? ¡Cosa extraña!

SOBERBIA

675 Yo no sé más de que dijo
que María se llamaba,
y cayóse Leviatán
de sí mismo a esta palabra.
Porque cual suele una rosa
680 abrirse por la mañana,
ansí su boca divina,
perlas descubriendo, nácar.

PRÍNCIPE

¿Pues no os dijo la razón,
siendo máxima tan clara,
685 que todos en Adán pecan?

SOBERBIA

Querrá el cielo reservarla,
aunque hay tantas conveniencias
para saber que sin mancha
de pecado original
690 pasó aquesta niña santa,
que ha de ser Madre de Dios,
que se dejan por ser tantas.

MUNDO

¿Quién os mete con María,
Príncipe destas montañas?
695 ¿No sabéis que ha de poneros
el pie sobre la garganta,
pues ha de llamarse Madre

---

v. 681. *ansí:* véase nota al v. 625.

v. 687. El m. sustituye «conveniencias» por «diferencias».

vv. 695-696. La interpretación mariológica del texto del *Gén.* 3, 15, es tradicional desde la versión latina de la *Vulgata:* «Inimicitias ponan inter te et mulierem, et semen tuum et semen illius: *ipsa* conteret caput tuum, et tu insidiabe-

de misericordia y gracia?
¿No queréis que pase el Puente
700 por rogativa tan alta,
una tan blanca paloma?
No ha de pagar una blanca,
aunque os pese por los ojos.

PRÍNCIPE

¿Luego no ha de ser mi esclava?

MUNDO

705 Mentís; un instante solo
no podrá vuestra arrogancia
decir que fue esclava vuestra
quien de Dios Madre se llama.

PRÍNCIPE

¿No pudo, como al Bautista,
710 su hijo santificarla?

MUNDO

No os metáis en eso vos.

---

ris calcaneo eius». Las versiones modernas no traducen el original por «ella» *(ipsa)*, como hace la *Vulgata*, sino por «él» refiriéndose al linaje humano (*semen*). Lope, lógicamente, lo interpreta de forma mariológica. La lucha entre el dragón y la mujer del *Ap.* 12, 1-5 se entenderá en la Antigüedad como un combate entre el Demonio y la Iglesia, pero durante la Edad Media algunos de los comentaristas apuntan también la posibilidad de que Juan piense en María la madre del Mesías, versión que es evidentemente, la que llega a Lope. Modernamente la crítica bíblica se inclina más por la primera interpretación.

vv. 701-702. Juego de palabras. *Blanca* en el primer caso es símbolo de pureza e inocencia, referido a María. *Blanca* como sustantivo, en el segundo caso es la antigua moneda de vellón, de ahí su color. Todavía modernamente «estar sin blanca» ha quedado como expresión coloquial para referirse genéricamente a «carecer de dinero».

vv. 709-710. La excelsa valoración que Jesús hizo de Juan Bautista consta, por ejemplo, en *Mt.* 11, 1-11. Las referencias de Jesús sobre su madre en los Evangelios son muy escuetas. Parece que el valor mesiánico de María, entendido más tarde como presente en *Is.* 7, 14, por ejemplo, era ignorado en el judaísmo contemporáneo de Cristo. Quizá la maligna indicación del Príncipe de las Tinieblas aluda al hecho de que María en las palabras de Cristo no posee, al menos explícitamente, el alcance que el cristianismo llegó a darle.

SOBERBIA

Gente suena.

PRÍNCIPE

Toca al arma.

[Tocan.]

Sale el GIGANTE *con maza.*

GIGANTE

¿Qué es esto, Príncipe invicto?

PRÍNCIPE

Que viene por la campaña
715 grande ejército de gente.

GIGANTE

Tu injusto temor te engaña,
que, cuando mucho, serán
los doce Pares de Francia.

MUNDO

¿Y el claro Delfín del cielo
720 no será de aquesta escuadra
el Capitán general?

SOBERBIA

En una bandera blanca
vienen flor de lises de oro,
cálices y hostias de plata.

PRÍNCIPE

725 ¡Fuerte Leviatán, al Puente!

GIGANTE

Soberbia, a mí no me espanta
cuanto poder tiene el cielo.

MUNDO

Valiente sois de palabra;
pues a fe que don Miguel

---

vv. 729-732. Miguel es el arcángel, que en la tradición cristiana, al igual que en la hebrea, representa la más alta jerarquía. En el *Ap.* 12, 7 se le repre-

730 os hizo en cierta batalla,
con solo *¿Quién como Dios?*
volver a Dios las espaldas.

Vanse, y sale el CABALLERO *de la Cruz, y el* AMOR, *y soldados con el estandarte blanco, como dicen las coplas.*

CABALLERO
Aquí parad; pues aquí
está la famosa puente.

AMOR
735 ¡Que este defenderse intente
con esta Puente de ti!

CABALLERO
¡Notable es esta aventura;
la selva tiene encantada,
pero no hay para mí espada
740 fuerte ni fuerza segura!
Las almenas echan fuego.

AMOR
¿Si te han pensado espantar?

CABALLERO
Soy un Océano mar,
mayores fuegos anego;
745 fuera de que el tuyo, Amor,
consume fuegos humanos.

AMOR
Menester habéis las manos,
invictísimo Señor.

CABALLERO
Aunque las tenga clavadas
750 juntamente con los pies,

---

senta como vencedor con sus ángeles del propio diablo. El nombre de Miguel en hebreo significa «¿Quién como Dios?». A todo ello alude aquí Lope.
vv. 749-752. Obvia alusión a la crucifixión.

en ellas verás después
rotas sus armas y espadas.

AMOR

El Gigante sale a ti,
y huyeron a sus lugares
755 muchos de tus doce Pares.

CABALLERO

Fue, Amor, cuando preso fui,
que aquel traidor Galalón
dio a mis enemigos fieros
mi vida en treinta dineros.

Sale el GIGANTE.

GIGANTE

Estos enemigos son.
760 ¡Ha de la campaña! ¡Ha gente!
¿Sabéis que soy el gigante
Leviatán?

CABALLERO

Otro arrogante

---

vv. 754-755. Referencia a la dispersión de los Apóstoles tras el prendimiento de Jesús (*Mt.* 26, 56; *Mc.* 14, 50).

vv. 757-759. *Galalón:* fue un conde por cuya traición se dice que murieron los Doce Pares de Francia en Roncesvalles. Es personaje de la *Chanson de Roland* y de numerosos poemas y novelas caballerescas. Aquí evidentemente le es fácil a Lope establecer el simbolismo del traidor Galalón hacia los «Doce Pares» con el de Judas hacia Cristo.

vv. 763-765. Referencia al gigante Goliat derribado por David, como se narra en *Sam. I,* 17, 1-58. El prestigio de David como rey fue tal que se hizo nexo ineludible con el Mesías, al que se llamó «hijo de David». Cristo, si bien es verdad que al principio no se arrogó títulos mesiánicos de índole política, rechazando las pretensiones de sus contemporáneos en este sentido, sí permitió al final de su vida que se le considerase como tal, sobre todo al llamarse «hijo del hombre». El ser descendiente de la estirpe davídica hizo que se le considerase «hijo de David» en los Evangelios, a la vez que con ello cumplía las profecías del Antiguo Testamento. *Mateo,* en la genealogía de Jesús, dice textualmente «Jesús, Mesías, hijo de David...» (1, 1).

derribó un pastor valiente,
765 a quien yo llamo mi padre.

GIGANTE
¡Cosa que seáis el hijo
de la que ser libre dijo
por ser vuestra Virgen Madre!

CABALLERO
El mismo soy.

GIGANTE
Muerto soy.
770 ciego de tu pura luz:
Caballero de la Cruz
¿qué quieres? rendido estoy.

Húndese el GIGANTE.

CABALLERO
Cortaréle la cabeza,
y en la lanza la pondré,
775 y a tu pesar sacaré
desta infame fortaleza
la prenda que me ha robado,
el Alma que vive aquí.

Salen el ALMA *y el* MUNDO *de galán.*

ALMA
Señor, si venís por mí
780 con amoroso cuidado,
aquí estoy a vuestros pies.

MUNDO
Y yo, Señor, en buen traje

---

vv. 773-778. El Caballero de la Cruz (Cristo) aquí actúa como su antecesor, David, con relación al gigante. Lope establece el paralelo entre ellos y los gigantes Goliat y Leviatán respectivamente.

dejad que a besarlos baje,
aunque subir pienso que es.
785 Que a vuestros pies no es bajar,
sino subir hasta el cielo.

CABALLERO

Mundo, yo he venido al suelo
solamente a rescatar
el Alma desta prisión
790 y a romper aquesta fuerza
con una divina fuerza,
que mis Sacramentos son.
El del Bautismo ha de dar
limpieza al Alma cautiva,
795 y porque en mi gracia viva,
la ley de gracia en mi altar,
donde ya la mesa puesta
ha de ser mi convidada;
que darle a mi amor agrada
800 eso mismo que me cuesta.
A Pedro le dejaré,
que es de mis doce el mayor,
tesoro de tal valor
para que siempre le dé,
805 y porque el Príncipe fiero
de las tinieblas hacía
puente a su fuerte, la mía,
esposa, enseñaros quiero.
Y porque también sepáis,
810 que para subir al cielo
no hay otra puerta en el suelo,
y que esta silla tengáis.

---

vv. 790-791. Se toma el término «fuerza» en sus dos acepciones: en el primer caso, como sinónimo de «plaza murada y guarnecida de gente para su defensa y también se suelen llamar fuerzas las mismas fortificaciones materiales» *(Dic. Aut.)*; en el segundo caso se toma en la acepción más genérica de «constancia, ánimo, valor y esfuerzo» *(Dic. Aut.)*.

vv. 811-814. Alude, como igualmente más adelante, a la cruz. Véase la acotación subsiguiente al v. 820 y los vv. 821-834.

Que yo mismo entré por ella,
y fue llave que se abrió.

ALMA

815 Subiré por ella yo,
y será puente y estrella
por donde al cielo camine.

CABALLERO

¡Hola, la puente arrojad!
No hay, Alma, otra claridad
820 que más al cielo encamine.

Abrese lo alto del carro de la gloria, y echan una Cruz a manera de puente; baje al suelo del carro, y esté con sus corredores y bolas doradas lo más ancho de la tabla, porque parezca puente.

ALMA

Puente en que pasó la vida,
que nos la dio muerte en vos;
tabla que lleváis a Dios
el Alma en la mar perdida:
825 Cama donde Dios firmó
el codicillo postrero:
árbol santo y verdadero,
que el mejor fruto nos dio:
Imperio del hombro santo
830 de Dios, y que solo Dios,
cayendo en tierra con vos,
supo que pesasteis tanto:
por vos tengo de subir:

---

v. 818. *hola:* la indicación de advertencia la transcribe M. Pelayo «ola», como consta en el impreso.

v. 826. *codicillo* o *codicilo:* con la conservación culta de la doble *l* etimológica. El «codicilo» es el escrito en que se declara la última voluntad, posterior al testamento.

v. 827. La cruz como «árbol del mejor fruto» es un verdadero *leit-motiv* de la literatura cristiana. El propio Calderón escribió un auto sacramental con este título. Suele oponerse este árbol del Paraíso, del que los escritores cristianos consideran «antídoto».

vos mi palma habéis de ser.

CABALLERO

835 Alma, de Cruz ha de ser
para que puedas vivir.
Déjame arrimar a ella,
que estando abiertos mis brazos,
gozarás de mis abrazos,
840 y me gozarás por ella.

ALMA

Pues, Señor, si en ella estáis,
¿cómo subiré?

CABALLERO

Muy bien:
que os unís a mí también
los que me servís y amáis.
845 El Alma, la Cruz y yo,
juntos habemos de estar:
desta suerte has de pasar,
y de otra manera no.
Con este listón enlaza
850 Amor su cuello y el mío
en esta Cruz.

AMOR

Yo la fío,
pues como esposa os abraza,
y os muestra amor tan profundo.

CABALLERO

Cantad, y celebre el suelo
855 la vitoria a la del cielo
contra la puente del Mundo.

---

v. 834. *palma:* la palma ha sido signo de triunfo. En Roma se coronaba con la palma a los vencedores. Con el cristianismo y las persecuciones sufridas por los cristianos se tomó como símbolo de martirio y vencimiento espiritual. En las representaciones pictóricas se suele representar a Cristo con la palma a la entrada de Jerusalén.

v. 851. *fiar:* aquí se usa en el sentido de «hacer confianza de otro» *(Dic. Aut.)*.

TIRSO DE MOLINA

LOS HERMANOS PARECIDOS

PERSONAS

ATREVIMIENTO	CRISTO
HOMBRE	ENVIDIA
ÁFRICA	JUSTICIA
ASIA	DESEO
EUROPA	CODICIA
AMÉRICA	MUJER
ADMIRACIÓN	BUEN LADRÓN
ENGAÑO	MADALENA
TEMOR	MÚSICOS

[*Salen*] *el* ATREVIMIENTO, *a lo soldado, con muchas plumas, y la* ADMIRACIÓN, *de hombre*[1].

ATREVIMIENTO

¡Otra vez me vuelve a dar
los brazos, Admiración!

ADMIRACIÓN

¡Bien me la puedes causar,
bravo mozo! Con razón
5 te puede el mundo llamar
honra suya; ¡qué contento
vienes y qué a lo soldado!

---

[1] En la acotación original dice *salieron* por alusión al contexto de la representación indicada en la página anterior de *Deleitar aprovechando:*

«Se dio principio al coloquio deseado, no poco célebre años ha entre los dos coros de la Iglesia, Príncipe de Europa (siendo Reina la Romana), pues reconocen a la de Toledo cuantas consagra el Orbe en santidad, culto, riquezas, sangre y estimación. Representóle Tomás Fernández, y fue el que se sigue» (fol. 137 r.). Como publicamos el auto fuera de su contexto original corregimos por el habitual tiempo de presente.

v. 1. *me vuelve:* por «vuélveme». El uso del pronombre proclítico por razones métricas (ritmo, rima o medida) es frecuente en el verso castellano del Siglo de Oro.

¡Bravas plumas das al viento!

ATREVIMIENTO

Por mi valor lo he ganado
todo.

ADMIRACIÓN

10 Eres Atrevimiento:
¿a qué no te atreverás?
¿De dónde vienes?

ATREVIMIENTO

Del cielo,
donde no pienso entrar más.

ADMIRACIÓN

Pues, ¿nacido allá?

ATREVIMIENTO

En el suelo
15 desde agora me verás;
que aunque del Querub nací,
que el monte del Testamento
intentó asaltar por mí,
con ser yo el Atrevimiento,
20 como mi padre caí.

---

v. 8. Blanca de los Ríos transcribió erróneamente *buenas* por *bravas* que es lo que dice el original. Cotarelo transcribe con corrección.

Las plumas eran adorno de guerreros en muchos pueblos, no sólo en Occidente. Eran símbolo de valor.

v. 16. *Querub:* como «querube» o «querubín» son los ángeles que ya en el *Génesis* aparecen con espadas custodiando «el árbol de la vida» después de la expulsión de Adán y Eva del Paraíso (*Gén.* 3, 24). Tirso de Molina alude a los ángeles rebeldes, cuya representación coincide con la de los querubes babilónicos.

v. 17. *monte del Testamento:* se refiere al texto bíblico de *Is. I,* 14, 5-23. Hay que tener en cuenta que la traducción literal del hebreo es «monte de la Asamblea (o de la reunión)», y que es la *Vulgata* la que traduce de la forma tirsiana: «Qui dicebas in corde tuo: In caelum conscendam, super astra Dei exaltabo solium meum; sedebo in *monte testamenti,* in lateribus aquilonis» (14, 13). Monte de Testamento es pues una adaptación castellana del latín. El texto de Isaías se refiere a la muerte del rey de Babilonia, probablemente Nabucodonosor. Simbólicamente Tirso lo refiere al ángel del mal, del que el rey babilónico de alguna manera parece estar poseído, como todos los que se atreven contra los

Echóme de allá la guerra,
y así estoy determinado,
pues mi patria me destierra,
dejarla.

ADMIRACIÓN

No es estimado
25 ningún valiente en su tierra.
Pero, pues al mundo bajas,
¿qué oficio piensas tener?
Porque si en él no trabajas,
mal ganarás de comer.

ATREVIMIENTO

30 No son mis prendas tan bajas
que, para adquirir sustento,
me obligue a degenerar
de mi altivo nacimiento.
¿Quién me puede a mí estorbar,
35 si soy el Atrevimiento,
cuanto produce la tierra,
cuanto el mar inmenso cría
y el viento en su esfera encierra?
Yo he de poner algún día
40 sobre una sierra otra sierra,
y, aunque les pese a las nubes,
he de cobrar el asiento
que perdieron los Querubes.

---

cielos. Por ello lo identifica con el Dragón o diablo, como se ve más adelante. Esta identificación fue probablemente muy común en los escritos cristianos, que vieron en la soberbia del rey de Babilonia y en su caída un reflejo de Satanás.

vv. 21-25. Estos versos parecen hacer referencia, dependiendo de los anteriores, a Satanás y a su vencimiento por Miguel, tal como se narra en el *Ap.* 12, 1-17.

vv. 25-26. Frase que se ha hecho proverbial, acerca de que «nadie es profeta en su tierra», como dice Cristo en *Lc.* 4, 24.

v. 40. *sierra otra sierra:* así en el original. Cotarelo y Blanca de los Ríos transcriben «tierra otra tierra». Creo que es una lectura equivocada. *Sierra* en el Siglo de Oro era un término muy usado para resaltar las alturas más destacadas o eminentes.

ADMIRACIÓN

Pues, hermano Atrevimiento,
45 caerás si tan alto subes.
Mas ya que al mundo has venido,
¿qué es lo que en él se te ofrece,
o qué ocasión te ha traído?

ATREVIMIENTO

La fortuna favorece
50 al osado y atrevido.
Nombró el Rey Nuestro Señor
al Hombre, por ser su hechura,
virrey y gobernador
deste mundo, que procura
55 hacerle su coadjutor.
Puso casa en su grandeza
augusta; pues porque goce
destos orbes la belleza,
le sirve y le reconoce
60 la misma naturaleza.
Tanto imperio, en fin, le ha dado,
que hoy entra, según oí,
bizarro y acompañado
debajo un palio turquí
65 de diez altos de brocado,
sembrado todo de estrellas,
con tan gallarda persona
que, aventajándose a ellas,
con su vista perficiona
70 las criaturas más bellas.
Yo, que altas cosas codicio,

---

vv. 51-52. La idea del hombre como imagen de Dios procede, como es sabido del *Gén.* 1, 26-27.

v. 55. *coadjutor:* en el sentido de «persona que ayuda y acompaña a otra en algún empleo, cargo y oficio» *(Dic. Aut.)*.

v. 65. *altos:* se refiere a la composición del *brocado,* según parece deducirse de las explicaciones de *Cov.* y *Dic. Aut.,* aunque éstos hablan sólo de brocado de *tres altos* (fondo, labor y escarchado). *Diez altos* sería una confección más complicada o una hipérbole por «brocado muy trabajado».

v. 70. Por error, dice el texto original: «Las criaturas que ay más bellas».

pretendo agora asentar
en su casa y su servicio
y en ella solicitar
75 la mejor plaza y oficio.
Tengo a su lado un pariente
que a cuanto quiere le obliga,
y una dama diligente
muy su valida y amiga.

ADMIRACIÓN

80 Ansí harás buen pretendiente.
¿Y es el pariente?

ATREVIMIENTO

El Deseo.

ADMIRACIÓN

¿Y su dama?

ATREVIMIENTO

La Irascible.

ADMIRACIÓN

Mucho puede con él.

ATREVIMIENTO

Creo
que, a pedir un imposible,
le alcanzara.

ADMIRACIÓN

85 Yo bien veo
que a los dos les está a cuento
que entréis en palacio vos;
pues si es el Deseo violento,

---

v. 79. *valida:* equivale a «la persona que tiene el primer lugar o valor para otra» lo mismo que «privado» (v. 92). Los *validos* o *privados* fueron por antonomasia los primeros ministros de los monarcas de la Casa de Austria durante el siglo XVII.

v. 85. *le alcanzara:* en el original «le alcanzaran»; puede ser errata. Cotarelo y B. de los Ríos transcriben «alcanzara». Aceptamos esta corrección porque parece convenir mejor por la concordancia.

v. 86. *está a cuento:* quizá lo mismo que les «viene a cuento» o es de su «gusto o conveniencia» *(Dic. Aut.)*.

y Irascible, harán los dos
90 príncipe al Atrevimiento.
Mas ya han venido, y está
bien que seáis su privado,
porque si crédito os da,
de suerte sois alentado
95 que todo lo intentará.

ATREVIMIENTO

Por mí tiene de alcanzar
cosas imposibles.

ADMIRACIÓN

¡Fiesta
brava!

ATREVIMIENTO

Ya debe de entrar
triunfando el Hombre.

ADMIRACIÓN

Desde esta
100 parte lo puedes gozar.

Descúbrese un mundo, que encierra en su centro al HOMBRE *asentado en un trono, con corona y cetro, cuya parte superior, en forma de dosel, será azul, sembrado de estrellas, con el sol y la luna, y la inferior, pintada de llamas, de nubes, de aguas, árboles, peces, pájaros y brutos. A las cuatro partes, dos a un lado y dos a otro, estén* ASIA, ÁFRICA, EUROPA *y* AMÉRICA, *del modo que ordinariamente se pintan, como que tienen el mundo en forma de palio; toquen instrumentos y luego canten los músicos.*

(Cantan.)

«Sea bien venido
por gobernador

---

v. 98. *¡fiesta brava!*: *bravo* está aquí utilizado probablemente en el sentido de «magnífico, ostentoso, suntuoso», o quizá en el de «raro, peregrino, copioso, abundante y singular», como consigna *Dic. Aut.*

vv. 101-106. Típica canción de bienvenida muy frecuente en la literatura dramática y especialmente «a lo divino» desde Lope de Vega por lo menos

el virrey del orbe,
el mundo menor,
105 el retrato vivo
de su mismo autor,
padre de las gentes,
juguete de Dios;
su vicemonarca,
110 su recreación,
blanco de su gusto,
centro de su amor.
Sea bien venido
por gobernador
115 el virrey del orbe,
el mundo menor.»

ASIA

Epílogo de todo lo creado,
cifra de cuanto Dios por su contento
puso en aqueste globo concertado
120 que toca su poder como instrumento;
suma del mundo y como tal llamado
microcosmos, en cuyo noble asiento,

(véanse las referencias que da J. M. Alín en *El cancionero español de tipo tradicional,* Canción 384, pág. 533). En Calderón la fórmula suele ser «Venga norabuena/norabuena venga», por ejemplo en el auto *Psiquis y Cupido* (para Toledo).

vv. 104 y sgs. *mundo menor:* y más adelante *microcosmos* (v. 122). El concepto del hombre como «pequeño mundo» tiene una amplia tradición literaria (véase Francisco Rico, *El pequeño mundo del hombre,* Madrid, Castalia, 1970 y también nuestra edición de *La vida es sueño,* de Calderón, Madrid, Alhambra, 1980, pág. 192, nota al v. 1565, donde damos múltiples referencias y bibliografía).

vv. 119-120. La idea de Dios como gran músico, y el cosmos como un inmenso instrumento musical fue tratada poéticamente por Fray Luis de León en su famosa *Oda a Salinas* (vv. 21-30) (véase el estudio de Dámaso Alonso «Sobre la 'inmensa cítara' de Fray Luis» en *Poesía española,* Madrid, Gredos, 1950, págs. 657-60. Es este un tema de amplia tradición literaria cuyo fundamento armónico corresponde a la filosofía pitagórica y órfica. La «música de las esferas» aparece como tema introductorio en el *Fausto* de Goethe (*Prólogo en el cielo* y monólogo inicial de Fausto), mezclado con el motivo del comienzo del *Libro de Job.* La misma idea aplicada a Dios como músico en la concepción platónica-cristiana está presente en la poetización sacramental de Calderón *El divino Orfeo,* que editamos aquí (véase estudio correspondiente).

como abreviado asombro y maravilla,
el Rey Nuestro Señor pondrá su silla.
125 Tú, en quien halla su ser toda criatura,
la piedra cuerpo, vegetar la planta,
sentir el animal y la hermosura
del ángel entender con gracia tanta;
tú, en fin, en cuya imagen y figura
130 puso la Trinidad inmensa y santa
su retrato en quien ser humano tengas,
mil veces para bien del mundo vengas.
Las cuatro partes desta esfera abaja,
que es tu jurisdicción, vienen a darte
135 la obediencia debida y la ventaja
de cuantas cosas cría en cada parte.
Toda criatura la cerviz abaja
y tus manos y pies llega a besarte
reconociendo por señor al Hombre
140 que, conforme a su esencia, le dio nombre.
Y yo, la primer parte destas cuatro,
la más ilustre por antonomasia,
la princesa y señora a quien el Batro
como oro pecha cinamomo y casia,
145 los pies llego a besarte en el teatro
desta máquina hermosa; yo soy Asia,
y el campo damasceno en mí se encierra,

---

v. 135. El mundo dividido en cuatro partes, según la concepción de la Edad Moderna (Asia, Europa, Africa y América).

v. 140. La potestad del Hombre de dar nombre a los animales y plantas del Mundo le fue conferida por Dios en el *Gén.* 2, 19-20.

v. 143. *Batro:* no hemos conseguido averiguar el significado del término. No puede ser Báratro, como dice R. Arias.

v. 144. *pecha:* lo mismo que «tributa». El *cinamomo* es un «árbol grande y pomposo como el saúco [...] de flor menuda [...], muy olorosa [...]». La *casia* es el árbol de la canela. Se usaban en la Antigüedad (Babilonia), por su aroma, para perfumar. En *El cantar de los cantares* se comparan a la Esposa: «Eres jardín cerrado, fuente sellada. Tus brotes son jardines de granados con frutos exquisitos, nardo y enebro y azafrán, *canela y cinamomo,* con árboles de incienso, mirra y áloe, con los mejores bálsamos y aromas» (*Cantar* 4, 12-14).

vv. 147-148. *campo damasceno:* no es exactamente «el paraíso», como dice R. Arias, sino la tierra de la que Dios formó a Adán (como afirma precisamente

de quien Dios al formarte tomó tierra.
Madre he de ser de toda la nobleza
150 de Seth, tu mayorazgo, aunque tercero,
suceda su progenie en mi riqueza
y Europa en la corona que primero
honró mis sienes y por más grandeza
de la tiara en que gozosa espero,
155 que cuando asiento constituya a Roma
me librará del pérfido Mahoma.

ÁFRICA

Africa llega a dar, príncipe justo,
la obediencia a tus plantas y el decoro
que debe a tu poder y imperio augusto,
160 fértil en ámbar, perlas, marfil y oro;
no menosprecies el color adusto
de mi morena cara, que aunque lloro
el cautiverio de mi gente impía,
la ley de Roma adoraré algún día.

EUROPA

165 Europa, padre Adán, en quien el mundo
ha de lograr en siglo venidero
el trono universal sobre que fundo

Tirso en su texto), cerca del Valle de Ebrón (ciudad de Judá) (véase nuestra nota al auto de Calderón *La vida es sueño*, Madrid, Alhambra, 1980, págs. 304-05, nota al v. 436). Parece expresión muy utilizada por Lope de Vega, como registra el *Vocabulario* de Fernández Gómez, citado por Arias. Según Marcos Villanueva la denominación en español procede de los *Ejercicios espirituales* de Ignacio de Loyola, de donde la pudieron tomar nuestros escritores del Barroco (véase B. Marcos Villanueva, *La ascética de los jesuitas en los autos sacramentales de Calderón*, Bilbao, Universidad de Deusto, 1973, págs. 33 y sgs., y nota 35). Para Ebrón (o Hebrón) véase el *Comentario bíblico «San Jerónimo»*, Madrid, Cristiandad, 1972, tomo V, pág. 384.

v. 150. *Seth:* hijo de Adán (véase nota a los vv. 642 y sgs. del auto *La puente del mundo* de Lope en la presente edición). Efectivamente, como dice Tirso, Seth (o Set) es el «mayorazgo», pues de él procede la rama de los «setitas», pero «tercero», pues antes fueron Caín y Abel.

v. 154. *tiara:* tanto Cotarelo como B. de los Ríos transcriben erróneamente «tierra» lectura que sigue R. Arias. Restituimos el original *tiara*.

v. 155. *Roma:* se entiende como sede del cristianismo, como ocurre igualmente en el v. 164.

el mayorazgo que gozar espero,
la ley del celestial Adán segundo
170 para remedio del Adán primero
defenderá, pues porque triunfe el mismo,
en mí ha de estar el solio del bautismo.

AMÉRICA

Y yo, por tantos siglos escondida,
a la noticia oculta de la gente,
175 y después por España reducida
a que la cruz de amor honre mi frente,
mil parabienes doy a tu venida,
mandándome mi fe que te presente,
pues América soy, parias bizarras,
180 la plata en cerros como el oro en barras.

HOMBRE

Hermoso ornato en variedad distinta
de tanta esfera célebre en que puedo,
pues el dedo de Dios la esmalta y pinta,
decir que es la sortija de su dedo;
185 el soberano Rey que hizo la cinta
tachonada de estrellas donde el miedo
jamás llegó, de donde el pesar huye,
por vuestro vicediós me constituye.
Mientras no quebrantare inobediente
190 una ligera ley, solo un preceto
que me intimó su imperio omnipotente,
al orbe todo he de tener sujeto;

---

v. 169. *Adán segundo:* a Cristo se le llama con frecuencia «segundo Adán». Así ocurre en varios autos de Calderón. La idea proviene de San Pablo, que expuso esta doctrina en varios escritos (p. ej., *I Cor.* 15, 20-28 y 45, etc.).

v. 172. *estar el solio...:* Cotarelo transcribió correctamente. No así B. de los Ríos, a quien siguió desafortunadamente R. Arias. Doña Blanca escribió «tener el solio...» con una curiosa nota a pie de página: «Este verso no lo es; acaso escribió Téllez: 'en mí ha de estar el solio del bautismo'», como efectivamente hizo el fraile. Si Doña Blanca hubiera seguido fielmente el texto original o, al menos, la versión de Cotarelo se habría ahorrado el error.

v. 179. *parias:* eran los tributos que daba un rey a otro en señal de sumisión.

vv. 181-188. El Hombre describe aquí el firmamento o bóveda celeste donde están situados los astros.

el áspid venenoso, el león rugiente,
el cocodrilo me tendrán respeto;
195 todo esto puede aquel que con Dios priva.

UNO

¡Viva nuestro virrey!

TODOS

El Hombre viva.

Música. Sale la VANIDAD, *dama muy bizarra, y con ella el* ENGAÑO *y el* DESEO; *baja por una escala levadiza el* HOMBRE, *y cúbrese el trono.*

HOMBRE

A verme viene mi querida esposa.

ATREVIMIENTO

Baje Vuestra Excelencia a recebilla.

HOMBRE

¡Oh hueso de mis huesos, carne hermosa
200 de mi carne, del mundo maravilla,
compañera del Hombre deliciosa,
cuya materia ha sido mi costilla,
en fe de que saliendo de mi lado
sepas que me has costado mi costado,
dame esos brazos!

VANIDAD

205 Caro dueño mío,
después de nuestro desposorio honesto,
acompañada fui de mi albedrío
a ver la corte y casa que te ha puesto
el que te encarga el pleno señorío
210 de todo el globo esférico, compuesto

---

v. 195. *privar:* lo mismo que «privado». Se refiere al que tiene «valimiento y familiaridad con algún príncipe o superior» *(Dic. Aut.)*.

v. 198. *recebilla:* asimilación de la *«r»* a la *«l»* del pronombre enclítico, frecuente, aunque es arcaísmo ya, para conservar la rima adecuada.

vv. 199-204. Referencia a la tradición bíblica de que la mujer está formada de la costilla de Adán (*Gén.* 2, 21-24).

de criaturas tan bellas y bizarras,
joyas de amor que me ofreciste en arras.
Vi a un escritorio el mundo reducido,
labrado de ingeniosa taracea,
215 donde el poder de Dios tiene esculpido
todo cuanto esta máquina desea,
con diversas labores guarnecido
de estrellas de oro que en su adorno emplea,
y por chapas, al sol y luna solos,
220 si por aldabas los opuestos polos.
Gavetas eran suyas las criaturas,
en géneros y especies divididas,
conservadas en ellas y seguras
y a obedecer tu imperio reducidas.
225 No tienen las gavetas cerraduras
para nosotros; antes prevenidas
al apetito dan conservas bellas
para que escoja el gusto en todas ellas.
Una gaveta sola hallé con llave,
230 y en sus molduras, caro esposo, escrito
«ciencia del bien y el mal», precepto grave,
cerrar la ciencia, Adán, que solicito.
Parecióme el manjar bello y suave,
porque esto de saber causa apetito;
235 llegó el Engaño, que mi amor procura,
y con él arranqué la cerradura.
Comí el fruto más tierno, más sabroso
que ofreció a los sentidos la apariencia;
repara en la gaveta, caro esposo,
240 pruébale y le hallarás por excelencia.

[Saca una gaveta de manzanas muy curiosa.]

---

v. 214. *taracea:* es lo mismo que «adorno o disposición de una cosa de dos colores echada como a manchas con proporción y hermosura» *(Dic. Aut.)*.

v. 221. *gavetas:* «especie de caja corrediza y sin tapa que hay en los escritorios, armarios y papeleras, y sirve para guardar lo que se quiere tener en orden y a la mano» *(Dic. Aut.)*.

vv. 229-231. Alude, como es claro, al árbol del paraíso y su fruto, por el

ATREVIMIENTO

Caso es, señor, pesado y riguroso
que fruta que es del árbol de la ciencia
del bien y el mal te sea a ti vedada:
come la fruta que a tu esposa agrada.

HOMBRE

245 Ciencias tengo yo infusas y prudencia
si dellas me aprovecho con cuidado;
nombre di a cuantas cosas la potencia
del Rey Nuestro Señor me ha encomendado.

VANIDAD

Esta es ciencia de Dios y justa ciencia,
250 y pues Su Majestad nos la ha vedado,
cuando los dos podemos serle iguales,
dioses debe envidiarnos inmortales.
Come, esposo y señor, o no me digas
que amor me tienes.

HOMBRE

En mi mal repara;
255 mira, querida esposa, que me obligas
a indignar nuestro Rey.

VANIDAD

Justicia y vara
tienes; rey eres solo como sigas
mi gusto.

HOMBRE

¿Ves cuán presto sales cara,
mujer formada de costilla aposta,
260 que en ser de mi costado, fue a mi costa?

ATREVIMIENTO

¿Qué temes? ¿No eres hecho a semejanza
de Dios cuanto a la parte intelectiva?

---

que cayeron Adán y Eva en tentación y fueron expulsados de aquél (*Gén.* 2, 17 y 3, 1-6).

vv. 247 y sgs. Véase v. 140. Tirso sigue el texto bíblico en algunos pormenores.

Tu alma la unidad de Dios alcanza
por ser similitud de su ser viva;
265 la Trinidad también, para alabanza
de lo que tu valor con ella priva,
te retrató su copia peregrina,
una en esencia y en potencias trina.
También produce, Adán, tu entendimiento
270 el verbo que el objeto representa,
teniendo de ti el ser y nacimiento,
si bien es accidente cuanto intenta,
y destos dos como de fundamento
produce amor la voluntad exenta,
275 pues por la voluntad amar pretendes
lo que en la mente viva comprehendes.
Pues si tu entendimiento al Padre imita
y el concepto a su Hijo es parecido,
si el Espíritu Santo te acredita
280 como su amor el tuyo producido,
come de aquesta fruta, que infinita
hará tu dignidad.

VANIDAD

Dueño, marido,
señor, mi bien, mi gusto; come agora.

[Llora.]

HOMBRE

¿A qué no obligará mujer que llora?
285 Si he de ser como Dios y ésta es la ciencia
del bien y el mal, comer quiero. ¿Qué dudo?
Atrevimiento, muestra.

---

v. 263. En el original: «tu alma la *vanidad* de Dios alcanza». Posible errata.

v. 276. En el original: «lo que en la mente *vicia* comprehendes». Igualmente debe ser errata.

v. 284. Adagio muy conocido acerca del poder del llanto femenino. Calderón compuso una comedia con el título *Mujer, llora y vencerás* en donde se dramatiza este tópico.

ATREVIMIENTO

Tu Excelencia
coma y a Dios se iguale, pues que pudo.

[*Come.*]

HOMBRE

Esa fue la primera inobediencia
290 del ángel necio. Pero estoy desnudo:
¿cómo, ¡cielos!, es esto?

ADMIRACIÓN

Tu malicia
te desnudó la original justicia.

HOMBRE

Vergüenza tengo, abriéronse mis ojos,
ciencia del bien perdí y al mal presente
295 me condena el manjar, viles despojos;
será la muerte herencia de mi gente,
la tierra me dará espinas y abrojos,
fruto debido al hombre inobediente;
Icaro soy, deshizo el sol mis alas.

ATREVIMIENTO

300 ¡Ea!, que ya eres Dios, con él te igualas.

HOMBRE

El temor de mil culpas se comienza
a dilatar por mí. ¡Tristes congojas!
¡Que una mujer con tanto imperio venza
a un hombre sabio!

VANIDAD

¿Contra quién te enojas?

---

v. 299. *Icaro:* era hijo de Dédalo, el constructor del laberinto de Creta. Con su padre huyó de Creta, donde eran prisioneros del rey Minos. Dédalo le construyó unas alas para que volase, hechas con material de poca consistencia. Se ha dicho que eran de cera, aunque este pormenor no está tan claro (véase nuestra ed. de *La vida es sueño,* Madrid, Alhambra, 1980, pág. 215, nota 2041). El hecho es que, al volar cerca del Sol, el material se derritió, las alas se le deshicieron y cayó al mar. Desde entonces es frecuente asociar a Icaro (como a Faetón), con el hombre capaz de audaces empresas que fracasan.

HOMBRE

305 De mi insulto ha nacido la vergüenza
de verme ansí.

VANIDAD

Pues vamos, que en las hojas
de aquella higuera nuestras galas fundo.

HOMBRE

Hojas son las que dan gustos del mundo.

[Vanse.]

Quédanse el ATREVIMIENTO, *el* ENGAÑO *y el* DESEO.

ATREVIMIENTO

¡Ea! Deseo, ya tienes
310 satisfecha tu esperanza;
tú eres sólo la privanza
del Hombre que a servir vienes;
en tu mano está el empleo
de todo cuanto heredó;
315 perdióse porque cumplió
en ti su loco deseo.
Tú, sin límite ni tasa,
gozas su ciego favor;
su mayordomo mayor
320 eres; pongámosle casa,
pues que la que Dios le puso
desbaratan sus pecados.

DESEO

Despedido ha los criados
antiguos.

---

v. 308. Este verso falta en Cotarelo y por consiguiente en Doña Blanca de los Ríos, que se limitó a transcribir el texto del anterior. Igualmente falta en R. Arias que debió copiar el texto de alguno de los dos. Este último, no obstante, al realizar el esquema métrico de su edición, se percató de que sí faltaba un verso a la octava real. Por razón de la omisión de Cotarelo, el resultado

ENGAÑO

No son al uso,
325 que la prudencia y justicia,
la cordura y el consejo
visten y andan a lo viejo.
Casas hay a la malicia,
y criados ha de haber
a la malicia.

DESEO

330 El Engaño,
que tiene donaire extraño,
truhán suyo puede ser.

ATREVIMIENTO

¡Oh! Mal sabéis lo que puede
en el palacio un truhán.
335 Ya los cargos no se dan
sino a quien se los concede
un buzón que tira gajes
de cuantos él aconseja,
porque es corredor de oreja
340 y habla en diversos lenguajes
en vituperio y favor,
y por él premian los reyes,
castigan y ponen leyes.

DESEO

El Engaño embustidor
345 hará ese oficio muy bien.

ATREVIMIENTO

Casalde con la lisonja.

---

es que las demás ediciones modernas están todas carentes del verso que remata la última octava de la serie.

v. 332. *truhán:* en el sentido de «bufón» (véase v. 414).

v. 337. *gajes:* es lo mismo «salarios». «Tirar» está empleado en el sentido de «ganar». Así la frase «tirar gajes» equivale a «sacar provecho o conveniencia».

v. 344. *embustidor:* equivale a «embustero, tramposo» *(Dic. Aut.)*.

v. 346. *casalde:* metátesis frecuente por «casadle».

DESEO

Esa dicen que ya es monja.

ENGAÑO

¿No era buhonera?

ATREVIMIENTO

También.

ENGAÑO

¡Monja!

ATREVIMIENTO

Monja se ha metido,
350 y trata en ser conservera
después que no sale fuera;
luego ¿nunca habéis comido
lisonjas de miel y azúcar,
que, aunque tal vez empalagan,
355 entre bizcochos halagan
desde el estudiante al Fúcar?

DESEO

Maestresala puede ser
la soberbia presunción,
hermana de la ambición
360 del servir y el pretender,
paje de copa el contento.

ENGAÑO

Flojo oficio le habéis dado,
porque gasta el vino aguado.

ATREVIMIENTO

Pues eso es lo que yo intento.

---

v. 348. *buhonera:* es la que vende en la calle cosas de poco valor.

vv. 350 y sgs. Alude a la costumbre de algunas monjas de confeccionar dulces y confituras.

v. 356. *Fúcar:* es el nombre castellanizado de unos famosos banqueros alemanes de los siglos XV al XVII, los Fugger, a cuyo nombre tradicionalmente se llegó a asociar la riqueza por antonomasia. A causa del apoyo que proporcionaron a los Habsburgo fueron favorecidos por éstos.

v. 359. *hermana:* en el original «hermano».

v. 361. *paje de copa:* es lo mismo que «copero»: «El que tiene por oficio el traer la copa y dar de beber en ella a su señor» *(Dic. Aut.)*.

DESEO

365 Daràle la liviandad
de vestir.

ENGAÑO

¡Qué de invenciones
en valonas y en valones
sacará su vanidad!
¡Qué de mangas por gregüescos,
370 qué de gregüescos verán
por mangas en el gabán,
ya ingleses y ya tudescos!
¡Qué de golas y alzacuellos
diferentes del jubón!

---

v. 367. *valona:* es el «adorno que se ponía al cuello por lo regular unido al cabezón de la camisa, el cual consistía en una tira angosta de lienzo fino, que caía sobre la espalda y hombros, y por la parte de adelante era larga hasta la mitad del pecho» *(Dic. Aut.)*.

valones: «usado siempre en plural es un género de zaragüelles o gregüescos al uso de los valones, gente alemana del Ducado de Borgoña, que los introdujeron en España» *(Dic. Aut.)*. Ricardo Arias da el significado de *valones* como meros habitantes de una región de Bélgica, sin hacer alusión a este género de calzones anchos, que evidentemente es aquí a lo que se refiere el texto.

v. 369. *gregüescos:* era otro género de calzones probablemente tomado el nombre «por la forma de los calzones anchos propios del traje griego moderno», como nota M. Moliner, quien define: «Pantalones muy anchos, que llegaban hasta media pierna, usados en los siglos XVI y XVII». Acaso en nuestro texto se quiera satirizar las mangas complicadas y acuchilladas, como los gregüescos, de origen inglés o alemán, considerados como «liviandad en el vestir» (vv. 365-366). Téngase en cuenta que en muchos casos la forma de vestir en España era más sobria que en otros países europeos.

v. 371. *gabán:* en el original «galán», por errata evidente.

v. 373. *golas:* aquí la «gola» no tiene el exclusivo uso eclesiástico que da *Dic. Aut.*, sino que, probablemente equivale a «gorguera», como en la acepción 3, que da M. Moliner: «Adorno de tela almidonada y rizada, que se ponía alrededor del cuello». El *alzacuellos* ya lo considera *Dic. Aut.* como voz antigua: «Adorno del pescuezo común a hombres y mujeres [...]. Pudo decirse del mismo efecto que hace precisando a levantar el cuello». Parece una voz genérica aplicable a distintas formas de cuellos. Hoy pervive la voz referida exclusivamente al distintivo de los clérigos, de los que probablemente tiene el origen.

v. 374. *jubón:* «vestido de medio cuerpo arriba, ceñido y ajustado al cuerpo, con faldillas cortas, que se ataca por lo regular con los calzones» *(Dic. Aut.)*.

375 ¡Qué de ninfos que a Absalón
compran postizos cabellos
para solapar desnudos
cascos de pelo y juicio!
¡Qué de calvos que, por vicio,
380 con lazadas y con nudos,
por remediar sus flaquezas
nos han de dar que reír!

ATREVIMIENTO

Mal se podrán encubrir
remiendos en las cabezas.
385 Pero, dejándonos deso,
¿no advertís cuán triste está
el Príncipe?

ENGAÑO

Sentirá,
como es justo, tanto exceso.

ATREVIMIENTO

Pues échese la memoria
390 de casa y entre el olvido;
y porque esté entretenido,
llévele la vanagloria
a su jardín, donde juegue
y se divierta.

DESEO

Sea ansí;
395 mas él mismo viene aquí.
Convidalde, cuando llegue,
a algún juego.

---

v. 375. *ninfos:* «El hombre demasiadamente pulido y afeminado y que cuida de su gala y compostura con afectación» *(Dic. Aut.)*.

Absalón: se refiere a la muerte de Absalón, quien quedó colgado de un árbol por sus cabellos, tal como se narra en *Sam. I*, 18, 1-18. Calderón dramatizó este episodio en su obra *Los cabellos de Absalón*, cuya segunda jornada está tomada de *La venganza de Tamar* de Tirso. El episodio de Absalón se encuentra en la tercera jornada de la comedia calderoniana. En el texto bíblico se destaca la belleza de Absalón y la abundancia y cuidado de su pelo (*Sam.* 2, 14, 25-26); de ahí seguramente nace la referencia tirsiana a los *ninfos* y su relación con Absalón.

v. 396. *convidalde:* metátesis frecuente (véase nota al v. 346).

ENGAÑO

Ansí se hará;
pero ¿qué juego ha de ser,
si no tiene qué perder
400 quien la gracia perdió ya?

Salen el HOMBRE, *la* VANIDAD, *la* CODICIA *y la* ENVIDIA.

VANIDAD

¿Qué nueva melancolía
te aflige estando aquí yo?
¿No eres tú el rey a quien dio
su imperio esta monarquía?
405 ¿No te estima y reverencia?
Pues ¿de qué tienes cuidado?

HOMBRE

Hízome mal un bocado.

ENGAÑO

Esa es linda impertinencia;
deja la memoria loca,
410 que son tristezas sin frutos;
anden, príncipe, los brutos
con el bocado en la boca;
juega, canta, triunfa, olvida
necedades.

HOMBRE

¡Ay de mí!

ENGAÑO

¿Yo no soy tu truhán?

---

v. 412. *con el bocado en la boca:* aquí debe entenderse en el sentido figurado de «con el recuerdo del bocado reciente», refiriéndose a lo que acaba de decir en el v. 407, como prolongación de ese dicho. El «bocado» es claro que alude a la fruta prohibida del árbol de la ciencia.

v. 415. *truhán:* «el que con acciones y palabras placenteras y burlescas entiende en divertir y causar risa en los circunstantes» *(Dic. Aut.)*. Tenía enton-

VANIDAD

415 Sí.

ENGAÑO

Pues goza la buena vida.

HOMBRE

¿Quién, Engaño, te ha vestido
tantos colores?

ENGAÑO

Hogaño
se metió sastre el Engaño,
420 yo me cosí este vestido;
los retazos del pendón
tantos jirones me dan.

ATREVIMIENTO

El Engaño y el truhán,
por otro nombre bufón,
425 si de diversas colores
no se adornan, ¿de qué suerte
llegarán a entretenerse
ni agradar a los señores?

ENGAÑO

Bella dama te acompaña.

HOMBRE

430 ¿No es del cielo su beldad?

DESEO

Hermosa es la Vanidad.

---

ces esta acepción principal de «gracioso» o «bufón», frente a la más frecuente en la actualidad de «sinvergüenza y estafador». Confróntese con los vv. 334 y 423.

v. 418. *hogaño:* equivale a «en este año», del latín *hoc anno.* Hoy se usa poco y exclusivamente en algunos pueblos, frente al más generalizado antónimo de «antaño».

v. 425. *colores:* era femenino, por tanto le precedían los artículos «la» y «las» y los adjetivos femeninos correspondientes.

vv. 431-432. Hacer de la Vanidad, natural en España, es una idea bastante próxima a lo que pensaban los hombres del siglo XVII. Recordemos que Gracián en *El criticón,* a mediados de siglo, considera que los españoles son fatuos

ENGAÑO

Será natural de España.

ENVIDIA

¿Que la primera mujer
fue la Vanidad?

HOMBRE

¡Pues no!

435 Por vanidad pequé yo,
y este nombre ha de tener.

ENGAÑO

¡Oh, lleve el diablo el pecado!
No te acuerdes deso agora;
entretenelde, señora.

VANIDAD

440 Por el jardín le he llevado
de la murmuración.

ENGAÑO

Bueno.

¿Haste divertido en él?

HOMBRE

Gusto me dio su vergel,
que es variable y ameno;
445 de todo trata, no deja
flor que no tenga.

DESEO

Ni errara

---

y presuntuosos: «Querer mandarlo todo y servir a nadie [...], el lucir, el campear, el alabarse, el hablar mucho, alto y hueco, la gravedad, el fausto, el brío, con todo género de presunción; y todo esto desde el noble hasta el más plebeyo» (Parte I, Crisi XIII). Frente a la vanidad española, destaca Gracián como vicios comunes a otras naciones, la codicia de los franceses, el engaño de los italianos, la ira de los africanos, la gula de los alemanes, la inconstancia de los ingleses, etc. (véase el capítulo referido, titulado precisamente *La feria de todo el mundo*).

v. 434. Eva sólo significa «vanidad» en el sentido simbólico que explica el Hombre luego (vv. 435-436). Por el contrario, según cierta interpretación bíblica significaría «la que da la vida» o «la madre de lo viviente» (*Gén.* 3, 20).

v. 436. En el original «he de tener».

si a la araña no hospedara
y desterrara a la abeja.

VANIDAD

Riega la murmuración
450 sus cuadros con una fuente
de sangre fresca y reciente.

ATREVIMIENTO

Siempre fue su inclinación
sangre; será de las venas
del Señor que la derrama.

VANIDAD

455 Es verdad, porque se llama
fuente de famas ajenas.

HOMBRE

Sí; mas todo cansa al fin.

ENGAÑO

Juguemos un poco, pues;
divertiráste después
460 otro rato en el jardín
de la hipocresía.

HOMBRE

¿A qué?

ENGAÑO

Al ajedrez.

HOMBRE

Da tristeza.

ENGAÑO

¿Por qué?

HOMBRE

Comíle una pieza
a Dios, que mi muerte fue;
465 era rey, ya soy peón.

---

vv. 465-466. *peón:* aquí en el sentido de «trabajador asalariado». Obviamente se juega con el doble sentido de «trabajador» y «pieza del ajedrez». El pecador se llama *peón,* porque por su pecado está obligado a ganar el sustento con su trabajo *(Gén.* 3, 17-19).

ENVIDIA

Así el pecador se llama;
mas no guardaste la dama,
soplótela la ambición;
no me espanto.

ATREVIMIENTO

A la pelota
jugarás.

HOMBRE

470 Atrevimiento,
pelota soy yo de viento
derribada agora y rota.
Quísele ganar la chaza
a Dios. Cual Luzbel subí;
475 pero volvióme y caí
donde el temor me amenaza.
Ya mi dignidad pasada
lo mismo que nada es,
que soy Adán, y al revés
480 lo mismo es *Adán* que *nada*.

ENGAÑO

¡Ea!, pon aquí una mesa,
saquen naipes y al parar
juguemos.

---

v. 471. En el original «pelota si yo de viento».

v. 473. *ganar la chaza:* «Es detener la pelota antes del paraje en que está señalada la chaza, porque si no se logra el detenerla y se pasa de la señal que está puesta, se pierde» *(Dic. Aut.)*.

chaza: es «la señal que se pone en la parte o en el correspondiente de la parte en que fue detenida la pelota, para que en el lance o mano en que se juega sobre su valor, se regule qué partido la gana» *(Dic. Aut.)*.

v. 482. *parar:* «juego de naipes que se hace entre muchas personas sacando el que le lleva una carta de la baraja a la cual apuestan lo que quieren los demás [...] y si sale primero la de éste, gana la parada, y pierde si sale el de los paradores» *(Dic. Aut.)*.

parada: era «la porción de dinero que se expone de una vez o a una suerte al juego» *(Dic. Aut.)*.

HOMBRE

Gané al pintar
y perdíme por la presa.
485 Al pintar Dios lo criado
con su divino pincel
gané cuanto puso en él
con la gracia y principado;
hice presa cuando vi
490 el árbol en que pequé,
y lo que al pintar gané
por la presa lo perdí.

ENGAÑO

Son suertes ésas distintas.

CODICIA

Y vos gran tahúr, Engaño.

ENGAÑO

495 El tabardillo de hogaño
con todos juega a las pintas.

ENVIDIA

Vaya al chilindrón.

HOMBRE

Son vanos

---

v. 483. *pintar:* en el juego de cartas del *parar* es enseñar la carta. Lo que para Tirso significa este juego de ambivalencias lo explica él mismo en los vv. 485-492.

v. 495. *tabardillo:* «enfermedad peligrosa que consiste en una fiebre maligna que arroja al exterior unas manchas pequeñas como picaduras de pulga [...]. B. de los Ríos transcribe «tahuardillo» y explica en nota «Creo que 'tahuardillo' sería diminutivo de 'tahur'». Quizá la confusión nazca de que en el original se transcribe «tauardillo» con la *u (v)* equivalente a la *b* moderna, que no debe leerse como vocal. Me parece que la alusión a la enfermedad se desprende del mismo contexto: «con todas juega a las pintas», es decir, a las pequeñas manchas que produce su padecimiento, a la vez que se juega con el sentido de *pintar* a las cartas. Además el *tahúr* es, por boca de la Codicia, el Engaño, mientras que el Hombre es «tabardillo» hogaño porque deja las *pintas* o pecados en todos los que le siguen en descendencia.

v. 497. *chilindrón:* se trata de otro juego de naipes en que gana el que primero se descarta. El *chilindrón* es cualquiera de las tres últimas cartas de la baraja (sota, caballo o rey).

los lances del chilindrón;
jugó mi necia ambición
500 y cogióme Dios las manos;
diómela la suya franca,
y, quebrantando su ley,
creí que me entrara un rey
y quedéme en carta blanca.

ENVIDIA

505 En blanco diréis mejor,
que es de lo que yo me alegro.

HOMBRE

En blanco, no; porque en negro
queda siempre el pecador.

[Ponen una mesa, asientos y naipes.]

ATREVIMIENTO

¡Ea!, juguemos primera.

HOMBRE

510 No lo será para mí,
pues que la gracia perdí
primera.

ENGAÑO

Pesares fuera;
vengan naipes.

HOMBRE

La baraja,
que tanto el Hombre procura,

---

v. 499. *jugó:* en el original «juego», errata evidente.

v. 509. *primera:* otro juego de cartas, en el que cada una tenía un valor convencional: el siete valía veintiún puntos, el seis, dieciocho, etc. *Primera* es también una jugada de cuatro cartas en el juego de las *quínolas*.

vv. 513-520. Como observa R. Arias estos versos son paráfrasis de la oda de Horacio (I, 4), en la que se iguala a los reyes con los pobres ante la muerte. Por lo demás era un pensamiento moral muy frecuente en el Barroco español, sobre todo en los autos sacramentales (recuérdese *El gran teatro del mundo* de Calderón).

515 parece a la sepultura,
porque allí no hace ventaja
el monarca a sus vasallos,
pues iguala de una suerte
la baraja de la muerte
520 los reyes y los caballos.

ATREVIMIENTO
Haced que traigan los tantos.

HOMBRE
Los hipócritas lo sean,
para que cuando los vean
los que los juzgan por santos,
525 en acabándose el juego
de la vida al pecador
los echen por sin valor
en la basura del fuego.

[*Siéntanse a jugar el* HOMBRE, *la* VANIDAD, *la* CODICIA *y la* ENVIDIA.]

ENGAÑO
Estos son los naipes.

VANIDAD
Vengan.

CODICIA
530 Dos papeles traen pegados.

HOMBRE
Son como amigos doblados.

ENVIDIA
¿Quién duda que arena tengan
porque presto se despeguen?

HOMBRE
Como los gustos serán
535 del mundo, que los traerán
rotos primero que lleguen.

CODICIA
¿Qué habemos de hacer de resto?

VANIDAD

Las honras y dignidades.

HOMBRE

Vanidad de vanidades.

VANIDAD

540 Ya yo mi caudal he puesto.

CODICIA

Por la mano llego a alzar.

HOMBRE

No vale mano, es en vano.

CODICIA

¿Por qué?

HOMBRE

Porque por la mano

perdió el reino Baltasar.

ENGAÑO

545 Echó por copas, fue un necio.

[*Alzan.*]

ENVIDIA

Un tres de bastos.

---

v. 539. Es la famosa sentencia de *Qohelet* (o *Ecl.* 1, 2), de tanta trayectoria moral en la literatura y arte barrocos.

v. 543. Se refiere al episodio bíblico del libro de *Dan.* 5, 1-30, en donde se cuenta el conocido *Festín de Baltasar,* que dramatizaría Calderón en el auto *La cena del rey Baltasar.* La alusión a la mano por la que perdió el reino Baltasar es referencia a la misteriosa mano que escribía en el muro del palacio durante el banquete unos signos muy difíciles de descifrar. Daniel, el profeta, fue quien los descifró: los signos presagiaban la muerte de Baltasar y la división de su reino. El tema ha tenido en la tradición dramática un gran éxito. Además del famoso auto de Calderón, sería interesante consignar que, un siglo más tarde, Händel escribiría un intenso oratorio titulado *Belshazzar* (1745) sobre el mismo tema e, incluso en nuestra época, el músico inglés William Walton escribiría otro titulado *El festín de Baltasar* (1931), sobre idéntico asunto.

v. 545. La ambivalencia de sentido continúa. *Echó por copas* es lo mismo la jugada de cartas que la bebida del banquete de Baltasar.

HOMBRE

A Amán
con él, donde le ahorcarán.

DESEO

¡Qué privanza!

ATREVIMIENTO

¡Y qué desprecio!

CODICIA

Alcé un caballo de espadas.

HOMBRE

550 Si es símbolo de la ira,
sobre ese caballo mira
a Saulo ciego, humilladas
sus bravatas y fiereza.

DESEO

¿El caballo perderá
555 la espada? No; antes dará
por la espada la cabeza.

HOMBRE

Alzo un siete.

ATREVIMIENTO

A Madalena
se le dad.

VANIDAD

Siete pecados
tienen de darla cuidados.

---

v. 546. Alude al episodio en que se relata cómo el rey Asuero condenó a Amán a ser ahorcado por la denuncia de Ester (*Ester* 7, 9-10).

vv. 551-556. Se refiere a la conversión de Saulo (Pablo), que se produjo, como es bien sabido, de forma repentina, cayendo del caballo y quedando ciego momentáneamente (*Hechos* 9, 1-19). Según la tradición romana Pablo fue decapitado fuera de la ciudad.

vv. 557-560. Es tradicional la idea de confundir a María Magdalena con María de Betania y con la pecadora de *Lc.* 7, 36-50.

HOMBRE

560 Algún día será buena.

[Juegan a la primera.]

ENVIDIA

No tengo puntos; ya paso.

HOMBRE

Mientras que la muerte envida
pasad todos, que esta vida
se acaba al fin paso a paso.

ENVIDIA

565 Envido un tanto. ¿En qué dudas?

CODICIA

Quiero un tanto y luego el resto.

VANIDAD

¿Quién ha querido todo esto?

HOMBRE

¿Quién? La codicia de Judas.

HOMBRE

¿Qué es el resto?

CODICIA

Mi conciencia.

VANIDAD

570 Conciencia de dispensero,
mala cosa: no la quiero.

---

v. 562. *envida:* de *envidar* (lat. *invitare)*, es lo mismo que hacer envite en el juego de cartas. Cotarelo transcribe correctamente, no así B. de los Ríos ni R. Arias, que transcriben «envidia», con lo que se pierde el auténtico sentido del texto.

v. 568. Se refiere a Judas Iscariote y su fama de codicioso *(Jn.* 12, 4-6; *Mt.* 26, 15).

v. 570. *dispensero* o *despensero* (v. 583): con la vacilación del timbre en la vocal átona (que respetamos), es el que tiene cuidado de la despensa, por alusión a Judas.

vv. 570-585. Continúa la referencia a Judas, que vendió a Cristo por treinta monedas *(Mt.* 26, 14-16).

v. 571. *no la quiero:* en ed. original «no le quiero», quizá errata, o quizá en corcondancia con «resto». Parece más lógico que se refiera directamente a «conciencia».

ENVIDIA

Yo, sí; eche cartas.

CODICIA

Paciencia;

a flux voy.

ENVIDIA

Y yo a primera;

hasta ahora no he perdido.

CODICIA

Pues mire.

ENVIDIA

575 Dadme él partido.

¿Qué manjar es el que espera?

CODICIA

Oros.

ENVIDIA

¿Oros? No hago cuenta

de partido; mire.

CODICIA

Miro;

no hice nada. Tire.

ENVIDIA

Tiro.

HOMBRE

¿Cuántas hizo de oros?

CODICIA

580 Treinta.

HOMBRE

Ese número ha de ser

tu muerte.

CODICIA

Perdí el dinero

y conciencia.

---

v. 573. *flux:* era el «concurso de todas las cartas de un mismo palo» *(Dic. Aut.)*. Para *primera* (véase nota al v. 509).

v. 575. *partido:* «en el juego se llama asimismo la ventaja que se da al que juega menos como para compensar o igualar la habilidad del otro» *(Dic. Aut.)*.

ENGAÑO

Un dispensero,
¿para qué la ha menester?

CODICIA

585 ¡No tuviera yo el ungüento
que en Cristo vertió María
Madalena!

HOMBRE

¿Qué valdría?

CODICIA

Trescientos reales que en viento
los volvió su perdición.
590 ¿No fuera mejor vendello
para remediar con ello
los pobres?

HOMBRE

Sana intención;
mas cuando todos los cobres,
tu piedad ¿qué es lo que intenta?

CODICIA

Remediar pobres.

ATREVIMIENTO

595 ¿Qué cuenta
tiene Judas con los pobres?

ENVIDIA

¿Queda más que jugar?

CODICIA

Tengo
un Agnus Dei esmaltado
de oro y plata.

[*Saca un Agnus de oro.*]

---

vv. 585-596. Se refiere al comentario de Judas acerca del derroche de María al ungir a Cristo en Betania. Vuelve a confundir a María de Betania, la hermana de Marta, con María Magdalena (*Jn.* 12. 1-8).

v. 598. *Agnus Dei:* era una especie de reliquia bendecida por el Papa, de la

HOMBRE

Será hurtado.

CODICIA

600 No sé; a vendérosle vengo.

DESEO

Buena es la iluminación.

HOMBRE

Rayos arroja que, ardientes,
alumbran todas las gentes.

DESEO

¡Admirable encarnación!

VANIDAD

605 De ver su hechura me espanto.

HOMBRE

Encarnóle una doncella,
rigiendo el pincel en ella
el mismo Espíritu Santo.

CODICIA

¿Quién le compra?

DESEO

El judaísmo.

ENVIDIA

¿Cuánto pedís?

CODICIA

610 Treinta reales
no más, y han de ser cabales.

HOMBRE

¿Por qué?

CODICIA

Porque aqueso mismo

---

que se sacaban copias de diferentes tamaños y formas, con figuras distintas a un lado, y a otro el cordero que le da nombre (véanse los comentarios respectivos de *Cov.* y *Dic. Aut.*, a estos objetos).

vv. 600-614. Nueva referencia a Judas y a su reproche a María de Betania por la unción a Cristo (véase nota a los vv. 585-596).

v. 610. Reitera la referencia a Judas y a la venta de Cristo.

pensé yo hurtar del ungüento
de Madalena.

ENVIDIA

Tomad

615 los dineros y jugad.

HOMBRE

¡Qué no hará el que es avariento!

CODICIA

Perdonad, confusas dudas;
tomalde, pues le compráis.

[Bésale y dale.]

ATREVIMIENTO

Pues ¿vendéisle y le besáis?

HOMBRE

620 Fiad en besos de Judas.

DESEO

¡Bella joya!

HOMBRE

Puede dar
su presencia vida y luz.

ENVIDIA

¿Veisle? Pues en una cruz
le pienso hacer engastar,
625 aunque le tenéis por santo.

HOMBRE

Con su luz eclipsará
la del sol, si en ella está.

VANIDAD

Sois la Envidia, no me espanto.

---

v. 620. El texto se ciñe constantemente a la historia de Judas. Aquí se alude al famoso beso como señal de traición (*Mt.* 26, 47-50).

v. 622. Cristo como «vida y luz» es referencia clara a *Jn.* 1, 4-5, mejor que *Jn.* 14, 6, que da R. Arias, pues en este capítulo se llama a Cristo «camino, verdad y vida», no «vida y luz», como en el primero.

CODICIA

¿No jugamos?

ENVIDIA

No con vos.

CODICIA

630 ¿Por qué, si me habéis ganado?

HOMBRE

Ese dinero es hurtado.

CODICIA

Volvedme el Agnus de Dios,
o vuelva el juego.

ENVIDIA

Ni gusto,
ni ya dároslе podré,
635 porque ofendiste su fe.

CODICIA

Vendí la sangre del Justo;
tomad allá el vil dinero,
que no faltará un cordel.

[Arroja el dinero y vase.]

ENVIDIA

¿El dinero? Dad con él
640 en el campo de un ollero,
que si son vasos quebrados
los hombres que a restaurar
viene Dios, bueno es comprar
vasos de tierra formados
645 con el dinero que es precio
en que a Dios Judas vendió.

---

v. 637. Alusión a la muerte de Judas, ahorcado (*Mt.* 27, 1-5), como se especifica más adelante.

vv. 638-648. Judas devolvió las monedas fruto de su traición una vez que se hubo arrepentido. Con ellas los sumos sacerdotes compraron el Campo del Alfarero para que sirviera de cementerio de extranjeros (*Mt.* 27, 6-10).

HOMBRE

Ya el desdichado se ahorcó.

ENGAÑO

El murió como un gran necio.

Sale el TEMOR.

TEMOR

Huye, señor; huye luego.

HOMBRE

Pues ¿quién viene?

TEMOR

650 La justicia

de Dios, que tiene noticia

de aquesta casa de juego,

y tomarte residencia

quiere.

HOMBRE

¡Ay cielos! ¿Dónde iré?

655 ¿Adónde me esconderé?

[Vase.]

TEMOR

Como es de Dios su presencia

y tú quebraste el mandato

que te puso, no sé adónde

huyas.

ENVIDIA

El Hombre se esconde

660 y huye por no dar barato.

---

v. 653. *tomarte residencia:* equivale a *residenciar* «tomar cuenta a alguno de la administración del empleo que se puso a su cargo. Por extensión se dice de la cuenta que se pide o cargo que se hace en otras materias» *(Dic. Aut.)*.

v. 660. *barato:* «la porción de dinero que da graciosamente el tahúr o jugador que gana a los mirones o a las personas que le han servido en el juego» *(Dic. Aut.)*.

ATREVIMIENTO

Vamos tras él.

DESEO

Es avaro.

ATREVIMIENTO

Barato nos ha de dar
o el alma le ha de costar.

ENVIDIA

Dirá: «Lo barato es caro.»

[*Vanse todos.*]

Vuelve a salir por otra puerta el HOMBRE, *asombrado.*

HOMBRE

665 No hay lugar donde me esconda,
que, con ser mudo el pecado,
después que se ha cometido
voces a Dios está dando.
¡Riscos, caed sobre mí!
670 ¿Adónde iré, si arrastrando
llevo la soga infelice
que mis insultos me ataron?
No hay hierba que no recele,
que es el Juez que está tomando
675 a mis culpas residencia,
donde han de acusarme tantos;
parece que en lo interior
del alma me están llamando
a voces que, con ser loco,
680 juicio severo aguardo.

---

v. 664. *lo barato es caro:* parece reproducir el refrán registrado por G. Correas: «Lo barato es caro, y lo caro es barato (Por más o menos bueno)» (Ed. Combet, pág. 216 a).

vv. 674-675. Véase nota al v. 653.

[Pregúntase y respóndese a sí mismo, representando al Juez y al reo.]

«¡Ah del calabozo obscuro
de la culpa y del pecado!»
«¿Quién llama?» «Salga a la audiencia
el Hombre necio.» «Ya salgo.»
685 Grillos de hierro en mis yerros
y esposas de vicios saco,
que el mundo, que es cazador,
trata en prisiones y lazos.
En la sala de la audiencia,
690 sobre el trono soberano
del rigor y del poder,
me espera el Juez asentado.
El potro del pensamiento
vueltas al alma está dando,
695 donde sirven de cordeles
mis pretéritos pecados.
Dios es el Juez riguroso
que a voces me está citando.
«¿Por qué viene este hombre preso?»

---

v. 685. Juego de palabras entre «hierros» (cadenas) y «yerros» (errores), por la homofonía entre ambos términos. R. Arias señala la frecuencia en la literatura religiosa de estos juegos verbales.

v. 693. *potro:* era el instrumento de tortura habitual para hacer confesar a los presos. Aquí, posiblemente, como sugiere R. Arias juegue con el doble sentido de *potro* (instrumento de tortura y animal) ya que el Pensamiento en la literatura sacramental se suele caracterizar de «loco» (en Calderón p. ej.) y, en cualquier caso, se resalta su rapidez, como ya observara Valbuena, Frutos y otros. Igualmente en el propio Calderón, como no es de extrañar, aparece relacionado con el «caballo»:

> déjame, Ingenio, que voy
> tan veloz, que hacer quisiera
> que mi Pensamiento fuera
> mi caballo.
>
> PENSAMIENTO
> Ya lo soy [...].

(*A Dios por razón de Estado,* Pando, t. 1, pág. 24.)

700 «Por ladrón.» «¿Qué es lo que ha hurtado?»
«La jurisdicción al rey,
contra quien ha conspirado,
fiando dél el gobierno
deste mundo.» «¡Oh mal vasallo!
705 Digno es de echarle a galeras,
y así como tal, fallamos
que le azoten y que vaya
por eternidades de años
a la galera infelice
710 donde reman los forzados,
en vez de salobres golfos,
piélagos de ardiente espanto.»
Ya me sacan a azotar,
y pues que soy comparado
715 al jumento, iré en mí mismo
desnudo y avergonzado
sin las ropas de inocencia
que perdí. Ya voy pasando
las calles de los insultos
720 que mis locuras poblaron;
el rigor y la vergüenza
pregones en voz van dando.
Oíd: «Esta es la justicia
que manda hacer el Rey sacro,

---

vv. 705-712. Juega con el sentido de «galera» como barco de los forzados y el de «barca» del Infierno, de tradición clásica (la barca de Aqueronte) que en Gil Vicente tuvo su más clara significación cristiana *(La barca do Inferno, La barca do Purgatorio* y *La barca de la Gloria)*. Caronte, el barquero, era destinado a llevar las almas de una orilla del río Aqueronte a la otra, donde estaba el Infierno. La «barca» en el simbolismo cristiano es también la Iglesia, que evidentemente es aquí un símbolo contrapuesto al de la barca del Infierno.

v. 712. *piélagos:* se llamaba *piélago* a «aquella parte del mar que dista ya mucho de la tierra, y se llama regularmente alta mar» *(Dic. Aut.)*. Aquí los piélagos ardientes son los mares de fuego del Infierno.

vv. 713 y sgs. Describe la pena de algunos condenados, que eran paseados desnudos en un jumento ante la vergüenza pública para ser azotados. Funde aquí la desnudez de la pena con la desnudez de la vergüenza de Adán por la falta cometida *(Gén.* 3, 1-8).

725 Nuestro Señor, a este hombre,
por ladrón desatinado
que quiso ser como Dios;
mándale que sea azotado
sin cesar por la memoria
730 del bien que perdió su engaño,
que coma pan de sudor,
que viva siempre en trabajos.»
«¡Ay, qué azotes tan crueles!
Paso, memoria cruel, paso.»
735 «No hay paso; matalde y diga
el pregón en gritos altos:
Ansí castiga Dios a un desdichado,
del cielo por soberbio desterrado,
grave es la culpa, denle pena grave;
740 ¡ay cielos! Quien tal hace, que tal pague.»

[Dicen de dentro.]

ATREVIMIENTO

Por aquí va el pecador,
atajémosle los pasos.

HOMBRE

La justicia es ésta. ¿Adónde
tendrá mi desdicha amparo?
Despeñaréme.

Quiere despeñarse y detiénele CRISTO, *que saldrá vestido de la mesma suerte que el* HOMBRE.

CRISTO

745 Deténte.

---

vv. 731-732. Nueva alusión a la pena bíblica del trabajo *(Gén.* 3, 17-19).

v. 740. Según B. de los Ríos es frase que dice el Comendador en la condenación de Don Juan. Debía ser frase corriente, pues, como observa R. Arias, se registra en G. Correas: «Quien tal hace, que tal pague: alza la mano y dale (Imitación del pregón de los azotados)» (véase ed. Combet, pág. 410 a).

HOMBRE

¡Ay, cielo! ¿No es mi retrato
el que delante los ojos
tengo?

CRISTO

Sí.

HOMBRE

Nuevo milagro.
Hombre, ¿quién eres?

CRISTO

Soy hombre.

HOMBRE

Luego pecador.

CRISTO

750 Traslado
de la culpa, si más limpia
que esos cielos que he criado,
mi humana naturaleza
es impecable, y yo, santo.

HOMBRE

755 A mí mismo en ti me veo:
¿quién eres, hombre?

CRISTO

Tu hermano.

HOMBRE

¿Cuándo tuve hermano yo?

CRISTO

Desde que tu ser humano
me vestí por tu remedio.

HOMBRE

¿Tú mi hermano?

CRISTO

760 Y mayorazgo
de la posesión eterna.

---

v. 760. En la *Vulgata* se llama a Cristo «primogenitus omnis creaturae» (*Epistola ad colossenses*, 1-15).

HOMBRE

De oírte y verte me espanto.
¡Oh semejanza divina,
que porque yo fui criado
765 a semejanza de Dios
en mi venturoso estado,
tú mi semejanza tomas
por parecerme en trabajos,
si yo a Dios me parecí
770 en el sosiego y descanso!
¡Grande amor!

CRISTO

La semejanza
le engendra; por ella te amo
de suerte que a pagar vengo
deudas que te ejecutaron.

HOMBRE

775 *Los Hermanos Parecidos*
somos.

CRISTO

Serémoslo tanto,
que hemos de ser una cosa.

HOMBRE

Pues, piadosísimo hermano,
la justicia en busca mía
780 el mundo anda registrando,
y ya que se acerca siento.

CRISTO

Pues acógete al sagrado

---

vv. 764-765. Nueva referencia a la idea del *Gén.* 1, 26-27 de que el hombre fue creado a imagen y semejanza de Dios.

v. 774. *ejecutaron:* ejecutar «en lo forense es hacer que uno pague lo que debe otro, procediendo mandamiento de juez competente, en virtud del cual se pasa a hacer ejecución en las personas o bienes del deudor» *(Dic. Aut.)*.

v. 782. *sagrado:* «usado como sustantivo, se toma por el lugar que sirve de recurso a los delincuentes y se ha permitido para su refugio, en donde están seguros de la Justicia en los delitos que no exceptúa el Derecho» *(Dic. Aut.)*.

del hospital de la Cruz,
que yo, que a librarte bajo,
785 pagaré por ti, pues tengo
caudal.

HOMBRE

Por verme dél falto
y mis obras sin valor,
señor, me escondo y no pago.

CRISTO

En doblones de dos caras,
790 que para esta deuda traigo
en mis dos naturalezas,
cobraré carta de pago
y la fijaré en mi cruz.

HOMBRE

¡Qué fiador tan abonado!
795 Mi Dios, la justicia viene.

CRISTO

Pues vete y dame los brazos.

Entrase el HOMBRE *y salen el* ATREVIMIENTO, *el* ENGAÑO *y otros.*

ENGAÑO

Que se levantó del juego,
y por no darnos barato
se fue.

ATREVIMIENTO

¿De qué le ha de dar?

ENGAÑO

800 ¡De qué! ¿No nos ha ganado

---

v. 783. *hospital de la Cruz:* se toma en el sentido simbólico que indican los términos. No obstante el Hospital de la Cruz, como observa R. Arias, puede referirse al hospital de Santa Cruz de Toledo.

v. 792. *carta de pago:* «se llama el recibo dado ante escribano y testigos de la cantidad que se satisface a quien se debía» *(Dic. Aut.)*.

los pasatiempos, deleites,
dignidades, honras, cargos
y riquezas deste mundo?

ATREVIMIENTO

Pues deso, ¿qué le ha quedado
805 sino sola una mortaja,
que, como quien ha jugado
y perdido, se congoja
con la baraja en las manos?
Mas ¿no es éste el Hombre?

ENGAÑO

El es.

ATREVIMIENTO

Lleguemos.

ENGAÑO

810 Señor hidalgo,
¿es él el pródigo, el noble,
el magnífico y el franco?
Pues ¿a su bufón siquiera
no le alcanzará el barato
de alguna joya?

CRISTO

815 ¿Quién sois?

ATREVIMIENTO

¿Quién?

ENGAÑO

¡Linda pregunta, al cabo
de todos nuestros servicios!

ATREVIMIENTO

¡Gentil medra interesamos!

ENGAÑO

¿Al Engaño desconoce?

---

v. 816. Cotarelo transcribe el texto, refiriéndolo al Atrevimiento, con interrogante. Lo mismo hace B. de los Ríos y R. Arias. No comprendo la duda, pues en la edición original se atribuye claramente al Atrevimiento el texto de la pregunta «¿quién?».

CRISTO

820 Yo no conozco al Engaño.

ATREVIMIENTO

Bueno; el Hombre se nos niega.

ENGAÑO

Mal modo de tripularnos.

ATREVIMIENTO

¿Vos sois hombre de bien?

CRISTO

Sí.

ATREVIMIENTO

Pues, ladrón disimulado,
825 que a Dios le hurtastes el ser,
dadnos barato.

CRISTO

No he hurtado
el ser yo a Dios: su igual soy.

ENGAÑO

Este viento le ha quedado
en la cabeza.

ATREVIMIENTO

Es un loco.

ENGAÑO

830 Dad barato, o en un palo,
ladrón, entre dos ladrones,
os pondremos.

CRISTO

Eso aguardo,
si bien baratos prometo.

---

v. 822. *tripularnos:* quizá *tripular* tenga aquí el sentido de «desechar», recogido por M. Moliner en su primera acepción. Este es el valor que señala R. Arias.

v. 828. *viento:* en el sentido de «chifladura», según parece, aunque no encuentro acepción semejante en diccionarios de la época.

vv. 830-832. Clara alusión a la crucifixión de Cristo tal como lo expone *Lc.* 23, 32-43.

ATREVIMIENTO

¿A quién?

CRISTO

Al mundo, a quien amo
835 de suerte que le he de dar
a mí mismo.

ENGAÑO

Bien medrado
quedará el mundo con vos.

CRISTO

No conoce lo que valgo;
pero él me conocerá
840 después de resucitado.

Sale la MADALENA.

MADALENA

Dadme barato, Señor.

CRISTO

¿Quién sois?

MADALENA

Quien siete pecados
encerró dentro del pecho.

CRISTO

Pues, Madalena, yo os hago
845 libre dellos. Yo os perdono.

[*Vase* MADALENA.]

---

v. 836. *medrado:* «crecido, adelantado, aumentado o mejorado» (*Dic. Aut.*).

vv. 841-848. Creo que la referencia que conviene a este texto es *Lc.* 7, 36-50, no *Jn.* 12, 2-11, como dice R. Arias, pues en la referencia de Juan no aparece la idea de perdonar los pecados ni el interrogante sobre quién será quien tiene autoridad para ello. Esta circunstancia sí se da en el texto de Lucas, aunque referido a una mujer pecadora, que la Iglesia occidental suele identificar tradicionalmente con María Magdalena, aunque esta identificación no es admitida unánimemente. Este mismo hecho quizá gravitó sobre la referencia, a nuestro juicio errónea, que da el mencionado crítico.

ENGAÑO

Esto es mejor. ¿Quién te ha dado
autoridad que perdonas
casos a Dios reservados?

Sale el BUEN LADRÓN.

BUEN LADRÓN

Un ladrón barato os pide.

CRISTO

850 A feliz tiempo has llegado.
Yo te doy mi paraíso;
a Juan mi pecho le he dado;
a Pedro, mi amada Iglesia;
mi dotrina doy a Pablo,
855 y el espíritu, a mi Padre
cuando le ponga en sus manos.

Sale la JUSTICIA, *con una cruz en lugar de vara; salen con ella el* DESEO *y la* ENVIDIA.

ENVIDIA

Aquí está el Hombre, Justicia,
que, siendo primero hidalgo,
perdiendo la ejecutoria
860 de la gracia, es ya villano.

---

v. 846. *esto:* en Cotarelo y los demás «eso». Respetamos la lectura del original, que no altera gran cosa el sentido.

v. 849. Referencia al «buen ladrón» (*Lc.* 25, 32-43). Véase nota a los vv. 830-832.

v. 852. *Juan:* como discípulo preferido (*Jn.* 13, 23-26).

v. 853. *Pedro:* como roca en la que edificara su Iglesia (*Mt.* 16, 13-19).

v. 854. *dotrina:* por doctrina, variante normal de la época.

Pablo: es el intérprete de la doctrina de Cristo y su difusor más importante. Son relevantes en este aspecto sus viajes apostólicos.

vv. 855-856. Alude a los momentos finales en la cruz (*Lc.* 23, 46).

DESEO

Pues si es villano, bien puede
ir preso por deudas.

JUSTICIA

Alto;
llévele luego la Envidia.

ENVIDIA

Hijo de Dios se ha llamado,
865 líbrese agora a sí mismo.

JUSTICIA

Yo haré ponerle en un palo
donde pague puntualmente.

CRISTO

Pues me tienen por mi hermano,
sus culpas satisfaré.
870 Padre, este cáliz amargo
bebo por él, porque él beba
la sangre de mi costado.

ENVIDIA

Ponelde a cuestas la vara
de vuestra justicia.

CRISTO

El cargo
875 me derriba de su peso.

[Pónele al hombro la vara, y cae con ella.]

JUSTICIA

Es de yerros, no me espanto.

---

vv. 861-862. Los hidalgos estaban exentos de ciertos tributos que tenían que pagar los villanos. Aquí se juega con la idea del Hombre, que en su origen es Hidalgo (o sea que tiene el privilegio de la Gracia) y al caer en el pecado pierde su hidalguía (es decir la Gracia primera).

vv. 864-865. Es lo que dicen los sumos sacerdotes, los soldados e incluso el «mal ladrón» (*Lc.* 23, 35-39).

vv. 870-871. Alude conjuntamente al cáliz de Getsemaní (*Mt.* 26, 39) y al misterio eucarístico por él introducido (*Mt.* 26, 26-29).

v. 873. *la vara:* se toma por «la cruz».

ENVIDIA

Venga y muera el Hombre, o pague.

CRISTO

Muera yo y viva mi hermano,
pues ésta es la justicia que ha mandado
880 hacer por él en mí mi mismo agravio,
que, pues siendo yo Dios quise fialle,
justo es que quien tal hizo que tal pague.

Llévanle con la cruz a cuestas, y sale el HOMBRE.

HOMBRE

A mi hermano llevan preso
porque ha sido reputado
885 por pecador, y yo estoy
suelto y libre. ¡Oh amor raro!
¡Oh similitud preciosa!
¡Oh generoso retrato
del Padre Eterno, en quien siempre
890 se está fecundo mirando!
Mil alabanzas te doy,
pues del hombre enamorado
hombre te quisiste hacer,
porque el hombre no sea esclavo.

ATREVIMIENTO

¿No es éste el preso?

ENVIDIA

895 El mismo es.

ATREVIMIENTO

Si es él, ¿cómo se ha librado
de la divina justicia?
Vuelva preso.

HOMBRE

Eterno hermano,
que me llevan a la cárcel.

---

v. 882. Véase nota al v. 740.

Música. Aparécese un cáliz muy grande, y de en medio dél, una cruz; y en ella, CRISTO; *y al pie della, fijado, un pergamino escrito. Salen cinco listones carmesíes como caños de sangre de los pies, manos y pecho de* CRISTO, *que dan en el cáliz grande, y dél, en otro pequeño que esté en un altar con una hostia.*

CRISTO

900 Dejad a mi hermano caro,
pues que tan caro me cuesta
que por él la vida he dado.
Llega, hermano parecido,
y si del fruto vedado
905 comiste por ser cual Dios,
éste es de la vida el árbol;
como Dios serás si comes,
dándote antes aguamanos
la fuente de tu dolor,
910 más de lo que debes pago
por ti; mas porque también
el fruto de mis trabajos
te aproveche, haz de la tuya
lo que por mi ley te mando.
915 Tus obras han de salvarte,
valer de mi cruz medrando;
fe con obras, hombre, pido.

HOMBRE

Fe con obras, señor, mando.

CRISTO

Llega, pues, come mi cuerpo,
920 que es el fruto sacrosanto
deste árbol de vida; bebe
la sangre que te derramo,

---

vv. 904-906. El árbol de la vida es la cruz, por oposición al árbol del bien y del mal por el que Adán fue tentado y al final expulsado del Paraíso *(Gén.* 2, 5-24).

v. 907. Frente a la tentación del demonio que arrastró al Hombre a la caída, Cristo ofrece el fruto del árbol de la cruz que realmente le hará «como Dios», por la identificación que en los versos siguientes explicará (vv. 919-925).

que para que deste modo
más los dos nos parezcamos,
925 yo en ti, tú en mí, viviremos.

HOMBRE

¡Oh amor de asombroso espanto!
Clavada miro en la cruz
la obligación del pecado.
¿Cómo comerá seguro
930 quien debe si no ha pagado?
Tiemblo de tan duro empeño.

CRISTO

Ya fenecieron tus daños;
borrada está, si lo adviertes;
yo soy la carta de pago,
935 mis letras están heridas,
cinco mil reglones traigo.

HOMBRE

Cantad, músicos eternos,
el amor nunca imitado
de Dios al hombre, pues son
940 LOS PARECIDOS HERMANOS.

[*Cantan.*]

«Por la imagen del hombre
Dios y hombre paga;
¡venturosa mil veces
tal semejanza!

945 El Hombre terreno

---

v. 934. *carta de pago:* véase nota al v. 792.

v. 935. *están:* R. Arias sostiene que debe ser error por «estas».

v. 936. *reglones:* sospecho que, además del sentido común de «reglones», aquí pueda tener el que ofrece *Dic. Aut.:* «Se toma también por parte de renta, utilidad o beneficio, que tiene alguno [...]». Simbólicamente hace igualmente referencia a «heridas».

vv. 941-946. Esta canción glosa el tema del auto, a la vez que es su coronación apoteósica, avalada por la indicación de la acotación final.

comió la manzana,
perdió la inocencia,
costóle la gracia.
El Hombre celeste
950 en él se retrata,
pagóle sus deudas,
llevóle a su casa.

Por la imagen del hombre
Dios y hombre paga:
955 *¡venturosa mil veces*
tal semejanza!»

[*Encúbrese todo con mucha música.*]

JOSÉ DE VALDIVIELSO

LA SERRANA DE PLASENCIA

FIGURAS

RAZÓN	HONOR
DESENGAÑO	PLACER
SERRANA	ESPOSO
ENGAÑO	HERMANDAD
JUVENTUD	DOS CUADRILLEROS
HERMOSURA	MÚSICOS

Salen el DESENGAÑO *y la* RAZÓN *de prisioneros.*

RAZÓN

Salid, rotas las prisiones,
a la común luz del día.

(Como que la RAZÓN *ayuda a salir de la prisión al* DESENGAÑO.)

DESENGAÑO

Por ti salgo, Razón mía,
desta cueva de ladrones.
5 Si me escapo del Engaño,
el favor te serviré.

RAZÓN

¡Pesado estáis!

DESENGAÑO

Siempre fue
muy pesado el Desengaño.
Soy por eso aborrecido;
10 como David, desterrado;

v. 10. Parece referirse a la persecución de David por Saúl, y a la huida de aquél en varias ocasiones. R. Arias, tanto en su ed. de Porrúa como en la de

como Josef, empozado;
como Jacob, perseguido.
El Engaño lo trazó,
que, al lado de la Serrana,
15 me desnudó una mañana,
y mis ropas se vistió.
Echó un candado a mi boca,
y encerróme, atado y mudo,
adonde pobre y desnudo
20 me aborreció aquesa loca.
El, con la santa apariencia
del vestido que profana,
roba con esa Serrana
a los que van a Plasencia.
25 Pero allá me volveré,
patria, en fin, donde nací;
que, aunque ves que estoy así,
bien recebido seré;
que tengo deudos en corte
30 que son muy de a *par de Deos;*
y si logro mis deseos,
tú verás cuánto te importe.

RAZÓN

Desengaño, pues que ides

Isla, da las referencias de *I Sa.* 19, 8-18; 21. Estas podrían aumentarse con el cap. 22 del mismo libro, que también relata la continuación de su huida hasta tierra de Judá.

v. 11. Alude al episodio del *Génesis* en que José es arrojado a un pozo por sus hermanos y luego vendido a los ismaelitas (37, 18-36).

v. 12. Se refiere a la huida de Jacob perseguido por Labán (*Gén.* 31, 19-44).

v. 24. Plasencia es una ciudad de la provincia de Cáceres situada en la comarca de la Vera. A localidad y comarca aluden los versos de los romances sobre este conocido tema «Allá en Garganta-la-Olla/en la Vera de Plasencia...», que el mismo Valdivielso, como antes Lope, parodia (véanse vv. 441 y sgs.).

v. 30. *par de Deos* o *par de Deus* (en Toledo): corregimos con el m., porque aquí se corresponde mejor con la rima «deseos». Es expresión recogida por Correas, como indica R. Arias: «Es de a par de Deus. Imitando la habla de portugueses, y más si lo decimos por algún portugués entonado. Dícese de los que presumen del favor» (*Correas,* ed. Combet, pág. 625 b).

vv. 33 y sgs. Valdivielso «contrahace» los famosos versos de Gayferos de los

a Plasencia, esa ciudad,
35 casa de placer de Dios
y clara visión de paz,
por el ofendido Esposo,
en llegando, preguntad:
decilde que la Razón
40 se le envía a encomendar;
decilde que la Serrana
tan mala vida me da,
que los ojos a Plasencia
aún no me consiente alzar;
45 que la hago siempre recuerdo
de su bien y de su mal,
de lo que puede perder,
de lo que puede ganar;
que lo que la persüado,
50 si bien es con voluntad,
es siempre puesto en razón;
pero que no puedo más;
que la aconsejo que llore,
pues es justo, su maldad,
55 y que le pida perdón,
pues sé que se le dará;
que la ruego que a él se vuelva,
que deseándola está,
y que airada me aborrece
60 y me ofende pertinaz.
Decilde, si no me cree,
que baje a verme, y verá
a lo que sabe el azote,
el padecer y el llorar,

---

romances sobre este tema caballeresco: «Caballeros si a Francia idos...», que corresponden al extenso romance que comienza «Asentado está Gayferos» (BAE, pág. 248, los versos se encuentran en la pág. 250 *a* y *b*); los versos son, por otra parte muy conocidos por haberlos citado Cervantes en el *Quijote* (episodio del retablo de Maese Pedro, cap. XXVI de la Parte II). El romance cuenta cómo Gayferos rescata a su esposa Melisendra, que estaba cautiva de moros.

65 que como está con su padre,
que cuanto quiere le da,
no sabe qué es mala vida;
que se humane y lo sabrá;
que, pues es tan poderoso,
70 hable a la Santa Hermandad
para que sus cuadrilleros
prendan esta desleal,
que, inducida del Engaño,
tras sus antojos se va,
75 donde buscando el placer,
encuentra con el pesar;
que si los quiere coger,
que yo le daré lugar,
aunque medio ciego estoy
80 en tamaña escuridad.

(*Dentro la* SERRANA *y la* JUVENTUD.)

SERRANA
¿De qué sirven las bravatas?
Del caballo os apead,
o probaréis, Juventud,
mis flechas.

JUVENTUD
¡Quedo! Esperad.

RAZÓN
85 Huye, porque la Serrana
salteando alguno está.

DESENGAÑO
¡Adiós, Razón!

v. 70. La Santa Hermandad era un organismo represivo creado por los Reyes Católicos para combatir la delincuencia y el bandolerismo en los campos. Aquí interviene en forma de «dos cuadrilleros» para detener a la serrana (véanse vv. 1162 y sgs.).

RAZÓN

El te guíe.
Si me ven, me matarán.

(Vanse.)

SERRANA, *con capotillo y montera [y pluma], ballesta y espada; el* ENGAÑO, *de labrador; la* JUVENTUD, *de galán muy bizarro.*

JUVENTUD

Gozad de vuestros despojos,
90 encanto desta floresta,
que hacéis flores sus abrojos,
pues más que con la ballesta,
matáis con los bellos ojos.
Ya la Juventud se nombra
muy vuestro.

SERRANA

95 Muy mío seréis.

JUVENTUD

Vuestra belleza me asombra.

ENGAÑO

Como flor diz que nacéis,
más que huís como la sombra.
Sois como ligera nave
100 que de manzanas preñada
surca por el golfo grave,
que apenas dejó, pasada,
el olor dellas süave.

---

vv. 97 y sgs. *diz:* forma arcaica por «se dice». Las comparaciones *como flor* y *como sombra* (v. 98) se refieren respectivamente a la belleza de la juventud y a su rápida y caduca desaparición. Las imágenes que siguen «como ligera nave/que de manzanas preñada» (vv. 99 y 100), son, además de su belleza intrínseca, mera alusión a su rápida pérdida y a su relación con la manzana del Paraíso que hizo caer a Eva en tentación *(Gén.* 2, 17 y sgs.; 3, 1-6*)*.

JUVENTUD

De la prisión me alborozo,
105 y de ser vuestro me gozo.

SERRANA

Juventud, muy vuestra soy.

ENGAÑO

Venid; que por hado os doy
que tenéis de morir mozo.

(Lleva el ENGAÑO *a la* JUVENTUD.*)*

SERRANA

No tengo mal que temer,
110 ni tengo bien que esperar;
quiero de todo gozar,
lo gozado aborrecer,
lo aborrecido matar.
Prado ninguno divise
115 que mi libertad no pise,
ni haya en esa selva espesa
caza que para mi mesa
no se cace y no se guise.
No hay flor que, enamorada,
120 en los lazos del cabello
no se alegre aprisionada;
ni fuente de cristal bello
que no me admire parada.
Mi libre gusto desfrute
125 gozos que siempre ejecute,
entre caricias y amores,
y la abeja de las flores
sus dulzuras me tribute.
Entreténganme las aves
130 con no aprendidas sonadas
de villanescas süaves,

---

v. 130. *sonadas:* como *sonatas* «concierto de música de variedad de instrumentos» *(Dic. Aut.)*. No obstante, pudiera ser errata, como sugiere R. Arias por «tonadas»: «comparación métrica a propósito para cantarse», pues evidente-

al son de las bien templadas
cuerdas de las plantas graves.
Hálleme el alba celosa,
135 con su dudoso esplendor,
entre el acanto y la rosa,
hurtos haciendo de amor,
que es la fruta más sabrosa.
Ya vivo sin esperanza
140 de más bienaventuranza,
con que de Dios me destierro,
añadiendo yerro a yerro,
con que irrito su venganza.
Pero ¿qué gente atraviesa,
145 sin recelo ni cuidado
de ser robada o ser presa?
O mal el viento he tomado
o es la Hermosura traviesa.
¡Hola, Engaño! ¡Engaño!

Sale el ENGAÑO.

ENGAÑO

¿Qué hay,
150 mi salteadora Serrana?

SERRANA

Mira por ese taray
si es la Hermosura lozana.

---

mente aquí la música sirve a las «villanescas» (canciones rústicas), y no parece tener el sentido restrictivo puramente instrumental de *sonatas;* aunque, como es todo un juego metafórico, referido al concierto de las aves, pudiera valer también «sonadas», razón por la que respetamos el texto impreso, en lugar del m., que efectivamente dice «tonadas».

v. 136. El *acanto* es una planta de hojas alargadas y anchas, de gran tradición artística y literaria. Recuérdese los motivos ornamentales de los capiteles corintios, y la frecuencia de su uso poético entre los modernistas. Vulgarmente corresponde al «cardo».

v. 151. *taray:* lo mismo que *tamarisco* o *tamariz,* es un «árbol de mediana altura, cuyas hojas son largas y menudas como las del ciprés» *(Dic. Aut.).*

ENGAÑO

Sí, y florida mosca tray.

SERRANA

Sal allá. Mi intento ayuda.

ENGAÑO

155 ¿Soy vuestro perro de ayuda,
que animosa me azozáis?
La Hermosura que esperáis
cayrá en la trampa sin duda.

[*Escóndese la* SERRANA.]

Sale la HERMOSURA, *de camino, un galán cuanto bizarro pudiere y de buena cara.*

ENGAÑO

Dios vaya con su esquinencia.

HERMOSURA

¿Sois pullero?

ENGAÑO

160 Sí, señor:
polla tengo, en mi conciencia,
como una gansa, y mejor,
y de más gansal presencia.

HERMOSURA

¿Tenéis aquí gallinero?

---

v. 153. *tray:* por *trae,* uso fonético frecuente en el teatro clásico para conseguir la adecuada rima con el diptongo «ai».

v. 159. *esquinencia* o *esquinancia:* «inflamación o flemón que se engendra en la garganta y hace dificultar la respiración» *(Dic. Aut.).* Su uso aquí es burlón y el autor juega con el valor homofónico del término con respecto a «excelencia»; de ahí deriva la pregunta de la Hermosura acerca de si se trata de una *pulla* o vocablo burlón y agudo; de ahí, igualmente, la respuesta en tono de chanza del Engaño cuando en el verso siguiente (160) dice «polla tengo», utilizando el mismo recurso paronomásico de «polla» por «pulla», teniendo en cuenta que «polla», además de «gallina joven», significa también «muchacha o moza de poca edad y buen parecer» *(Dic. Aut.)*, por alusión a la serrana.

ENGAÑO

165 Mostrárosle, Señor, quiero,
que entre estos robres y encinas
tengo mis pocas gallinas,
que me valen buen dinero.

HERMOSURA

¡Oh qué extremada ignorancia!

ENGAÑO

170 Basta que sea rocinable;
que no es tanta la ganancia.

HERMOSURA

(Ganancia entendió.) Es notable
su persona y su elegancia.
¿Hay gallo en él?

ENGAÑO

Como vos;
175 tengo a veces más de dos,
que, si celosos están,
picadas y saltos dan,
que es para alabar a Dios.

HERMOSURA

Alguna polla traed.

ENGAÑO

180 Espere, verá la polla
que le saco a su merced.
Honrarle podrá la olla.

HERMOSURA

¿Dónde está?

ENGAÑO

Tras desta red.
Eche acá esa polla, tía,
185 de entre veinte o veinte y dos.

(La SERRANA, *con la ballesta, apunta.)*

SERRANA

Haga luego cortesía,

señor galán, o, por Dios,
que he de usar mal de la mía.
Ni me responda ni hable.

ENGAÑO

190 ¿No es la polla rocinable,
y extremada mi ignorancia?
¿Qué le dice? ¿No es notable
mi persona y elegancia?

HERMOSURA

¿Fingida nos descaminas
195 del camino verdadero?

ENGAÑO

Entre estos robres y encinas
tenemos el gallinero;
mas son cual vos las gallinas.

HERMOSURA

Vuestro soy, bella Serrana:
200 suspended la mano hermosa.

ENGAÑO

Dicen, Hermosura humana,
que es vuestra gracia engañosa
y vuestra hermosura vana,
que sois muradar, de espesos
205 copos de nieve bordado,
con que deslumbráis traviesos,
y paño que, de brocado,
encubre un costal de huesos;
que sois una gracia ajena,
210 de menos gozos que pena,
que atormenta al que regala;
perdición para la mala,

---

v. 190. *rocinable:* de *rocín*. Como sugiere R. Arias, debe ser una nueva deformación irónica sobre «razonable», por su mismo valor homofónico. Dado que una de las acepciones de *rocín* era «necio», resulta que el equívoco semántico surge de la utilización de dos vocablos antónimos sobreentendidos en un único lexema.

v. 196. *robres:* por *robles*, frecuente rotacismo de la *l* en el habla rústica.

v. 204. *muradar:* por *muladar* (véase nota al v. 196).

cuidado para la buena;
fruta en quien, si algún bien hay,
215 es primero que madura,
que después mil daños tray;
y, en fin, que sois, Hermosura,
nonada, si el asno cay.

HERMOSURA
Poco de cortés se precia
220 quien la Hermosura desprecia.
¿Quién eres?

ENGAÑO
Soy lo que veo.

HERMOSURA
No te entiendo.

ENGAÑO
Yo lo creo;
que fue la Hermosura necia.

HERMOSURA
¿Vejamen tras la prisión?

ENGAÑO
225 ¿Vejamen? Si es verdad pura
que en más de alguna ocasión
una misma cosa son
el Engaño y la Hermosura.

HERMOSURA *[Aparte.]*
En gran peligro me veo.

SERRANA
230 Hablarte a solas deseo.

ENGAÑO
Venid.

---

v. 216. *tray:* como luego *cay,* por *trae, cae,* por cierre de la vocal *e* en el habla rústica. Aquí, además, para conseguir una rima mejor con *hay* del v. 214.

v. 218. *nonada:* equivale a «ninguna cosa». «Nonada si el asno cae» es una frase proverbial, recogida por *Correas* (pág. 250 b), para responder negativamente a algo.

v. 224. *vejamen:* «reprehensión satírica y festiva que se le da a alguno sobre algún defecto particular [...]» *(Dic. Aut.).*

SERRANA

No vais temeroso.

ENGAÑO

Vos entráis mozo y hermoso,
pero saldréis viejo y feo.

(Lleva el ENGAÑO *a la* HERMOSURA.*)*

SERRANA

Ahora, que moza soy,
235 quiero gozar mis madejas.
Hermosura, tras ti voy,
que cuanto de mí te alejas
menos lejos de ti estoy.
Mientras este furor dura,
240 serás de mí regalada
con caricia y con blandura;
porque, después de gozada,
¿qué hermosura fue hermosura?

[*Sale el* ENGAÑO.]

ENGAÑO

Ya a su prisión llama gloria.

SERRANA

245 Con él me he de divertir.

ENGAÑO

Acábame de decir
el suceso de tu historia.

SERRANA

Como te dije, el Placer
a mi Esposo me robó:

---

v. 233. En la ed. de Toledo «salireys», imposible por la medida del verso.

v. 247. En la ed. de 1622 (Toledo) «... de mi historia», imposible por el contexto. Corregimos, como hace Flecniakoska con el m. que aquí da la lectura correcta.

250 robada me despreció,
sin dejarme apenas ver.
Mil deleites engreídos
me prometió imaginados,
que los suspiré pasados,
255 sin saber si eran venidos.
Negué a mi Esposo la fe,
que ofendido aún me pretende,
y dísela al Placer, duende
que se oye y no se ve.
260 Violé de mi Esposo el lecho
y su amor casto ofendí;
huí sus brazos, y aunque huí,
sé que me tiene en su pecho.
¡Ay, cuánto dejé en dejarle!
265 ¡Ay, cuánto perdí en perderle!
¡No había cielo como verle,
ni había gloria como amarle!

ENGAÑO

Ya de verle desespera,
pues confiesas tu traición.

SERRANA

270 Si le pidiera perdón,
pienso dél que me le diera.
De algunos soy persuadida
que a él me vuelva.

ENGAÑO

¿Tal pensaste?
Si la honra le quitaste,
275 ¿dejaráte con la vida?
Teme, pues, si no eres loca,
en tan honrados enojos,
los puñales de sus ojos,
los venenos de su boca.

SERRANA

280 Bien dices. Ya le ofendí,
ya sus caricias dejé;
en esta sierra me entré,

y estos hábitos vestí.
Al camino de Plasencia
285 (cielo que puede gozar)
salgo armada a saltear
con amorosa violencia.
Armo a alguno ocultos lazos,
tejidos de mis cabellos,
290 que, dando de ojos en ellos,
se los saco entre mis brazos.
En los labios de clavel,
de hermosura artificial,
pongo de miel un panal
295 más amargo que la hiel.
En las manos (ya la ves)
esta homicida ballesta,
que más vidas y almas cuesta
que arenas pisan tus pies.
300 Encúbrome disfrazada
del capotillo y montera,
tanto, que ya de la Vera
la Serrana soy llamada.
Gozo, así desconocida,
305 de mis libres desatinos,
salteando en los caminos
quien me divierta mi vida.
Tú a buscar de comer vas
al aldea alguna vez.
310 Engaño, aunque más de diez
malas comidas me das
no quiero ya de Plasencia
ver el cielo deleitoso,
ni de mi ofendido Esposo
315 volver más a la presencia.

ENGAÑO

¿Tan resuelta estás?

SERRANA

¿Pues no?
Obstinada me imagina.

ENGAÑO

Por allí un hombre camina.

SERRANA

Pues descaminarle he yo;

320 entre estas ramas veré

quién el caminante sea:

diviértele, no me vea.

ENGAÑO

Mil simplezas fingiré.

Sale el HONOR, *un hombre muy galán, ricamente vestido.*

ENGAÑO

Guárdeos Dios, galán polido.

HONOR

325 ¿Quién os mete en eso a vos?

ENGAÑO

Digo que no os guarde Dios:

cátame aquí desmentido.

HONOR

Guárdeos Dios un labrador

a un hombre de mi jaez,

es no estimarme.

ENGAÑO

330 Otra vez

---

v. 319. En la ed. de 1622 «descaminarle he yo», incorrecta lectura para la medida del verso. Acepto la versión manuscrita. Flecniakoska rectifica «descaminaréle yo».

v. 324. *polido:* como *pulido* «agraciado y de buen parecer» *(Dic. Aut.)*.

v. 325. Las formas de tratamiento hacían que expresiones familiares como «guárdeos Dios» fuesen descorteses si las dirigía un rústico o plebeyo a un caballero o hidalgo de superior alcurnia (véase nuestra ed. de *La vida es sueño,* Madrid, Alhambra, 1980, pág. 182, nota al v. 1351, y las referencias recogidas por Flecniakoska en su ed. de *La serrana...,* pág. 95 y nota 22).

v. 329. *jaez:* en sentido literal es un adorno de cintas para los caballos. Es evidente que su uso se extendió también en sentido metafórico, como «calidad de una cosa», que es el valor que conviene aquí.

yo traeré al saludador,
que a saludarle me ayude;
porque imagino que rabia
caminante que se agravia
335 de que un hombre le salude.

HONOR
¡Idos a destripar cantos!

ENGAÑO
Y vos ¿qué destripareis?

HONOR
¿Al Honor no conocéis?

ENGAÑO
¿El Honor sos? ¡Santos! ¡Santos!
340 ¡Adorámoste, señor!

(De rodillas.)

HONOR
Esos también son desprecios.

ENGAÑO
¿Pues no? ¡Idolillo de necios!
¡Gitanillo burlador!

(La SERRANA *con la ballesta.)*

SERRANA
Haga luego cortesía.

ENGAÑO
345 ¿Quién os mete en eso a vos?

---

vv. 339-340. Burla del honor utilizando las fórmulas litúrgicas de la misa. Valdivielso tuvo un concepto peyorativo del honor social, pues lo consideró desde un punto de vista de moral religiosa, y, por ello, no lo podía aceptar (véase el excelente artículo de B. W. Wardropper, «Honor in the Sacramental Plays of Valdivielso and Lope de Vega», *MLN*, LXVI, 1951, págs. 81-88).

v. 345. Este verso es repetición del que pronunció el Honor en el v. 325, como observa Flecniakoska.

No queréis que os guarde Dios:
pues ahora ser podría.

HONOR

¿Qué es esto, hermosa Serrana?
Advertid que el Honor soy.

SERRANA

350 Es querer gozaros hoy
y quizá ahorcaros mañana.

ENGAÑO

Lo que dice es lo que hace,
y hace todo lo que dice;
y si alguien la contradice,
355 dispara el *quiescant in pace*.

HONOR

Alabo y precio mi daño.

SERRANA

Para mi galán os quiero.

HONOR

¿Quién es este chocarrero?

ENGAÑO

Con perdón, soy el Engaño.

HONOR

360 ¿Conmigo te descompones?
¿A un amigo tal traición?

ENGAÑO

Señor, quien hurta al ladrón,
dicen que gana perdones.

HONOR

Trátame mejor, Engaño.

ENGAÑO

365 Engaño es el Honor, tía;
aunque él engaña en un día
más necios que yo en un año.

---

v. 355. *quiescant in pace:* incorrecta expresión latina por *requiescant in pace*, justificable por ir en boca de un rústico.

HONOR

Ya vuestra prisión celebro.

SERRANA

Llévale a la cueva.

HONOR

¿Cueva?

ENGAÑO

370 Donde hay la culebra de Eva,
y donde os darán culebro.

SERRANA

Es burlón, no temas tal.
Parte, Honor, que tras ti voy.

ENGAÑO

No le engaño, aunque lo soy.
375 Habrá azote garrafal.

(Vanse los dos.)

SERRANA

¡Músicos!

[MÚSICOS] *(Dentro.)*

Señora mía.

SERRANA

Cantad, divertidme un rato;
que ausente el Placer ingrato,
me causa melancolía.

[MÚSICOS] *(Cantan dentro.)*

380 Por el montecico sola.
¿Cómo iré?
¡Ay Dios! ¿Si me perderé?
Entréme mal persuadida
por el monte de la vida,

---

v. 371. *culebro:* equivale a «engaño».

vv. 380-392. Se trata de una canción popular recogida en diferentes textos con variantes notables (véase *Romancero general,* BAE, XVI, pág. 619; J. M. Alín, *El cancionero español de tipo tradicional,* Madrid, Taurus, 1968, canción 734, pág. 663 y las referencias de Flecniakoska en su ed. de la *Serrana,* y las de R. Arias en la suya). La trató Lope de Vega en *El villano en su rincón,* v. 1272.

385 donde temo la salida,
por ver que la entrada erré.
¡Ay Dios! ¿Si me perderé?
Contra mí misma peleo,
temiendo lo que deseo,
390 buscando lo que no creo,
pues que me dejó y se fue.
¡Ay Dios! ¿Si me perderé?

ENGAÑO

Melancólica Serrana,
deja los tristes discursos,
395 que por aquella ladera
vi pasar al Placer rubio.
Vile cercado de amores,
vile cercado de gustos,
no ciego como le pintan,
400 sí bien hermoso y desnudo.
La frente de tersa plata,
el cabello de oro puro,
las mejillas de dos rosas,
los ojos de dos carbuncos,
405 medio clavel cada labio,
perlas los dientes menudos,
y en cada parte, Serrana,
parece que es amor junto.
En aquel pradillo verde,
410 donde el Abril se tradujo
con sus flores y sus aves,
entre dos mirtos se puso.
Las flores, enamoradas,
se desatan de sus ñudos,

---

v. 391. En la ed. de 1622 «pues me dejó y se fue», corregido por G. Pedroso y Flecniakoska, corrección que aceptamos.

v. 404. *carbuncos, carbunclos* o *carbúnculos:* es lo mismo que «rubíes».

v. 408. En la ed. de 1622 «... que el amor junto». Corrigen G. Pedroso y Flecniakoska.

v. 414. *ñudos, nudos:* en el lenguaje rústico del Engaño.

415 y deshojadas, cudician
ser cortina al cuerpo ebúrneo.
El Aura con blandos soplos
hace enamorados hurtos
del ámbar del dulce aliento,
420 mezclándole con el suyo.

SERRANA
O me burlas, o me engañas.

ENGAÑO
Ni te engaño, ni te burlo.

SERRANA
De tus alas y tus fuegos,
Amor, contra ti me ayudo.

(Vase la SERRANA.*)*

ENGAÑO
425 Allá vas, simple paloma,
con amorosos arrullos,
cebada en los granos de oro,
a dar en el lazo astuto.
Verás la beldad que buscas,
430 vuelta gusanos inmundos;
perlas, rosas, oro y plata,
horror, polvo, sombra y humo.
En vez del florido lecho,
hallarás en el sepulcro,
435 vivo al arrepentimiento
y el fácil placer difunto.
Vas deslumbrada a buscar
lo que no alcanzó ninguno.
¡Ay de ti, si mis engaños
440 no son desengaños tuyos!

(Vase.)

---

v. 415. *cudician* o *codician* (igual que el verso anterior).

v. 417. *Aura:* es un «viento suave y apacible», como señala el propio *Dic. Aut.* es «voz más usada en la poesía», y cita como autoridad unos versos del auto calderoniano *La vida es sueño.*

Salen el ESPOSO [*de pastor con potencias*], *y la* RAZÓN *y el* DESENGAÑO.

RAZÓN

Allá en Garganta-la-Olla,
en la Vera de Plasencia,
salteóme una Serrana
pelirrubia, ojimorena,
445 recogidos los cabellos
debajo de una montera,
una ballesta en el hombro
y su espada en la correa,
a saltear caminantes
450 se sale por la ladera.
Quiso Dios y mi ventura
que me encontrase con ella.
Pensé que me respetara,
pensé que me conociera,
455 porque juntos nos criamos
en lo mejor de la Vera;
que me encontró una mañana,
cuando de entre escuras nieblas
salía al alba de la vida,
460 admirada en sus bellezas.
Tratóme bien, porque supo,
informada de quién era,
que en las montañas del cielo
tengo casa solariega.
465 Dábame siempre su lado,
dábame siempre su mesa:
ni ella se hallaba sin mí,
ni yo me hallaba sin ella.
Mientras siguió mis consejos,
470 fue llamada de Plasencia

---

vv. 441 y sgs. Se trata de un romance sobre la serrana de la Vera, que el autor altera en algunos versos para adaptarlo a su contenido religioso. Igualmente lo trataron Lope de Vega y Vélez de Guevara en sus comedias sobre el tema.

mujer de buena razón,
sabia, recogida, honesta,
hasta que el libre Apetito,
con desenvoltura necia,
475 dio en encontrarse conmigo,
por revolverme con ella.
Representóle deleites,
gustos, regalos, riquezas,
mas todo representado,
480 como reyes de comedia.
Sobre decir mi razón
me miraba rostrituerta,
escondiéndose de mí...
¡Como si posible fuera!
485 Siempre el Apetito y yo
andábamos en pendencias,
no queriendo él lo que yo,
ni yo lo que él.

ESPOSO

¡Pobre della!

RAZÓN

Hasta que atrevido un día
490 me puso, con su licencia,
sobre ponerla en razón,
las manos en la cabeza;
y como herida me vio,
locamente desenvuelta
495 os dejó por el Placer,
mancillando la honra vuestra.
Burlóla, y ella valióse
del capotillo y montera,
y con la ballesta al hombro
500 se metió por esa sierra.

---

v. 482. *rostrituerta:* «que con el semblante o el rostro manifiesta enojo o enfado» *(Dic. Aut.)*.

vv. 490-492. *me puso [...] las manos en la cabeza: poner la mano* o *las manos* es castigar, dar palos, golpes puñados o azotes» *(Correas,* 725 b).

Yo, como la quiero bien,
salí en su busca, aunque enferma;
mas halléla tan perdida,
que fue mucho conocerla.
505 Tomárame por la mano,
y llevárame a su cueva:
halléla llena, ¡ay de mí!,
de la gente que saltea.
Encontré al Entendimiento
510 entre ignorantes tinieblas,
muy caduca la Memoria,
la Voluntad muy ramera.
Vi la Esperanza perdida,
puedo decir que sin ella,
515 y si no muerta la Fe,
la santa Caridad muerta.
Vi la Religión sin alma;
a la Verdad vi sin lengua,
sin manos a la Piedad,
520 y sin pies la Diligencia.
Vi la Gula muy hinchada,
muy sucia y muy cocinera;
muy compuesta la Mentira,
la Lujuria muy ventera.
525 La Gracia vi muy sin gracia;
vi muy pobre la Riqueza,
muy necia la Discreción,
a la Hermosura muy fea,
de sayal la Hipocresía,
530 a la Ignorancia de seda;
coplear la Necedad,
gracejar la Desvergüenza.
A deshora me llamó,
con cuidado descompuesta,
535 gracia añadiendo a sus gracias
y belleza a sus bellezas;
y asiéndome de la mano,
entre turbada y honesta
(mas ni honesta ni turbada

540 que uno y otro fingió que era),
me dijo: —Noble mancebo,
¿qué te turbas?, ¿qué recelas?
Llégate, que tuya soy:
sola estoy, a mí te llega.
545 ¿Qué te turbas? ¿De qué huyes?
Enlázate en estas hebras...
Mejor es en estos brazos,
que te buscan y desean.
Tras esto quiso enlazarme,
550 como al olmo tenaz hiedra,
solicitándome en vano
con manos, rosas y perlas.
Del difícil laberinto
vencí las torcidas sendas,
555 con diligencia mañosa
cegando una mujer ciega.
Yo corría como un gamo,
ella salta como cebra;
mas, quitándome la capa,
560 le di en los ojos con ella.
Della huyendo, la Razón
se os ha entrado por las puertas:
goce de su inmunidad.
Válgame, Señor, la Iglesia.

DESENGAÑO

565 ¿Cómo, ofendido Señor,
vuestra justicia severa
a prender esa Serrana
no sale por esa sierra?
Segunda vez de los aires
570 desate las nubes negras,

vv. 557 y sgs. Parece alusión al episodio bíblico de José y la mujer de Putifar, como indica R. Arias. Dice el texto sacro: «Un día de tantos, entró él en casa a despachar sus asuntos, y no estaba ninguno de los empleados; ella lo agarró por el traje y le dijo: —Acuéstate conmigo. Pero él soltó el traje en sus manos y salió afuera corriendo» *(Gén.* 39, 11-13).

vv. 569-576. Alusión al diluvio *(Gén.* 7, 18-24).

y sobre mares de culpas
bajen diluvios de penas,
desciendan globos de fuego
entre alquitranadas piedras,
575 abrasando justamente
sus atrevidas torpezas.
Como a Datán y Abirón
se abra la abárima tierra,
y en remolinos de llamas
580 le sepulte en sus cavernas.
¿Tanta paciencia, Señor?

ESPOSO

Sí, que es de Dios la paciencia,
y más y más ofendida,
más y más sufre y espera.
585 ¡Ay, acedo Desengaño,
no sabes lo que me cuesta,
no sabes lo que la quiero,
pues así me hablas mal de ella!

DESENGAÑO

¿Las ofensas atrevidas
590 sufriréis de esa grosera?

ESPOSO

Sí, Desengaño, que amor

---

vv. 577-580. *Datán y Abirón:* se refiere al espisodio en que Datán y Abirón (o Datán y Abirán), se rebelaron contra Moisés y fueron castigados por el Señor, como indica Valdivielso. El texto bíblico dice: «Apenas habían terminado de hablar, cuando el suelo se resquebrajó debajo de ellos, la tierra abrió la boca y se los tragó con todas sus familias» (*Núm.* 16, 31-32). El episodio se refiere también en *Deut.* 11, 6.

v. 578. *abárima:* o de Abarín, como ya señaló G. Pedroso, se refiere al monte Nebo, donde el Señor dijo a Moisés que moriría: «Sube al monte Abarín (Monte Nebo), que está en Moab, mirando a Jericó, y contempla la tierra que voy a dar en propiedad a los israelitas. Después morirás en el monte y te reunirás a los tuyos...» (*Deut.* 32, 49-50). El *Comentario bíblico «San Jerónimo»* es escuetamente preciso al explicar el nombre de Abarín: «El nombre se aplica a las cumbres, incluido el monte Nebo, que se alzan en las estribaciones occidentales de la meseta de Moab. Desde estas alturas se puede gozar un magnífico panorama de Palestina (tomo I, pág. 286, párrafo 51).

v. 585. *acedo:* lo mismo que «áspero».

es gran sufridor de ofensas.
Duéleme a mí y no me quejo:
no te duele a ti, ¿y te quejas?
595 Soy yo la parte y perdono;
tú no parte, ¿y la condenas?
Si la traigo al alma asida,
muerto de amores por ella,
¿heriréla, sin herirme?
600 ¿Sin matarme, mataréla?
Uno como azote harás:
no digo que azote sea,
que es mi alma, y si la tocas,
será darme en medio de ella,
605 En hábito de pastor
la busca donde saltea,
que tras ti irá la Hermandad,
con no dañosas ballestas.
Verás (si prestare oídos
610 a mi fe y tu diligencia)
si me quiere o no me quiere:
¡Ay, plega a Dios que me quiera!
Cuando hallares ocasión,
dirásle cuanto me deba,
615 mi cuidado, mi desvelo,
mi pasión y mis finezas.
Dile mucho de mi amor,
y aunque más le digas, piensa
que por más y más que digas,
620 que más por decir te queda;
que la busco, si me huye;
que la sigo, si me deja;
que aun ofendido la quiero;
que no huya, que no tema.

---

v. 608. En el m. «con amorosas ballestas», muy dentro del espíritu sacramental del autor.

v. 624. En el m. así. En la ed. de 1622: «que no tema, que no tema». Aceptamos la variante manuscrita, como hace iguálmente Flecniakoska.

625 Dile que llore sus culpas,
no lo deje de vergüenza,
pero de que no las llore
será justo que la tenga;
que agua de ángeles me haga
630 de flores de penitencia
que sola esta agua sé yo
que el agua de ángeles sea,
y si vieres que se empacha
de venir a mi presencia,
635 que se valga de mi Madre.
Pues que sabe cuánto pueda;
que hará nuestras amistades,
que tiene gracia en hacerlas,
y más con quien, como yo,
640 tan ansioso las desea.

DESENGAÑO
Voy a obedeceros.

ESPOSO
Mira
que sin ella no te vuelvas,
porque si sin ella vienes,
iré en persona por ella.

RAZÓN
645 ¿Cómo, ofendido, la amáis?

ESPOSO
Si ofendido no me hubiera,
¿qué mucho hiciera en amarla?
Vamos. ¡Ay Dios, quién la viera!

(Vanse todos.)

Sale el GUSTO, *huyendo de la* SERRANA, *con una capa muy rica y plumas y debajo va de muerte.*

SERRANA
¡Gusto amado, Gusto hermoso,

650 espera, pues me sacaste
de mi casa, y me robaste
a los brazos de mi Esposo!
De lejos te vi no más,
mas de cerca no te hallé:
655 junto a ti estoy, y no sé,
contentamiento, dó estás.
Los que te dejan persigues,
los que te buscan destruyes,
de los que te siguen huyes
660 y a los que te huyen sigues.
No he encontrado sólo uno
que no te busque engañado;
mas sé, de todos buscado,
que no te tiene ninguno.
665 Prometiste, no venido,
cuanto pude desear,
y fue, al punto de llegar,
como si no hubiera sido.
Del que ruegas importuno
670 vuelas con presteza extraña;
que aun teniéndote, se engaña,
si piensa tenerte alguno.
Mira, aunque los ojos ciegues
y más las almas abrases,
675 que para que no te pases
es menester que no llegues.
Pues cuando más cerca estás
del que, de ti enamorado,
va a buscarte con cuidado
680 no sabe por dónde vas.

(*Sale el* ENGAÑO.)

---

v. 655. En la ed. de 1622 «junto a ti estoy, no sé». Aceptamos aquí, igual que Flecniakoska, la lectura del m., aunque él no lo advierte.

v. 666. En la ed. de 1622 «cuanto puede desear». Aceptamos la lectura del m.

v. 679. En ed. «va abrazado, confiado». Preferimos la lectura del m. Flec-

ENGAÑO (*Aparte.*)

Con el Deleite delira
con quien, Engaño, la engaño,
porque no hay mayor engaño
que lo que es todo mentira.
685 Es su llegar no llegar,
es su querer no querer,
es su ser no tener ser,
es su placer su pesar.

SERRANA

Pues me ves loca por ti,
690 ¿por qué el corazón no ablandas?
¿Cómo, si tras mí te andas,
andas huyendo de mí?
Por fuerza te abrazaré,
deleite, pues te he alcanzado.
695 ¡Desemboza, porfiado!
¡Desemboza, abrazamé!

(*Tira de la capa y descubre un esqueleto, y desaparece el* GUSTO.)

¡Qué vestiglo tan extraño!
¡Qué amarillez! ¡Qué fealdad!
¡Qué mentira! ¡Qué verdad!
700 ¡Qué engaño! ¡Qué desengaño!
¿Esto es lo que deseé
y lo que ciega seguí,
por quien mi Esposo perdí,
por quien el cielo dejé?
705 ¿Estos los cabellos de oro?
¿Esta la frente de plata,
la mejillas de escarlata

---

niakoska opta por un híbrido «va a abrazarte confiado». Preferimos la del m. por el contexto (véase el v. 680.)

v. 696. *abrazamé:* lo acentúa como agudo para conservar la rima y medida versal.

y de perlas el tesoro?
¡Eres la estatua soñada
710 en que vi al Placer bizarro,
no sólo con pies de barro,
mas resuelto en sombra y nada!

[MÚSICOS] *([Dentro.] Cantan.)*
No más amistad, amor;
que voláis al tiempo mejor.

ENGAÑO
715 Dime, burlada avecilla:
¿nunca has visto una nuez vana,
podrida rubia manzana
o amarga una peladilla?

SERRANA
¡Traidor!

ENGAÑO
¿Estaba yo dentro?

SERRANA
720 No, porque de fuera estabas,
Engaño, cuando afeitabas
ese cadáver que encuentro.

ENGAÑO
Viendo tamaños excesos,
diré, señora engañada,
725 que una mujer porfiada
pondrá al más lindo en los huesos.

SERRANA
¿En esto para el placer?
¡Ay belleza burladora!

ENGAÑO
Si es algo murmuradora,
730 harto tendrá que roer.

---

vv. 709-712. Puede referirse a uno de los sueños de Daniel, tal como se narra en *Dan.* 2, 31-45, de ahí lo de «estatua soñada».

v. 712. Aceptamos la lectura del m., como hace Flecniakoska. El texto de 1622 dice «mas resuelto en pies de nada».

SERRANA

¡Ay pensamientos aviesos!

ENGAÑO

¡Oh, qué feo que ha quedado!
De flaco que le ha dejado,
le pueden contar los huesos.

SERRANA

735 ¡Cuánto amarga tu fealdad,
breve gusto, pena larga!

ENGAÑO

Voto a san..., que en lo que amarga
se parece a la verdad.

[MÚSICOS] *([Dentro.] Cantan.)*

No más amistad, amor;
740 *que voláis al tiempo mejor.*

El DESENGAÑO, *por lo alto, de pastor, como que habla con otro.*

DESENGAÑO

¡Hola, hao, que vais errada!
¡Echad por esa otra senda!

SERRANA

Esto es bien que de mí entienda.

DESENGAÑO

¡Que vais ciega y engañada!
745 Temed una cueva escura,
de daños y penas hecha;
tomad a mano derecha,
que, aunque angosta, es segura.
Temed la muerte, zagala,
750 en ese despeñadero.

SERRANA

Dejar esta vida quiero.

DESENGAÑO

Dejarla podéis, que es mala.
Temed vuestra perdición,

que no estáis dos dedos della.
755 ¡Por acá, mozuela bella!

SERRANA

¡Hola, hao, bello garzón!

DESENGAÑO

¡Hola, hao! ¿Decís a mí?

SERRANA

Sí, mi pastor; baja acá.

DESENGAÑO

Bien está el que en alto está,
760 que anda el diablo por ahí.

SERRANA

¿Con quién hablabas?

DESENGAÑO

Procuro
que una moza como vos,
que por mí, después de Dios,
se libre de un lago escuro,
765 en el cual si resbalara,
en cas del demonio diera
donde viviendo muriera,
y muriendo no acabara.

SERRANA

Parece que habla conmigo,
770 y que mi enmienda pretende.

DESENGAÑO

Entiéndame quien me entiende;
que yo a quien me entiende digo.

SERRANA

Baja acá, pastor hermoso,

---

v. 764. El lago como símbolo de la muerte o el infierno, procede de la imagen clásica de la laguna Estigia, pero fue símbolo de muerte ya entre los antiguos egipcios, y entre los irlandeses y bretones, lo cual quiere decir que probablemente era una imagen primordial, común a muchos pueblos en su tradición religiosa, además de poseer otros significados complejos.

v. 766. *cas:* por *casa,* en lenguaje rústico o vulgar.

ángel quizá de mi guarda,
775 que esta oveja inútil guarda,
fugitiva de su esposo.

DESENGAÑO

¿No sabéis que la Serrana
de la Vera de Plasencia,
una moza sin conciencia,
780 y mujer en fin liviana,
anda en Garganta-la-Olla,
con una ballesta al hombro?

SERRANA

Puedes perder el asombro.

DESENGAÑO

Si me sacude en la cholla...

SERRANA

785 No la temas más que a mí.

ENGAÑO

Receloso está el muchacho.

DESENGAÑO

Dicen que es un marimacho
como vos, vestida así;
y diz que anda acompañada
790 de un soplón, de quien reniego,
que se hace del tonto, y luego
pega linda manotada.
Mas ya ha salido a buscar
la Santa Hermandá a los dos,
795 y si los pesca, pardiós,
que me los tien de mechar

---

v. 784. *cholla:* «la parte de la cabeza que empieza encima de la frente hasta la parte superior que contiene los sesos y cría pelo» *(Dic. Aut.)*.

v. 794. *Hermandá:* como sugiere R. Arias, hay que leer «Hermandá» por «Hermandad» para la medida correcta del verso. Flecniakoska, por no observar este criterio, considera el verso imperfecto. Hay que indicar que el verso en el teatro está escrito con un propósito fundamentalmente prosódico, y en este caso esto es más evidente aún, puesto que el que habla es un rústico pastor.

v. 796. *tien:* por *tiene* (véase nota al v. 794).

mechar: está utilizado en el sentido figurado de «golpear», como demuestra

con trece y con la maesa,
siendo el asador un palo.

ENGAÑO

¡Malo, Serrana!

SERRANA

Y tan malo,
800 que ya alguna me atraviesa.

ENGAÑO

Ya las nuevas han sabido,
zagal, y voto a mi sayo,
que más ligeros que un rayo,
de la sierra se han huido.
805 Bien puedes bajar seguro.

DESENGAÑO

No me engañen, por su vida.
¿Que la perdularia es ida?
Júrenmelo.

ENGAÑO

Yo os lo juro,
rapaz (que habéis de llevar,
810 si os cojo, vuestro recado).

DESENGAÑO

Entre dientes lo ha jurado.
El lo tiene de jurar.

SERRANA

Juro por mi vida, amén...
Mira que juro mi vida.

---

el v. 798, aunque utiliza toda una imagen prolongada de la carne rellena para el asado, la otra acepción del verbo *mechar*.

v. 797. *con trece y con la maesa:* Correas dice: «trece por docena, como azotes de escuela» (pág. 513 a). Puede referirse nuestro texto a este dicho, como afirma Flecniakoska, aunque sin dar la referencia. La *maesa* era un agasajo que tenía que hacer el forastero a sus compañeros al llegar por primera vez a un pueblo. Aquí indudablemente quiere significar algo complementario a los «trece palos», algo así como la propina o «regalo» a los mismos.

v. 807. *perdularia: perdulario* puede significar «descuidado», que es la acepción recogida por Flecniakoska, o «vicioso», que es la que indica R. Arias. Creemos, no obstante que aquí conviene mejor la acepción vulgar señalada en *Dic. Aut.:* «término vulgar y vale *perdido*».

DESENGAÑO

815 ¿Que la perdularia es ida,
y el soplonazo también?

SERRANA

Digo que sí.

DESENGAÑO

Bajo, pues.

No me engañen.

SERRANA

¡Sustos vanos!

ENGAÑO

A fe, que, para mis manos,
820 que hayáis menester los pies.

(Baja el DESENGAÑO.*)*

SERRANA

No le tienes de tocar;
que si de Plasencia viene,
de lo que a los dos conviene
aviso nos puede dar.
825 Venid, bello pastorcito.

DESENGAÑO

Los dos en buen hora estéis.

ENGAÑO

¿Yo soplón? Vos pagaréis,
pues disteis en el garlito.

SERRANA

¿Quién eres?

DESENGAÑO

Un zagal soy,
830 del mayoral enviado,
que con desvelo y cuidado
tras una ovejuela voy,
que, ciega y descarriada
por ese pradillo verde,

835 tras sus antojos se pierde,
de un rebaño olvidada.

ENGAÑO

Tengamos la fiesta en paz.
No nos cuente alegorías.
¿Es la ovejuela de Urías,
840 señor profeta rapaz?

DESENGAÑO

Déjeme hablar su mercé.

ENGAÑO

Habla otras cosas, pastor.

DESENGAÑO

Pregúntame este señor,
y respondo lo que sé.
845 Muesa plática no impida.

ENGAÑO

Como toro herido bramo.

DESENGAÑO

A buscar me envía mi amo
esta ovejuela perdida
que le digo; ya la he,
850 que si se deja buscar,
que la he de hallar y llevar
donde a su pracer esté.

ENGAÑO

Helo de echar todo a doce.
¡Bachillerejo!

---

vv. 839-840. *Urías:* según *Sam. 2,* 11 y 12, David habiéndose prendado de la belleza de Betsabé, casada con Urías, se acostó con ella y tuvo un hijo de la misma, por otra parte mandó que Urías fuera situado en primera línea de combate y abandonado a su suerte, con lo cual consiguió que lo mataran. Natán, el profeta, puso a David el ejemplo del rico que tenía rebaños de ovejas y bueyes, frente al pobre que sólo poseía una corderilla, la cual el rico le arrebató para regalarla a un huésped. Era una parábola para indicar la injusticia de David con Urías. A esto se refieren los versos de Valdivielso.

v. 845. *muesa:* equivale a *nuestra* en el habla rústica.

v. 852. *pracer;* por *placer,* en el habla rústica.

v. 853. *echar todo a doce:* R. Arias da la referencia de Correas, que no aclara el sentido de la expresión. En *Dic Aut.* sin embargo se define así *echarlo a doce*

DESENGAÑO

¡Encenciado!

ENGAÑO

¡Atrevido!

DESENGAÑO

855 ¡Descarado!

ENGAÑO

¿Quién eres?

DESENGAÑO

Quien te conoce.

ENGAÑO

¿Tú me conoces a mí?

DESENGAÑO

Mejor que tú, Sinón griego,
red armada en el oído,
860 lazo oculto junto al cebo,
en los ojos basilisco,
áspid ingrato en el seno,

«frase que significa desbarrar, enfadarse y meter bulla alguna cosa para confundirla y que no se hable más de ella».

v. 854. *encenciado:* debe ser forma vulgar de *licenciado,* como reza el m. No debe ser error de imprenta, como insinúa Flecniakoska, sino simple avulgaramiento de un personaje que habla siempre imitando el lenguaje popular o rústico. El sentido de «licenciado», viene dado no sólo por la lectura del m. (incorrecta por la medida versal), sino sobre todo por el término que le precede *(bachillerejo).* También pudiera entenderse como un derivado popular de «ciencia», como apunta Flecniakoska, lo que es menos seguro, o incluso como un híbrido de los dos.

v. 858. *Sinón:* es un famoso personaje de *La Eneida* (Libro II), que haciéndose pasar por un desertor griego consiguió que los troyanos introdujeran el famoso caballo de madera en la ciudad. El mismo abrió «furtivamente a los griegos encerrados en el vientre del coloso su prisión de madera» (véase nuestra ed. de *La Eneida,* Bilbao, Moretón, 1968, pág. 63), y permitió así la destrucción de Troya. Ha quedado como símbolo de la traición.

vv. 861 y sgs. *basilisco:* era un animal fabuloso que según la leyenda mataba con la vista. La mayor parte de los ejemplos que se ponen a continuación parecen responder a alguna tradición antigua.

v. 862. *áspid ingrato:* puede referirse al áspid que mató a Cleopatra (véase la apasionante historia de ésta en la «Vida de Antonio» de las *Vidas paralelas* de Plutarco).

en los engaños sirena,
en los gustos viborezno,

SERRANA

865 disimulo de los años,
de la fealdad lisonjero,
fullero con buena capa,
testigo de dichos y hechos,
hechizo en una manzana
870 en que perdió Adán el seso,
y, con ingrata hermandad,
autor del primer entierro:
ociosidad, que obligaste
a llover mares al cielo;
875 vino que al justo Noé
descubriste deshonesto,
y que hiciste al santo Loth
suegro y yerno de sí mesmo;
torre que, al cielo vecina,
880 volviste huyendo del cielo;
guisado que hizo Rebeca,

---

v. 863. *sirena:* puede ser alusión al canto de éstas en el viaje de Ulises (véase *Odisea,* canto XII).

v. 864. *viborezno:* Dice *Cov.* que la víbora al parir los viboreznos «siendo en número de muchos los postreros que han tomado más cuerpo y fuerza, mal sufridos y cansados de esperar, rompen el pecho de la madre» (pág. 218 a).

vv. 869-870. Estos versos se refieren, como es obvio, al episodio del paraíso *(Gén.* 3, 1-8).

vv. 871-872. Ahora parece referirse al episodio de la muerte de Abel a manos de Caín *(Gén.* 4, 1-16.)

vv. 873-874. Referencia al diluvio *(Gén.* 6 y 7, 18-24).

vv. 875-876. A este respecto dice el *Génesis* «Noé, que era labrador, plantó la primera viña; bebió el vino, se emborrachó y se desnudó dentro de la tienda» (9, 20-21).

vv. 877-878. Estos dos versos vienen en la ed. de Toledo tras los aquí numerados como 879-880. Restituyo este orden siguiendo el criterio de Flecniakoska, porque parece más coherente. R. Arias reproduce el orden del original. La referencia bíblica consta en el *Gén.* 19, 30-38. Las hijas de Lot emborracharon a su padre y se acostaron con él para tener descendencia.

vv. 879-880. Se refiere a la torre de Babel *(Gén.* 11, 1-9).

vv. 881-882. Isaac envió a su hijo Esaú a cazar para que le hiciera un buen guiso antes de morir y darle después su bendición. Rebeca que oyó la petición,

manos de Jacob con vello;
Labán que, en vez de Raquel,
das a Lía al noble yerno;
885 regazo para Sansón,
y para Sísara sueño;
terrado de Betsabé,
de David despeñadero,
panal con dejos de absintio,
890 cáliz con amargos dejos;
camisa con que Jacob
al vivo lloró por muerto;
dureza de Faraón,
a más milagros más ciego,

---

dijo a Jacob que lo hiciese él y que ella prepararía el guiso, así bendeciría a Jacob en lugar de Esaú. Pero como Esaú era velludo y Jacob lampiño, Rebeca le cubrió con la piel de unos cabritos y así Isaac no le reconoció y le bendijo (*Gén.* 27, 1-46).

vv. 883-884. Labán tenía dos hijas: Lía, la mayor, y Raquel, la menor. Jacob se había enamorado de Raquel y se la pidió a Labán, éste aceptó con la condición de que se quedase con él a su servicio durante siete años. Pasados los siete años, en vez de entregarle a Raquel, le dio por la noche a Lía. Jacob durmió con ella y a la mañana siguiente comprendió el engaño (*Gén.* 29, 16-30).

v. 885. Dalila descubrió el secreto de la fuerza de Sansón, le dejó dormir sobre su regazo y permitió que un filisteo cortase sus cabellos (*Juec.* 16, 16-20).

v. 886. Yael recibió a Sísara en su tienda, después que éste huyera al ser vencido su ejército. Una vez rendido por el cansancio se echó a dormir y Yael le atravesó la sien con un clavo (*Juec.* 4, 15-21).

vv. 887-888. David se enamoró de Betsabé contemplándola desde una azotea cuando ésta se bañaba (*Sam. II,* 11) (véase nota a los vv. 839-840 de este auto). El gran pintor Luca Giordano (Lucas Jordán) tuvo especial interés en pintar estas escenas del ciclo de Abraham e Isaac (véanse sus cuadros, todos en el Museo del Prado, sobre *Lot embriagado por sus hijas, Betsabé en el baño, La derrota de Sísara,* etc., que pueden ilustrar todos estos versos).

vv. 889-890. Descripción de la ramera según *Prov.* 5, 3-4: «Los labios de la ramera destilan miel/su paladar es más suave que el aceite;/pero al final es más amargo que el ajenjo/y más cortante que puñal de doble filo».

vv. 891-892. Se refiere al episodio del *Gén.* 37, 23-36, en que José fue arrojado a un pozo seco por sus hermanos y vendido luego por ellos a los ismaelitas, manchando con la sangre de un cabrito su camisa y haciendo creer a su padre Jacob que había muerto.

vv. 893-894. El Faraón se obstinó en no dejar salir de Egipto a Moisés y los israelitas, pese a las diez plagas con que el Señor asoló el país, sólo cuando

895 y sobre sus escuadrones,
deshelado mar Bermejo;
arrogancia de Holofernes,
soberbia del filisteo,
embriaguez de Baltasar,
900 presunción del fariseo.
Mira si te he conocido,
necio y padre de mil necios,
pues que no sólo las manos,
pero los pies en ti he puesto.

ENGAÑO

905 ¡Oh qué elegante sermón!
Desengaño, por mi vida,
que estoy por haber llorado,
a no tentarme la risa.
¡Oh qué helada discreción!
910 ¡Qué escura bachillería!
¡Qué gracia tan desgraciada!
¡Qué escritura tan traída!
Pues has dicho a la Serrana
quién soy con lengua atrevida,
915 Desengaño, no te enojes

---

hirió de muerte a todos los primogénitos de Egipto, el Faraón los dejó marchar (*Ex.* 7, 12).

vv. 895-896. Referencia evidente al paso del Mar Rojo (*Ex.* 14, 1-31).

v. 897. Alusión a las palabras triunfalistas y soberbias del general Holofernes antes de avanzar hacia Betulia (*Judit* 6, 1-9).

v. 898. Goliat desafió así a los israelitas: «Yo soy el filisteo, vosotros los esclavos de Saúl. Elegíos uno que baje hasta mí; si es capaz de pelear conmigo y me vence, seremos esclavos vuestros; pero si yo lo puedo y lo venzo, seréis esclavos nuestros y nos serviréis» (*Sam. I,* 17, 8-9).

v. 899. Se refiere al festín de Baltasar ofrecido a los nobles del reino, ante quienes se puso a beber el rey (*Dan.* 5).

v. 900. Puede referirse a la parábola del fariseo y el recaudador, en la que aquél se alababa presuntuosamente, en la oración, de sus propias cualidades (*Lc.* 18, 9-14).

v. 910. *escura:* por oscura, forma arcaica.

bachillería: es lo mismo que «locuacidad sin fundamento, conversación inútil y sin aprovechamiento, palabras, aunque sean agudas, sin oportunidad e insustanciales» (*Dic. Aut.*).

de que quién eres le diga.
Sabrás, pues, Serrana hermosa,
que el Desengaño, que miras,
es el azar de los gustos,
920 es el susto de las dichas,
el agua-va del placer,
la noche de la alegría,
el acíbar del deleite,
del descanso pesadilla;
925 un viejo que siempre gruñe,
necio que siempre porfía;
un triste que siempre llora,
enfermo que siempre grita,
portador de malas nuevas,
930 siempre estragador de días,
pronóstico del jüicio.
cantor del alma dormida;
espejo en que el más hermoso
abominable se mira,
935 pues que representa muerta
la hermosura más esquiva;
médico siempre medroso,
que desmaya en las visitas,
y que receta al doliente
940 siempre amargas medicinas;
letrado que al litigante
en las causas desconfía,
y que le procura siempre
componer con la justicia;
945 teólogo escrupuloso,
que repara en niñerías,

---

v. 921. *agua-va:* «señal o palabra con que se avisa a los que pasan por la calle que se arroja por las ventanas o canalones alguna agua o inmundicia» *(Dic. Aut.)*.

v. 932. *del alma dormida:* puede ser alusión al famoso verso de Jorge Manrique «Recuerde el alma dormida...» con que comienzan las *Coplas a la muerte de su padre*.

v. 943. En la ed. de 1622 «procuras». Restituimos, como hace Flecniakoska, «procura», que es la lectura que da el m.

y que nunca al penitente
le supo dar un buen día;
estatua que al caminante,
950 siendo de sal, muda avisa,
y que a los gustos pasados
no deja volver la vista;
becerro en polvos deshecho,
dados al pueblo en bebida;
955 vara que vela despierta;
olla que bulle encendida;
por el templo del dios falso
disimulada ceniza;
mano que al rey Baltasar
960 le diste mala comida;
si muradar para Job,

---

vv. 949-952. Se refiere a la destrucción de Sodoma y Gomorra y al episodio en que la mujer de Lot miró atrás y quedó convertida en estatua de sal *(Gén.* 19, 24-26.)

vv. 953-954. Aarón hizo un becerro de oro al que adoraron los israelitas en ausencia de Moisés. Cuando éste regresó al campamento y vio el espectáculo de tipo idolátrico «agarró el becerro que habían hecho, lo quemó y lo trituró hasta hacerlo polvo, que echó en agua, haciéndoselo beber a los israelitas» *(Ex.* 32, 20).

vv. 955-956. El Señor escogió a Jeremías como profeta de los paganos y le mostró una serie de señales indicativas de su voluntad: la rama de alerce («alerta», hay un juego de palabras) y la olla hirviente (símbolo de la desgracia que caerá sobre los habitantes de la parte Norte del país) (véase *Jer.* 1, 4-15).

vv. 957-958. Los babilonios ofrecían comida a un ídolo llamado Bel, al que también rendía culto el rey Ciro. Como quiera que Daniel no lo venerase, porque alegaba ser un ídolo de fabricación humana y no Dios, Ciro mandó hacer una prueba con la comida de Bel: si la comía, Daniel sería condenado, si no la comía, serían los sacerdotes los condenados. Daniel derramó ceniza en el recinto y cuando el rey ofreció comida al ídolo, los sacerdotes vinieron y dieron cuenta de ella, pero las huellas en la ceniza los delataron. El rey los hizo ajusticiar y entregó el ídolo a Daniel, quien lo destruyó *(Dan.* 14, 1-22).

vv. 959-960. Se refiere nuevamente al festín de Baltasar y a la mano misteriosa que escribía en el muro del palacio unos signos, que interpretó Daniel como la muerte de Baltasar y la división de su reino *(Dan.* 5, 1-30).

v. 961. *muradar:* por *muladar,* se refiere a la prueba de Job, quien cargado de llagas se rascaba las heridas sentado en un estercolero *(Job.* 2, 7-8).

estiércol para Tobías
y del mal sufrido Jonás
planta desaparecida;
965 ceniza sobre la frente,
en las orejas saliva,
lodo encima de los ojos,
y, en fin, verdad no creída.
Después de esto, Desengaño,
970 ¿quién hay que tus pasos siga,
que tus avisos apruebe,
ni tus consejos admita?
Cuando mucho, algunos pocos
que del mundo se retiran,
975 que entre grutas, como fieras,
por los desiertos habitan;
unos pocos religiosos,
amortajados en vida,
que apenas comen ni beben,
980 que apenas hablan ni miran;
cúal y cuál doliente, a quien
les das por onzas los días;
cuál y cuál preso, a quien ya
deudos y amigos olvidan.
985 Mas tras mí mira las cortes,
pueblos y ciudades mira,

---

v. 962. En la *Vulgata* se hace coincidir a Tobías con su padre Tobit. El episodio alude a la ceguera de Tobit, quien estando tumbado junto a una tapia fue dañado en los ojos por los escrementos de unos gorriones (*Tob.* 2, 9-10.)

vv. 963-964. Dios comunicó a Jonás que Nínive sería destruida, Jonás irritado rezó al Señor diciéndole que le quitase a él la vida; entonces Dios hizo crecer un ricino bajo el que Jonás se sentaba al beneficio de su sombra. El Señor lo hizo secar y Jonás abrasado de calor deseó morir. La lección del Señor era que si Jonás se preocupaba por un ricino, con mayor razón él se preocuparía de una gran ciudad (*Jon.* 3, 4).

vv. 965-967. Se refiere a distintos ritos religiosos. La ceniza, a la ceremonia del miércoles de ceniza, así como la saliva a la curación del sordomudo por Cristo (*Mc.* 7, 31-37), y el lodo al ciego de nacimiento (*Jn.* 9, 1-7). La cita de Marcos, indicada por R. Arias (8, 22-26), no es la pertinente, pues no se dice en ella que Cristo utilice barro para la curación sino simple saliva (*expuens* o *exspuens* en el lat. de la *Vulgata*).

cebados en mis engaños
y adorando mis mentiras;
el médico en sus Galenos,
990 en sus Baldos el legista,
el astrólogo en su esfera,
en su historia el coronista.

DESENGAÑO

Mira, lazo de ti mismo,
cueva en que te precipitas,
995 en los fines de los dos
tus hazañas y las mías.
Tú, después de niños gustos,
yo, después de penas niñas,
les das perdurable muerte,
1000 les doy perdurable vida.

ENGAÑO

No marchites desta dama
los abriles de su vida.

DESENGAÑO

Tú, Engaño, como quien eres,
el cielo la tiranizas.

ENGAÑO

1005 Tengamos la fiesta en paz,
pues que la Serrana es mía.

---

v. 989. *Galenos:* por alusión a Galeno (120-200 d. de C.), médico griego, sistematizador de la medicina hipocrática, eminentísimo en sus investigaciones anatómicas y fisiológicas y en el diagnóstico. Su influencia en la época moderna clásica (Renacimiento) fue esencial. Valdivielso, aparte del tópico contra médicos de la época, toma partido contra la ciencia dentro de la mentalidad medievalista de gran parte del pensamiento católico español, que oponía con insistencia la fe a la ciencia, pese a los afanes conciliadores de muchos filósofos escolásticos.

v. 990. *Baldos:* por alusión a Baldo degli Ubaldi, jurisconsulto italiano (c. 1320-1400).

v. 992. *coronista:* por *cronista,* frecuente fenómeno en el castellano antiguo. Se trata de un tipo de epéntesis, o introducción de un sonido nuevo en el interior de la palabra, que se llama *anaptixis* (como sucede en este caso o en otros, como «Ingalaterra» por «Inglaterra»; recordemos el título de la obra calderoniana *La cisma de Ingalaterra*).

DESENGAÑO

No es sino de su Esposo,
que por alma suya estima.

ENGAÑO

Ya le dejó.

DESENGAÑO

El no la deja.

ENGAÑO

Ya le olvidó.

DESENGAÑO

1010 El no la olvida.

ENGAÑO

Ya no le quiere.

DESENGAÑO

El la quiere.

ENGAÑO

Ella le huye.

DESENGAÑO

El la cudicia.

ENGAÑO

Yo pienso, rapaz, que tengo
de afeitaros las mejillas
a bofetones.

DESENGAÑO

1015 ¿A mí?
Armador de zancadillas,
fanfarrón, sal a lo raso;
sal, arrogante Golías.

---

v. 1012. *cudicia:* por *codicia,* fenómeno frecuente de imprecisión vocálica en el habla rústica.

v. 1014. *afeitaros:* seguramente en el sentido de aderezar con colores como hacían las mujeres. Aquí tendría el sentido de «enrojecer las mejillas».

v. 1018. *Golías* o *Goliat:* el gigante filisteo de la Biblia, al que venció David (*Sam. I,* 17, 1-58).

ENGAÑO

La vida voy a quitarte,
1020 si hallo a quién quitar la vida.

(Vanse los dos.)

SERRANA

¡Ay, navecilla cuitada,
de dos vientos combatida,
que entre bramadoras ondas
remolinando vacilas!
1025 Sin duda el paciente Job
por esta guerra decía
que era la vida de un hombre
una perpetua milicia.
Uno que le siga quiere,
1030 quiere el otro que le siga;
el uno que al otro deje,
y los dos me martirizan.
Uno promete y no cumple,
el otro halaga y castiga;
1035 desanímame el Engaño,
el Desengaño me anima.
Mientras los dos en el campo

---

v. 1021. *navecilla cuitada:* lo mismo que «navecilla desgraciada». *Cuita* equivale a *congoja* o *aflicción.* La *nave* tiene frecuentemente un valor simbólico para designar la *vida.* En sentido religioso era la *iglesia.* El motivo de la *nave* o *barca* es muy antiguo, significa el viaje de la vida entre los peligros innumerables que la acechan. Los viajes por mar de Ulises son verdadero paradigma de las aventuras de la vida y símbolo siempre permanente. En la *Biblia,* aunque el tema de la navegación no es muy característico de los israelitas, aparece el motivo de la nave con valor simbólico en varias ocasiones (p. ej. en *Prov.* 31, 14). De ahí tomaría Calderón el motivo para su auto *La nave del mercader* (véase nuestro comentario a este problema en *Calderón y Nördlingen,* págs. 80-81, y nota 7). En cualquier caso el tema es extensísimo en la literatura universal y española. Recordemos las obras de Gil Vicente sobre las *Barcas,* Fray Luis de León alude a él en algunas de sus poesías (p. ej. «Descanso después de la tempestad»), en Lope de Vega es un motivo crucial (las *barquillas* famosas) e igualmente en Calderón.

vv. 1025-1028. La *Vulgata* dice textualmente: «Militia est vita hominis super terram» (La vida del hombre en la tierra es milicia) *(Job* 7, 1).

la pendencia determinan,
quiero tomar mi ballesta,
1040 quiero seguir mis desdichas.

(El ESPOSO *de pastor, canta dentro.)*

[ESPOSO]
Salteóme la Serrana
junto al pie de la cabaña.

SERRANA
Quien anda junto al ladrón,
la bolsa lleva vacía;
1045 pero quizá lo que canta
podrá ser que llore y gima.

[ESPOSO] *(Canta.)*
Junto al pie de la cabaña
donde guardo mi ganado,
salteóme el corazón,
1050 *que me hirió por el costado.*
Cuando me mate, ¿qué importa?,
moriré de enamorado;
y verá en tantas finezas,
que la quiero, y que me mata
1055 *junto al pie de la cabaña.*

(Sale poco a poco.)

---

v. 1041. (Acot.). Aceptamos la acotación y reparto de la música atribuida por Flecniakoska al Esposo, que en ed. y m. refiere a *uno* o *Músicos cantan dentro*.

vv. 1041-1042. Esta canción popular la trataron Lope de Vega en *La serrana de la Vera (Obras.* Ed. Academia, XII, pág. 36), y Vélez de Guevara en la comedia del mismo título (vv. 2201-2223). Véase la nota a los vv. 441 y sgs. de este auto de Valdivielso, donde se contrahace a lo divino la misma canción.

v. 1043. En la ed. de 1622 «quien camina junto al ladrón», que transcribe R. Arias, por eso dice que este verso tiene una sílaba de más. Flecniakoska transcribe «quien anda junto al ladrón», lectura que tampoco aceptamos. Aquí parece acertada, por el contexto y las acotaciones, la interpretación de Pedroso «quien canta...».

v. 1050. Posible alusión a la lanzada con que un soldado traspasó el cuerpo de Cristo *(Jn.* 19, 34).

SERRANA

No me pesa de mirar
al pastor; buen talle tiene:
si es que a enamorarme viene,
dejaréme enamorar.
1060 Quiero su amor escuchar,
que en efecto no hay mujer
que le pese de saber
que es querida, y que en rigor,
cuando no pague el amor,
1065 le deje de agradecer.
Los cogollos de las palmas
me parecen sus cabellos,
y que están gozosos de ellos
pendientes racimos de almas.
1070 Jacintos vierten las palmas
de las manos, que oro son.
¡Recibe, oh bello garzón,
que para enjugar te envío
las escarchas del rocío,
1075 suspiros del corazón!
De uno y otro hermoso aroma
las mejillas me parecen,
que entre rosas amanecen,
de donde el alba las toma.
1080 Los ojos son de paloma:
bien es que en verlos te asombres
y que dos soles los nombres,
y que, con celo amoroso,
digas que es el más hermoso
1085 de los hijos de los hombres.
Más cerca, más me enamora.

(Apúntale.)

¿Quién va allá?

---

vv. 1066-1080. Reminiscencias del *Cantar de los cantares* en las imágenes de los cabellos, las manos, las mejillas y los ojos *(Cant.* 5, 10-16 principalmente).

ESPOSO

Sí va.

SERRANA

¿Quién es?

ESPOSO

Quien es.

SERRANA

No sé qué en él miro,
que me hace temblar y arder.

ESPOSO

1090 ¿Qué es esto? ¿Prender o herir?
Que si herir y prender es,
no es nuevo por vos, Serrana,
dejarme herir y prender.
Por vos afirmaros puedo
1095 que aquesta sierra bajé,
para ser lo que no era,
aunque sin dejar mi ser.
Tirar con ballesta Amor
no lo he visto yo otra vez,
1100 ni con flechas en los ojos
como vos, dama, lo hacéis.
No tiréis al corazón:
advertid que estáis en él,
y os heriréis por herirme,
1105 por matarme os mataréis.
Si queréis que blanco sea,
por blanco me quedaré
adonde, sin estar ciega,
sin ojos tire la Fe.
1110 Si os vengo a buscar, Serrana,
y de amor muerto me habéis,
¿cómo huiré de vuestras flechas,
que clavado me tenéis?

---

v. 1088. La respuesta del Esposo es tanto lógica en tanto en cuanto quiere reproducir el sentido sagrado de la respuesta de Dios a Moisés «Soy el que soy» (*Ex.* 3, 14).

Entre escarchas y entre yelos,
1115 ¡qué noches por vos pasé!
Herido, ha ocho días que os busco,
sin haber hecho por qué.
¡Qué trabajos! ¡Qué desvelos!
¡Qué llorar! ¡Qué padecer!
1120 ¡Qué, desde niño, llamarme
perdido de bien querer!
¡Tras verme por vos vendido,
verme vendado también;
que por desnudo y vendado,
1125 pude al Amor parecer!

SERRANA

Para robar corazones
no sé, pastor, qué tenéis,
y paréceme, sin duda,
que sois más que parecéis.
1130 Soy con armas la vencida,
vos sin ellas me vencéis;
salteadora, os dejo libre,
no salteador, me prendéis.
La ladrona es la robada,
1135 robador quien no lo es;
yo, con ballesta, la muerta;
matáis vos, no la tenéis.
Si sois pastor, Buen Pastor,
pues como ovejuela erré,
1140 a esta ovejuela perdida
a vuestro aprisco volved.

---

vv. 1122-1125. El paralelo simbólico entre Cristo y Cupido (Amor), es muy frecuente en la poesía «a lo divino». El mismo Valdivielso hará tema de ello en su auto *Psiques y Cupido*, como luego lo haría igualmente Calderón en sendos autos de este título (para Toledo y Madrid).

vv. 1138-1141. La idea del Buen Pastor, como es bien sabido, es un motivo doctrinal ya constituido en tópico. Procede de la Biblia. Ya en el Antiguo Testamento se consideraba al rey como pastor de su pueblo (*Os.* 4, 16; *Is.* 40, 11, etc.). De la misma manera es título que se da al Mesías (*Jer.* 23, 1-8). Las alusiones de Valdivielso sin embargo parecen proceder del Nuevo Testamento, concretamente de la parábola de la oveja perdida (*Mt.* 18, 12-14; *Lc.* 15, 3-7).

Si samaritano sois,
vino y aceite poned
en mis mortales heridas,
1145 que sin duda sanaré.
Si sois jüez que me busca,
en vos miro no sé qué
de jüez apasionado:
segura a jüicio iré.
1150 Si sois rey, porque sin duda
esa presencia es de un rey,
pues perdonar es de reyes.
¡Perdón, Señor, yo pequé!
Si sois padre, Padre amado,
1155 alas los brazos haced:
mirad que el pródigo vuelve
tan roto como le veis.

(Préndela el ESPOSO.*)*

ESPOSO

Tu Esposo ofendido soy.
¡Ay enemiga mujer!
1160 ¡Aquí de los cuadrilleros!
¡La salteadora prended!

Salen dos CUADRILLEROS *de la Hermandad.*

HERMANDAD

Daos a prisión, la Serrana.

SERRANA

¿Qué más presa me queréis?

ESPOSO

Cuerdas y lazos de Adán

---

vv. 1142-1145. Alusión al episodio del buen samaritano, en el que éste echó aceite y vino en las heridas del viajero asaltado por los bandidos *(Lc.* 10, 30-35.)

vv. 1145-1157. Alude a la parábola del hijo pródigo *(Lc.* 15, 11-32).

1165 al cuello y manos poned.
Ya en mis manos has caído.

SERRANA

¿Dónde pude yo caer
mejor que en manos de Dios?
Si confieso que pequé,
1170 caída en ellas, Señor,
sé que me levantaréis.

ESPOSO

Será a un palo.

SERRANA

Yo confieso
que está mi remedio en él.

ESPOSO

Sacadla luego al camino,
1175 y en un palo la poned.
Poneos con Dios bien, Serrana.

SERRANA

Ponedme vos con vos bien.
¿Tanto rigor, dulce Esposo?

ESPOSO

Sí, que todo es menester
1180 con un alma desleal,
que me ofendió y se me fue.

SERRANA

A ver las lágrimas mías
siquiera, Señor, volved.

ESPOSO

¿Cómo podré no ablandarme
1185 si lágrimas llego a ver?
¡Quitádmela de delante!

---

v. 1172. *palo:* «se toma también por el último suplicio, que se ejecuta en algún instrumento de palo; como la horca, garrote, etc.» *(Dic. Aut.)*. Aquí Valdivielso juega con la ambivalencia del término, que se puede referir al castigo indicado en la explicación de *Dic. Aut.*, e igualmente, de forma simbólica, a la cruz, sobre todo por la respuesta que da la serrana en el verso siguiente.

CUADRILLERO

Venid, y no le indignéis.

(Llévanla.)

ESPOSO

Si me lloras, no lo dudes,
muy parte será el jüez.
1190 No hayas miedo, no, Serrana,
que, aunque más culpada estés,
que te condene, si lloras;
llora, yo te salvaré.

(Sale el DESENGAÑO.*)*

¿Desengaño?

DESENGAÑO

Señor mío,
1195 daros quiero el parabién
de que la ingrata Serrana
aprisionada tenéis.

ESPOSO

El que me das te retorno,
de que con vencedor pie
1200 quebrantaste la cabeza
desa serpiente crüel.

DESENGAÑO

Por esas cuestas abajo
corrido va a más correr,
huyendo como huye el impío,

---

v. 1190. Corrijo, como Flecniakoska, con m. y ed. de 1624. En la ed. de 1622: «No hayas miedo serrana». Por errata, Flecniakoska transcribe «haya miedo».

vv. 1198-1201. Alusión a la mujer que ha de quebrar la cabeza de la serpiente con su pie, en *Gén.* 3, 14-15, referencia recogida en parte en *Ap.* 12, 1-17, según algunos críticos. La interpretación mariana de este texto es muy discutible (véase *Comentario bíblico «San Jerónimo»*, en *ed. cit.*, t. IV, págs. 566 y sgs).

v. 1201. *desa:* así en ed. de Braga (1624). En ed. de 1622 «desta».

1205 sin ir ninguno tras él.

ESPOSO

A castigar la Serrana,
Desengaño amigo, ven;
que he de ponerla en un palo.

DESENGAÑO

¿Vos ponerla en palo?

ESPOSO

Pues.

DESENGAÑO

1210 Conozco vuestros castigos
y vuestros fueros también,
y sé que unos y otros son
de un Dios que la quiere bien.
¿Cuándo os pasan de los labios
1215 las amenazas que hacéis?
¿Con la espada entre los dientes
no os vio San Juan una vez?
Si llora dos lagrimitas,
perdonadme, apostaré
1220 que por cinco mil heridas,
y más el alma se os ve.

ESPOSO

Ven, que la Santa Hermandad
querrá ya justicia hacer
della. Vamos.

DESENGAÑO

Ahí os duele.

ESPOSO

1225 ¡Y cómo! Ven presto, ven.

(Vanse.)

---

vv. 1216-1217. Se refiere a la visión apocalíptica del Rey de Reyes con una espada en la boca (*Ap.* 19, 11-16).

Sale el ENGAÑO, *descalabrado y roto,*
y sin manto.

ENGAÑO

Siempre salgo, triste yo,
las manos en la cabeza,
derrostrada la belleza
que la mentira afeitó.
1230 La capa se me cayó
que de la Verdad hurté,
cuando desnuda se fue
al cielo, huyendo de mí:
della mi fealdad cubrí,
1235 con que mil necios burlé.
Rompiómela el Desengaño,
y quedé tan necio y feo,
que aun yo, de que así me veo,
de quién soy me desengaño.
1240 De rabia el rostro me araño
de que a mí, que al cielo di
miedo, cuando en él me vi,
injuriase un rapazuelo:
¡A mí, que nací en el cielo,
1245 y que casi otro Dios fui!
Quiérome al cielo volver,
sus columnas trastornar,
sus venturas eclipsar,
sus glorias entristecer;
1250 las órdenes revolver
que puso en sus hierarquías;
dejar sus sillas vacías
de luceros y de estrellas,
ocupar la mejor de ellas
1255 y hacer que ocupen las mías.
Mas, pues en la cueva está
la Serrana que cegué,
en ella me vengaré
del que afrentado me ha.
1260 Ella me lo pagará.

Hermosura de la Vera,
Serrana, sal acá fuera.
Porque pasa un caminante,
nacido para tu amante.

HERMANDAD *(Dentro.)*

1265 ¡Muera la Serrana! ¡Muera!

ENGAÑO

¿Qué voces son las que escucho?

HERMANDAD *(Dentro.)*

Ballesteros, a tirar,
que ya está puesta en el palo
la Serrana desleal.
1270 ¡Muera con ella el Engaño!

ENGAÑO

¡Pesar del cielo, y pesar
de mí! La Serrana es presa
y querránla asaetear.

SERRANA *(Dentro.)*

Atada al palo, ¡ay de mí!
1275 Tiempo es de decir verdad.
Pequé, Señor, y mis culpas
vuelvo humilde a confesar.
La justicia que en mí hacéis,
respeto de mi maldad,
1280 viene a ser misericordia,
que aun castigando la usáis.
El corazón en dos fuentes
consagro a vuestra piedad:
miralde con buenos ojos,
1285 y sí haréis, si le miráis.
¡Pequé! ¡Perdón, dulce Esposo!

HERMANDAD *(Dentro.)*

Ya no hay lugar.

ESPOSO *(Dentro.)*

Sí hay lugar,

---

v. 1279. *respeto:* por *respecto*, como señala R. Arias.

porque para llorar culpas
nunca fue tarde, jamás.

HERMANDAD *(Dentro.)*

1290 Justicia de la Serrana
hace la Santa Hermandad.
¡Quitaos de en medio o las flechas
advertid que os clavarán!
¡Muera, muera la Serrana!

SERRANA *(Dentro.)*

¡Ay, Jesús!

ESPOSO *(Dentro.)*

1295 No morirás,
pues me he puesto de por medio.

SERRANA *(Dentro.)*

¡Triste yo, que herido os han!

HERMANDAD *(Dentro.)*

Perdonad: somos mandados.

ESPOSO *(Dentro.)*

La justicia ejecutad.

SERRANA *(Dentro.)*

1300 En vuestros pies, pecho y manos
las flechas temblando están.

ENGAÑO

¿Adónde podré esconderme,
cómplice de su maldad,
si a la justicia del cielo
1305 no hubo seguro lugar?
Del carro de las tinieblas
me valdrá la escuridad.

(Vase.)

[VOCES] *(Dentro.)*

¡Prended, prended al Engaño,
que huyendo por allí va!

---

vv. 1300-1301. Obvia alusión a las heridas de la crucifixión de Cristo.
v. 1308. En el texto no hay personaje de reparto. R. Arias escribe «Herman-

Descúbrese la SERRANA *en un palo para asaetearla, y el* ESPOSO *delante, como defendiéndola, con flechas en las manos, en los pies y en el pecho; y los* BALLESTEROS *con ballestas.*

[MÚSICOS] *(Cantan.)*

1310 *Señor, aunque esas saetas*
han sido mi redención,
me dan en el corazón.

SERRANA

Fuera yo, Señor, la herida,
que son de muerte las vuestras.

ESPOSO

1315 Pues que dolor dellas muestras,
Alma, llámalas de vida.

[MÚSICOS] *(Cantan.)*

Señor, aunque esas saetas
han sido mi redención,
me dan en el corazón.

SERRANA

1320 ¡Ay si pudiera curar
vuestros sangrientos despojos!

ESPOSO

Con bálsamo de tus ojos,
Alma, los puedes sanar;
llora, porque con llorar
1325 me siento mucho mejor.

[MÚSICOS] *(Cantan.)*

Señor, aunque esas saetas
han sido mi redención,
me dan en el corazón.

---

dad»; Flecniakoska «Voces», aceptamos esta última indicación ante la ambigüedad de la referencia a quien pronuncia las palabras.

v. 1316. Aceptamos la supresión de dos versos propuesta por Flecniakoska, que se introducen en la ed. de 1622 («que no verás en mi herida/donde vida no te doy»), y que siguen al v. 1316, como advierte este crítico, no guardan relación con estrofa alguna y no son necesarios para el sentido. Parece mejor aquí la lectura del m., que seguimos, lo mismo que hizo Flecniakoska, aunque suponga la introducción de seis versos distintos (los vv. 1320-1325 de nuestra ed.), más los tres del estribillo final.

Sale el DESENGAÑO *con ballesta.*

DESENGAÑO

A la entrada de la cueva,
1330 de sombras cercada y miedos,
en sí mismo tropezando,
cayó el Engaño hechicero.
No así a la espumosa fiera
se arroja el irlandés perro,
1335 como se arrojan sobre él
tus celosos cuadrilleros.
Transformóse en varias formas
el engañador Proteo;
mas a pesar de su astucia,
1340 en un palo le pusieron.
Escupe al cielo blasfemias,
mas es escupir al cielo,
siendo con sus mesmas armas
homicida de sí mesmo.
1345 Temiendo no se les vaya,
aunque cargado de hierros
(que no hay engaño seguro,
pienso que aun después de muerto),
de las certeras ballestas
1350 disparan flechas de fuego
a quemarle el corazón,
atravesándole el pecho.
Miradle, eterno Señor.

---

v. 1336. En la ed. de Toledo (1622) falta aquí un verso, que se hace necesario para completar sentido y rima. El m. especifica el que transcribimos, que es el indicado también por R. Arias. Flecniakoska transcribe «tus valientes ballesteros», que es la lectura de E. González Pedroso, sin advertirlo.

vv. 1337-1338. Alusión al personaje mitológico de este nombre. Proteo era pastor de focas de Neptuno y notable adivino. Tenía el don de metamorfosearse en múltiples seres a su conveniencia. Por extraño descuido R. Arias anota el nombre de Prometeo por Proteo y da subsiguientemente una explicación inadecuada.

De la otra parte se descubre una boca de infierno, y en medio della el ENGAÑO, *con saetas por todo el cuerpo, y si pudieren ser con invención de fuego, mejor.*

ESPOSO

En el corazón me alegro
1355 de mirar ajusticiado
a ese salteador soberbio.

HERMANDAD

Muerto el Engaño, seguro
queda el camino del cielo.

SERRANA

Y más si vos le enseñáis,
1360 dulce Esposo, en alto puesto.

ESPOSO

Yo descenderé a su cueva,
donde, con divino esfuerzo,
saldrán, rotos sus cerrojos,
muchos de sus prisioneros.

HERMANDAD

1365 Cuando la Santa Hermandad
ajusticia alguno de éstos,
caridad de pan y vino
acostumbra a dar el pueblo.

ESPOSO

Bien habéis dicho, Hermandad,
1370 caridad soy y dar quiero
en vez del vino, mi sangre,
y en lugar del pan, mi cuerpo,
en la tienda de la Iglesia,
armada en ese desierto,
1375 mi cuadrillero mayor
lo repartirá.

---

v. 1361. *a su cueva:* es decir «al Infierno».

vv. 1366-1367. La costumbre de dar pan y vino, después de un ajusticiamiento de la Santa Hermandad, señalada aquí por Valdivielso, se transforma en su texto en la comunión eucarística final, corolario del auto.

DESENGAÑO

¿Quién?

ESPOSO

Pedro.

HERMANDAD

La Serrana de la Vera
se vuelva a su amor primero,
pues la perdona la parte.

ESPOSO

1380 ¿Que la perdono? Y la quiero.
En mi plato y en mi copa
todo me doy y me quedo.
Alma, llega al sacro altar,
come y bebe.

SERRANA

Cielo y suelo
1385 os canten gloria, señor,
por el bien que me habéis hecho.

DESENGAÑO

Y al auto de la Serrana
le daremos fin con esto.

---

v. 1384. Preferimos, como hace Flecniakoska, seguir la lectura del m. en estos versos finales, que parece más completa. La ed. de Toledo dice escuetamente: «Come y bebe. / *Desengaño*. Dando fin / a la *Serrana* con esto».

CALDERÓN DE LA BARCA

AUTO SACRAMENTAL ALEGÓRICO
INTITULADO

EL DIVINO ORFEO

MEMORIA DE LAS APARIENCIAS[1]

QUE SE HAN DE HACER ESTE AÑO DE 663 PARA LA REPRESENTACIÓN DE LOS AUTOS DE LA FIESTA DEL SANTÍSIMO SACRAMENTO

Primeramente ha de ser el primer carro una nave negra, con sus banderolas, flámulas y gallardetes, negros también; ha de estar sobre ondas obscuras con monstruos marinos pintados en ellas, y a su tiempo ha de dar vuelta, teniendo en su árbol mayor elevación para una persona. A un lado de este mar ha de haber un escollo, que se ha de abrir, y salir dél una persona, advirtiendo (para facilitar el que pueda ejecutarse) que, cuando el escollo se abra, ha de estar la nave en través, de suerte que ni la proa ni la popa podrán embarazar para que el escollo no se abra y representar la persona con las que estarán en el costado de la nave.

El segundo carro ha de ser otra nave, azul y oro, toda su pintura sobre mar de cielo con peces y imágenes marinas hermosamente pintadas, sus flámulas y gallardetes blancas y encarnadas, con cálices y hostias. Ha de dar vuelta y tener elevación.

El tercer carro ha de ser un globo celeste, con estrellas, signos y planetas[2]. Este medio[3] globo se ha de abrir a su tiempo en dos mitades, cayendo la una a la parte de la representa-

---

[1] Reprodujo esta *Memoria* D. Cristóbal Pérez Pastor en sus *Documentos para la biografía de D. Pedro Calderón de la Barca* (Madrid, Fortanet, 1905, págs. 209-301), de un documento conservado en el Archivo Municipal de Madrid. Después se ha reproducido en otras publicaciones. Lo transcribimos aquí según la reproducción de Pérez Pastor.

[2] El texto dice «plantas» por «planetas», que parece la lectura correcta, la cual restituimos.

[3] «Medio globo» *(sic)*, parece error, pues antes de abrirse será globo completo.

ción, sobre dos columnas, de suerte que el medio globo quede hecho tablado y el otro medio vestuario, y puedan salir y entrar personas que han de representar en él. En la parte que queda fija ha de haber una rueda de rayos que a su tiempo se descubra dando vueltas, y en ellos ha de haber sol y luna con otras estrellas y imágenes celestes, y moverse todo.

El cuarto carro ha de ser un peñasco, el cual también se ha de partir en dos mitades, cayendo la de la representación sobre dos cipreses, y quedar, como el globo, la mitad tablado y la mitad vestuario, de donde puedan salir y entrar los que representen. Todo este peñasco se ha de poblar a su tiempo de árboles que han de estar embebidos, de suerte que su cumbre quede coronada, y al mismo tiempo por todos sus costados y fachada han de asomar diversos animales; y corriéndose la cortina que hacía vestuario, se ha de ver en su fondo un mar, en cuyas ondas se han de mover algunos peces y salir de ellas pájaros vivos, soltándoles a que vuelen en el mayor número que se pueda.

En Madrid, a 27 de febrero de 1663 años.

DON PEDRO CALDERÓN DE LA BARCA.

PERSONAS

EL PRÍNCIPE DE LAS TINIEBLAS	LA NATURALEZA HUMANA
LA ENVIDIA	DÍA 5.º
ORFEO	DÍA 6.º
DÍA 1.º	DÍA 7.º
DÍA 2.º	LETEO, *barquero*
DÍA 3.º	PLACER, *villano*
DÍA 4.º	MÚSICOS

Suena un clarín en el carro primero, que será una nave negra, y negras sus flámulas[4]*, banderolas, y jarcias, y gallardetes, pintadas de áspides por armas, y dando vuelta en su popa el* PRÍNCIPE DE LAS TINIEBLAS *y la* ENVIDIA *con bandas, plumas y bengalas negras.*

PRÍNCIPE

Ya que sulcar me veo
sobre las negras ondas del Leteo,
imaginado río
que entre el caos y el abismo, imperio mío,

---

[4] *flámulas:* por errata evidente la ed. de 1677 dice «fámulas». Las flámulas eran «banderas pequeñas, que por estar cortadas en los remates en forma de llamas torcidas, las dieron este nombre. Estas y los gallardetes sólo se ponen en las embarcaciones para adorno o para demostración de algún regocijo» *(Dic. Aut.)*.

v. 1. *sulcar:* por *surcar*. Es forma más etimológica; del latín *sulcare*.

v. 2. *Leteo:* era el nombre del río del Infierno (Hades) en la mitología clásica. Se consideraba símbolo del olvido, como más adelante especificará el propio Calderón (v. 10), y por todo ello, de la misma muerte.

v. 4. *caos:* en la concepción clásica (Hesíodo, Ovidio) el Caos era una masa informe e inerte en la que todos los principios de todos los seres estaban encerrados y confundidos.

abismo: en una de las acepciones de «abismo» que da *Dic. Aut.* se dice: «Se toma muchas veces por el infierno, por estar en lo más profundo de la tierra».

5 corre veloz, por cuyas pardas nieblas
el Gran Príncipe soy de las Tinieblas.
Ya que sulcar (digo otra vez) me veo
sobre las negras ondas del Leteo,
a quien por lo letal otro sentido
10 ha de llamar el río del Olvido.
De un bordo y otro esta supuesta nave,
no del Austro impedida, que süave
corre del Mediodía,
sino del Aquilón, que el norte envía,
15 en corso ande, hasta ver si erradas huellas
me vuelven a rozar con las estrellas.
Y sí harán, si es que el día
llega, que ya antevió la ciencia mía
en el retrato de la soberana
20 siempre feliz Naturaleza Humana;
por quien cosario intento
dar fuerza a un alegórico argumento,
viendo que es ella (el día que ella sea
alto ejemplar de la divina idea)
25 el infestado triunfo, que interesa
mi aborrecido amor, siendo la presa
con quien mi grande espíritu atrevido
vuelva a sulcar las ondas del olvido.

(Suena el clarín, dando vueltas la nave.)

ENVIDIA
Si el Sacro Texto al prevenir tus artes,
30 ladrón te ha de llamar en tantas partes,

---

v. 12. *Austro:* era un viento cálido, descrito por los poetas antiguos con caracteres diferentes, unas veces suave y otras amenazador (portador de la lluvia). Calderón parece tomarlo en la primera acepción.

v. 14. *Aquilón:* viento frío y agitado, hijo de Eolo y de la Aurora.

vv. 29-30. El demonio desde el *Génesis* intentó buscar la ruina de la Naturaleza Humana (3, 1-24), igualmente Satán fue el que dispuso al Señor contra su siervo Job en varias ocasiones(*Job* 1, 6-12; 2, 1-10), etc. Cristo mismo dice de él que fue un asesino desde el principio y padre de la mentira (*Jn.* 8, 42-47).

cuantas tus robos ya en mi mente llora,
de Jericó en los Campos de la Aurora,
errante Peregrino:
cuantas al Padre de Familias, digno
35 precepto manda, que en su guarda anhele,
y impedirá tus hurtos, como vele,
cuantas ronde el portillo, porque advierta
el Pastor que el ladrón no va a la puerta
sin otros infinitos
40 lugares que baldón de tus delitos
tu ilustre ser disfamen;
¿qué mucho, ya que ellos ladrón te llamen,
que añadiendo pesares a pesares,
te llames tú pirata de los mares?
45 Y no sin opiniones
auténticas, también tribulaciones
las aguas se interpretan,
pues ¿qué daños habrá que no cometan

---

v. 32. *Jericó:* se tiene a Jericó por la ciudad más antigua conocida de Palestina. En *Jos.* 6 se narra su destrucción y la de sus murallas al estruendo de las trompas de los sacerdotes y soldados de Josué.

vv. 34-38. En numerosos lugares de la *Biblia* se utiliza el símil del pastor que guarda el ganado de ladrones y bandidos (p. ej. *Eze.* 34; *Jer.* 23, 1-3; *Jn.* 10, 1-18). Por eso Cristo se eleva como figura del Buen Pastor.

v. 41. *disfamar:* por *difamar,* como usamos hoy.

v. 47. *aguas:* es frecuente dentro de la múltiple simbología del agua, entender éstas como *tribulación,* referido sobre todo a las aguas del mar en la simbología religiosa. Desde antiguo pudo tener esa ambivalencia: positiva y purificadora (p. ej. las aguas del bautismo), o destructiva (el diluvio). En Calderón es un verdadero tópico que se encuentra en muchos textos de tipo sacramental. Por ejemplo en el auto *Psiquis y Cupido* (para Madrid) dirá:

> ...mi presunción
> intente en alegoría
> de poética ficción
> ver si antes que a estado llegue
> consiguiese mi rencor
> el verla al mar arrojada
> (pues es la tribulación
> y zozobra de la vida
> del mar significación).

tus iras en su espuma,
50 si hay quien tribulaciones las presuma?

PRÍNCIPE

Hermosa Envidia mía,
ya que el día vagamos sin el día,
y que hasta agora todo es Noche obscura,
vestido del color de mi ventura,
55 al sacro solio mira,
pues siempre perspicaz tu vista aspira
a lo más alto, a ver si descubrimos
señas del rumbo que a buscar venimos.

ENVIDIA

Informe globo, aun la materia prima
60 se está como se estaba; nada anima,
nada vive ni alienta.

(Dentro, un instrumento.)

Sólo escucho una voz.

PRÍNCIPE

Pues oye atenta.

ENVIDIA

Suena muy lejos.

PRÍNCIPE

Para nuestro oído
no hay distancia que impida tu sonido,
65 y voz que agora dulcemente grave
quiera unir lo imperioso y lo süave,
no dudo que voz sea,
que atraiga a sí cuanto atraer desea.
Y más si atiendo en la Sabiduría
70 que debajo de métrica armonía
todo ha de estar, constando en cierto modo
de número, medida y regla todo,

---

vv. 70-74. La armonía del todo, o del cosmos, es una idea pitagórico-platónica que tuvo mucha influencia en el Renacimiento (véase la nota a los vv. 119-120 del auto *Los hermanos parecidos* de Tirso en esta misma edición).

tanto que disonara
si faltara una sílaba o sobrara.

ENVIDIA

75 Pues siendo así, ¿qué mucho
músicas oiga?

PRÍNCIPE

Escucha, pues.

ENVIDIA

Ya escucho.

Puesta en través la nave, y ellos en su costado, se abre el segundo carro (que será un globo celeste pintado de astros, signos y planetas) en dos mitades, cayendo la una sobre el tablado y quedando la otra fija, de suerte que ORFEO, *que sale de la una, pueda representar sobre la otra. Adviértase que cuanto represente ha de ser cantado en estilo recitativo, a cuya primera copla se abrirá el carro tercero en otras dos mitades, viéndose dentro de él los siete* DÍAS *reclinados, como dormidos, y en medio de ellos la* NATURALEZA HUMANA.

ORFEO

¡Ah de ese informe embrión!
¡Ah de esa masa confusa
a quien llamará el Poeta
80 caos y nada la Escritura!

(Dormidos.)

TODOS

¿Quién será quien nos busca?

---

v. 74. Valbuena transcribe por error: «si faltara una sílaba o faltara».

vv. 78-80. Idea muy repetida por Calderón (véase *La vida es sueño,* auto, vv. 29-32 y nota respectiva de nuestra *ed. cit.,* pág. 290).

El *Poeta* designa a Ovidio, que en las *Metamorfosis* (libro I) habla del Caos como principio anterior a la creación del mundo. En la *Vulgata (Gén.* 1, 2) se dice: «Terra antem erat inanis et vacua».

v. 81. Es decir, Dios. En los versos que siguen está claro que el autor hace una representación plástica y musical de la Creación según el *Génesis,* por lo

ORFEO

Quien de la nada hacer el todo gusta.

ENVIDIA

En no bien formado acento
de torpe asonancia ruda,
85 aquella unida cadena
que todas las cosas junta
y nada cada una espera,
ser un todo cada una,
le responden.

PRÍNCIPE

Atendamos
90 a lo que el misterio oculta.

ORFEO

¡Ah de ese lóbrego seno!
¡Ah de esa cárcel obscura!
sobre cuya faz, de Dios
el espíritu fluctúa!

TODOS

95 ¿Quién será quien nos busca?

ORFEO

Quien de la nada hacer el todo gusta.
Hágase la luz hermosa,
y en esa trabada lucha
dividida de las sombras,
100 ella arda y todo luzga.

TODOS

¿Qué esplendor nos ilustra?

(Entre sueños.)

---

que creemos ocioso dar las referencias concretas de cada uno de los versículos del texto bíblico.

v. 100. *luzga:* por *luzca,* vacilación propia del estado de la lengua en la época. Dice R. Lapesa: «Se empleaban indistintamente *traxo* y *truxo, conozgo* y *conosco, luzga* y *luzca*» *(Historia de la lengua española,* Madrid, Gredos, 1981, 9.ª ed., pág. 395).

DÍA 1.º
El que en mi luz de las tinieblas triunfa.

(Sale de la parte de adentro, como rompiendo el peñasco, una hacha encendida, despierta el Día Primero, y tomándola en la mano, representa, yéndose con ella.)

Siendo del Día Primero
obra luciente esta pura
105 antorcha, que dividida
de las sombras os alumbra.

TODOS
¿Quién te dio luz tan pura?

DÍA 1.º
Voz que atractiva mueve a ir en su busca.

(Vase.)

ORFEO
Divididas de las aguas,
110 también hoy las aguas unas
queden en la tierra y otras
a ser firmamento suban.

(Entre sueños.)

TODOS
¿Qué esfera nos circunda?

DÍA 2.º
Del Día Segundo, la estación segunda.

(Descúbrese en lo lejos del peñasco una perspectiva de ondas y despierta el Segundo Día.)

115 Pues las aguas divididas
en transparente cerúlea

tez, forman un pabellón
que todo el ámbito cubra.

(Entre sueños.)

TODOS
¿Quién dio su arquitectura?

DÍA 2.º
120 Voz que atractiva mueve a ir en su busca.

(Vase.)

ORFEO
Las aguas que se quedaron
sobre la tierra, que inundan,
dejándola árida y seca,
a un espacio se reduzcan
125 que mar se llame; y porque
estéril no esté, produzga
fértiles plantas que crezcan
según las especies suyas.

(Entre sueños.)

TODOS
¿Qué golfos, qué verduras?

DÍA 3.º
130 Del Día Tercero son mansión segunda.

(Despierta el Tercer Día con guirnalda de flores y ramos de frutas en las manos.)

Pues ya a la tierra, que estaba
llena de grietas y arrugas,
árboles, frutos y flores
a matices la dibujan.

(En sueños.)

TODOS

135 ¿Quién les dio flor y fruta?

DÍA 3.º

Voz que atractiva mueve a ir en su busca.

ENVIDIA

¿Qué voz es la que tras sí
se lleva cuanto la escucha?

PRÍNCIPE

Absorto estoy; pero atiende
140 hasta ver lo que resulta.

ORFEO

Los dos bellos luminares
se hagan del Sol y la Luna;
que él presida el claro día,
y ella a la noche nocturna.

TODOS

145 ¡Qué dos bellas criaturas!

(Descubre en la cumbre del peñasco un sol, estrellas y luna y despierta el Cuarto Día.)

DÍA 4.º

Del Cuarto Día majestad augusta
son las dos, y no en las dos
solas su esplendor se aúna,
que todo el cielo se esmalta
150 de hermosas estrellas rubias.

(En sueños.)

TODOS

¿Quién tanta luz divulga?

DÍA 4.º

Voz que atractiva mueve a ir en su busca.

(Vase.)

ORFEO

El vago espacio del aire,
del mar la estación profunda,
155 habiten aves y peces,
bajeles de escama y pluma.

(En sueños.)

TODOS

¡Qué dos veloces turbas!

DÍA 5.º

Del Quinto Día el alto afán anuncian.

(En las ondas que se descubrieron se ven correr por ellas algunos pescados y se echan a volar pájaros, y despierta el Quinto Día)[5].

Pues en el de mar y viento
160 pueblan páramos, y espumas
los peces que le atraviesan,
y las aves que le cruzan.

(En sueños.)

TODOS

¿Quién hay que su alma infunda?

DÍA 5.º

Voz que atractiva mueve a ir en su busca.

(Vase.)

ORFEO

165 De diversos animales
valles y montes se cubran,
que rústicamente moren
las entrañas de sus grutas.

---

[5] En esta acotación los textos de 1677 y Pando dicen «descubrieron». Valbuena, no obstante, transcribe «descubrieren», quizá con sentido.

(*En sueños.*)

TODOS
¡Qué variedad tan bella y tan robusta!

(*Por varias concavidades del peñasco se ven testas de diversos animales, y despierta el Sexto Día.*)

DÍA 6.º
170 La fatiga del Sexto Día divulga
esa bruta especie, pero
no por ello se desluzga
su Hacedor, pues ser no deja
animada por ser bruta.

TODOS
175 ¿Quién les dio la fiereza y la hermosura?

DÍA 6.º
Voz que atractiva mueve a ir en su busca.

(*Vase.*)

PRÍNCIPE
Absorto a tantos prodigios
estoy.

ENVIDIA
Yo elevada y muda,
y aun temo que aquí no paren
las maravillas.

PRÍNCIPE
180 Escucha.

ORFEO
Yo que agua, aire, tierra y fuego,
firmamento, sol y luna,
estrellas, frutos y flores,
pieles, escamas y plumas

---

v. 172. *desluzga:* por *desluzca.* Véase la nota al v. 100.

185 vienen a mi voz, de todas
con majestad absoluta
la Humana Naturaleza
goce ufana, porque en suma
conozcan las criaturas
190 que la Naturaleza de todo triunfa.

(Despierta la NATURALEZA HUMANA.*)*

NATURALEZA

¿Qué soberano poder,
del no ser al ser me muda
con vida para que anime
y alma para que discurra?
195 ¿Qué soberano poder,
digo otra vez y otras muchas,
de potencias me ilumina
y de sentidos me ilustra?
Y esto el mismo día que llama
200 a los brutos, porque arguya
cuanto a su ser diferencia
mi ser; pues a vista suya
con perfección más suma
en mí el Día Sexto coronar procura.

(Canta ORFEO *como siempre y ella le escucha sin verle, suspensa)*[6].

ORFEO

205 El que quiere que poseas
todo el universo, a cuya
causa en la porción del Alma
te hace a semejanza suya.
Vive, pues, vive y anima,

---

[6] En la ed. de 1677 y Valbuena: «Canta a Orfeo». Creo que es errata, que ya subsanó Pando por «Canta Orfeo», lectura que aceptamos por el sentido del texto.

210 ya que para que nos una
un lazo de amor y sea
süave nuestra coyunda,
mi voz te inspira, si ya
tú no haces en la caduca
215 terrestre porción del cuerpo,
de que es tu oriente, tu tumba.
Y pues de tanta tarea
es bien que al descanso acuda,
para que el Séptimo Día
220 a mi culto se atribuya.
Sobre todos esos seis
en quien mi voz ejecuta
lo imperioso y lo atractivo,
de su libre albedrío usa;
225 conozcan las criaturas
que la Naturaleza de todo triunfa.

MÚSICOS

Conozcan las criaturas
que la Naturaleza de todo triunfa.

(Ciérrase el globo con él dentro.)

NATURALEZA

Suave acento que tras ti
230 me llevas, aguarda, escucha,
que ya te sigo; por dónde,
no sé, que absorta y confusa
dudo dónde se oculta
voz que atractiva mueve a ir en su busca.

(Ciérrase el peñasco con ella dentro.)

---

v. 221. *seis:* Valbuena, por errata, transcribe «sois».

vv. 227-228. Lamentablemente Valbuena suprime estos dos versos, tan necesarios en este auto eminentemente musical, pues significan las voces de la música, no una mera repetición lógica.

PRÍNCIPE

235 Aquella hermosa beldad
que también en veloz fuga
va tras la voz, es Envidia
la que en sombras y figuras
de un retrato me enseñó
240 en mi primer patria augusta,
para jurarla mi Reina,
y su Esposa Dios, a cuya
vista a un tiempo padecí
las dos mortales angustias
245 de odio y amor, empleando
en mí sus dos fieras puntas,
siendo para que no extrañes
el que me embistiesen juntas,
de amor, por hacer la mía,
250 de odio, por no ver la suya.
Y pues brotando en baldones,
en oprobios y en injurias
mi rencor, dije que siendo,
como era, inferior criatura
255 yo no había de adorarla.
Con cuya obstinada furia,
comunero del Imperio,
trayendo a mi bando muchas
rebeldes tropas, en armas
260 puse la Celeste Curia:
de que resultó, perdida
la batalla, hacer que huya
a las tinieblas, a donde
sienta, llore, gima y sufra.
265 Ya es tiempo de que borremos
a Dios esta hermosa hechura,

---

vv. 235 y sgs. Estos versos se refieren a la lucha de Satanás y sus ángeles contra Miguel y los suyos (*Apo.* 12).

v. 255. En la ed. de 1677, por evidente errata, se dice: «y no había de adorarla», errata ya subsanada en Pando.

haciéndola mía, si tú,
Envidia, mi intento ayudas:
veamos si es muerta en culpa,
270 que la Naturaleza de todo triunfa.

El y Música, dentro, a lo lejos.

ENVIDIA
Si soy Envidia y padezco,
Príncipe, las penas tuyas,
en la parte de ser de otros
felicidades, ¿qué dudas?
275 Aspid me llaman, y pues
hay flores, plantas y frutas,
y en frutas, plantas y flores
dicen que el áspid se oculta.
Ya que hay tierra, a tierra vamos,
280 y no receles, que astuta,
arrastrando por la yerba
que es la piel de mis calumnias,
la planta le muerda el fiero
veneno de mi cicuta,
285 que corriendo al corazón,
sentido y razón ofusca;
con cuyo desmayo tú,
si a la Tierra se la hurtas,
y con ella del Olvido
290 otra vez las ondas sulcas...

ELLA Y MÚSICOS
Verás cómo el Eco repetir rehusa
que la Naturaleza de todo triunfa.

(Dentro, a lo lejos.)

---

v. 283. La historia de Eurídice coincide en este punto con la simbología bíblica, habitualmente utilizada por Calderón. A Eurídice le muerde la serpien-

PRÍNCIPE

En esa esperanza y esta
ira atiende a cuanto estudia
295 de delirios un amor,
que en agua sus torres funda.
¡Oh tú, río del Olvido,
pues que mi voz te conjura,
para que también mi voz
300 por la oposición perjura
de Dios, prodigios intente,
de la verdinegra bruma
de las ondas, cuyo seno
de bóvedas te sepulta,
305 que han de ser a los mortales,
si puedo, lóbregas urnas,
la yerta cerviz levanta,
y haciendo que se sacuda
de ella la escamada crencha,
310 mi mágica voz escucha.

Entre las ondas en que se mueve la nave ha de haber un escollo; éste se abre, y sale dél LETEO, *vestido de barquero, con una guadaña por tridente.*

LETEO

¿Qué es, Príncipe, lo que quieres?

PRÍNCIPE

Que esta nave, que fluctúa
el negro Ponto a tus ondas,

---

te en el pie, como a la mujer del *Génesis* morderá en el talón la serpiente satánica (3, 15).

v. 309. *crencha:* era la raya que queda en la cabeza al separar en dos partes el pelo a cada uno de los lados. Aquí, por el sentido de la acotación subsiguiente, parece referirse a la abertura del escollo por la que saldrá Leteo.

v. 313. *Ponto:* personificación masculina del Mar. Se entendió también como hijo de Neptuno que dio su nombre al Mar Negro.

en ellas se quede surta
315 a tu gobierno, con orden
de que persona ninguna
pase a tu golfo sin que
a mi imperio la reduzgas,
en tanto que a tierra yo
320 voy, llevado de mi astucia
(¡mejor mi rencor dijera!)
en otro traje, a hacer una
presa, por quien diga Pablo,
cuando al mundo te introduzgas,
325 la culpa entró por el hombre
y la muerte por la culpa.

LETEO
De mí fía, que no en vano
a mi amarillez adusta,
el griego idioma Aqueronte,
330 que es decir fría, caduca,
vieja, yerta, pálida imagen
hará que el Hombre traduzga,
cuando al tocar mis orillas
vea el Cielo que se asustan
335 los humanos, pavoridos
de mi macilenta, mustia
tez, haciendo que obedezcan

---

v. 314. *surta:* participio de *surgir,* pero en la acepción de «fondeada» la nave.
v. 318. *reduzgas:* por *reduzcas* (véase nota al v. 100).
vv. 323-326. Pablo lo dice en la *Epístola a los Romanos* (5, 12).
v. 324. *introduzgas:* por *introduzcas.* Igual que el v. 318.
vv. 329 y sgs. *Aqueronte:* en la mitología clásica era hijo del Sol y de la Tierra. Fue transformado en río y arrojado a los infiernos, por haber proporcionado agua a los Titanes, estando éstos en guerra con Júpiter. Desde entonces es símbolo de río infernal. La etimología de los nombres clásicos fue tratada a menudo de forma fantástica. Así, algunos hicieron proceder la palabra Aqueronte del término egipcio Acon-Caron, que significa «laguna de Caron». Otros interpretan la partícula inicial como privativa *a-cairoin,* que sería «sin alegría», y otros todavía la hacen provenir de *acos* (dolor) y *roos* (río), para significar «río del dolor». A alguna de estas etimologías parece referirse Calderón en los versos siguientes. Aqueronte también era el barquero que llevaba las almas de los muertos al infierno a través de la laguna Estigia.

tus órdenes con tan dura
ley que el que una vez las pase,
340 no vuelva a pasarlas nunca.

PRÍNCIPE
De ti lo espero, y yo haré,
si es que me vale mi industria,
que tu tridente sus fueros
pase al Orbe.

LETEO
Sus agudas
345 cuchillas serán guadañas,
que en fúnebres sepulturas
abran la tierra, si tú
las posees.

ENVIDIA
La chalupa
llegue a bordo, que has de verte...

LETEO
350 Sí hará, si mi horror te ayuda.

ENVIDIA
De aquella presa pirata.

LETEO
Ladrón de aquella hermosura.

ENVIDIA
Por más que dice ese acento.

LETEO
Por más que esa voz pronuncia.

PRÍNCIPE
355 Si ambos me ayudáis, ¿qué importa
que ellos repetir presuman:

ELLOS Y MÚSICOS
Puesto que es de tantas bellas criaturas
la Naturaleza reina absoluta,
hoy el Placer vea de todas juntas
360 que la Naturaleza de todas triunfa?

Con esta repetición, sonando a un tiempo el clarín, la música y la representación, da vuelta la nave con el PRÍNCIPE *y la* ENVIDIA, *el escollo se cierra con* LETEO *y salen del carro del peñasco los* DÍAS *cantando y bailando delante de la* NATURALEZA, *y el* PLACER *con ellos, introducido en su festejo, cuya copla se repite lo que tarden en desaparecer escollo y nave*[7].

MÚSICOS

Puesto que es de tantas bellas criaturas,
[la Naturaleza reina absoluta,
hoy el Placer vea de todas juntas
que la Naturaleza de todas triunfa.]

PLACER

365 Si es que el Placer lo ha de ver,
bien es que a la fiesta acuda,
pues para aquella ocasión
fue de otro festín resulta.
Y así, pues todos tenéis
370 hoy el Placer de que cumpla
el Cielo las perfecciones
del ser, que no fuera nunca
si él no quisiera que fuera,
usando de la dulzura
375 de su voz, no viene mal
que con todas me introduzga,

(Cantando.)

diciendo de fiesta, de gira y de bulla,

(Con todos.)

---

[7] En Valbuena «sonado a tiempo», por mala lectura de la abreviatura original (Pando, 2.ª impresión).

vv. 362-364. Restituyo los versos del *etc.*, que siguen en el original al primer verso de la *Música*.

puesto que es de tantas bellas criaturas

(Y baile.)

la Naturaleza reina absoluta,
380 hoy el Placer vea de todas juntas
que la Naturaleza de todas triunfa.

NATURALEZA

Ya que vamos, claros Días,
en busca de aquella voz,
que dulcemente veloz
385 vuestras dichas y las mías
del no ser al ser eleva,
sin ver a quién se le debe,
pues sólo un *sea* nos mueve,
sólo un *hágase* nos lleva,
390 ¿no será bien que rendidos,
en fe de que pretendemos
conocerle, que a él pasemos
la alabanza agradecidos
que a mí me ofrecéis, y en muestras
395 de amor de nuestra alegría,
al descanso de su Día,
de las grandes obras nuestras
debidas gracias?

TODOS

Sí.

NATURALEZA

Pues
conmigo decid (en tanto
400 que a él hallamos) ahora un canto,
que será psalmo después.

---

vv. 388-389. *sea, hágase:* palabras del Creador en el *Génesis.*

v. 401. *que será psalmo después:* el salmo que aquí parece anunciar Calderón es un texto que parafrasea la Creación, como lo muestran los versos que siguen, y que en algunos puntos pueden coincidir con el *Sal.* 104, que no es otra cosa que un canto al esplendor de la Creación.

(Ella representa y todos cantan alrededor de ella, danzando y bailando. Representando.)

Al Señor confesemos...

(Cantando.)

Al señor confesemos...

NATURALEZA
Que con una voz sola...

MÚSICOS
405 Que con una voz sola...

NATURALEZA
Es el principio y fin...

MÚSICOS
Es el principio y fin...

NATURALEZA
De tantas bellas obras.

MÚSICOS
De tantas bellas obras.

NATURALEZA
410 Confesemos su gloria...

MÚSICOS
Confesemos su gloria...

NATURALEZA
Pues es en eterno su misericordia.

MÚSICOS
Pues es en eterno su misericordia.

NATURALEZA
Al que es Dios de los dioses,
415 y según la fe informa,
es en la esencia uno
y trino en las personas.

MÚSICOS
Confesemos su gloria,
pues es en eterno su misericordia.

NATURALEZA

420 Señor de los Señores,
que con su poderosa
mano a la más ruda
materia bella forma.

MÚSICOS

Confesemos su gloria,
425 pues es en eterno su misericordia.

NATURALEZA

Al que en su entendimiento,
con sólo querer obra
de nuevas maravillas
las fábricas hermosas.

MÚSICOS

430 Confesemos su gloria,
pues es en eterno su misericordia.

NATURALEZA

Al que afirmó la tierra
sobre las vagas ondas
e hizo dos luminares
435 de luces y de sombras.

MÚSICOS

Confesemos su gloria,
pues es en eterno su misericordia.

NATURALEZA

Al que pobló la tierra
de escuadrones de rosas,
440 y de peces, y aves,
el mar, y el aire a tropas.

MÚSICOS

Confesemos su gloria,
pues es en eterno su misericordia.

NATURALEZA

Al que manchó de varios
445 colores pieles toscas,
que en sólo brutos pueden
ser las manchas curiosas.

MÚSICOS

Confesemos su gloria,
pues es en eterno su misericordia.

NATURALEZA

450 Y pidámosle todos
con mil ansias devotas
que de los que le buscan
ni se oculte ni esconda.

Sale ORFEO *cantando.*

ORFEO

No hará, beldad hermosa,
455 porque es en eterno su misericordia.

PLACER

¿Siempre tu voz ha de ser
suave, dulce y amorosa?

LOS DÍAS

Sí, que como es perfección
el canto, hasta de él se adorna.

ORFEO

460 Y para que vean los Días
que alimentaron las Horas,
que quien me busque me halle,
que a quien me halle responda
y a quien me pida conceda,
465 al paso os salgo, de forma
que agradecida mi Fe
a esas ansias amorosas,
quiero que se conozca
cuanto es en eterno mi misericordia.
470 Enamorado de ti,
porque a mi amor correspondas,
la gala de las finezas
vestí en traje de lisonjas,
usando de aquella voz,
475 que a tus ojos misteriosa

la gran fábrica del mundo
puso en primores de solfa.
Y tanto, que si a la Tierra
sobresaliere una rosa,
480 un átomo al aire, al fuego
un rayo, al mar una gota,
todo disonara, y siendo
así, que es música toda
su acorde unión, bien en fe
485 de habilidad tan heroica,
y de ser Hijo del Sol
de Justicia, cuya antorcha,
Dios de Dios y luz de luz
en sus símbolos me nombra,
490 espero que de mi amor
te obligues, zagala hermosa,
pues ya se sabe que un alma
en gracia es mi mejor boda,
mostrando al ser mi esposa
495 cuánto es en eterno mi misericordia.

NATURALEZA

Bello músico, que inspiras;
galán poeta, que formas
tan perfectos los acentos
que a sus cláusulas sonoras
500 las aves su vuelo inclinan,
los peces su esfera cortan,
los brutos su estancia dejan,
las flores dejan su alfombra,
los árboles sus raíces,

---

v. 477. *solfa:* es el arte de leer y entonar las diversas voces de la música.

v. 486. Aunque Orfeo pasa por ser hijo de Eagro, rey de Tracia, en la tradición más admitida, también algunos le consideran hijo de Apolo (el Sol), tradición poética generalizada en época moderna, que, en este caso, parece seguir Calderón, como la mayor parte de poetas españoles de los siglos XVI y XVII. La fuente del dramaturgo pudo ser la *Primera Parte de los dioses de la Gentilidad* de Baltasar de Vitoria (1646), aunque el dato, como decimos, estaba ya ampliamente admitido.

505 y aun yendo andando sus copas,
sin ser la voluntad tuya,
no se movieran sus hojas.
Tan humilde, tan rendida,
tan voluntaria se postra
510 a ti el alma, que confiesa
ser más esclava que esposa.
Mas ¿qué mucho, si te ama, si te adora?

MÚSICOS

Porque es en eterno tu misericordia.

ORFEO

Entra a mi florido Alcázar,
515 cuya estancia deleitosa
tu eterna patria será,
edades siempre dichosas,
sin que conozcas que es
penalidad ni congoja,
520 pues aun lo que es muerte yo
haré que no lo conozcas,
mientras tú advertida vivas
de que entre flores y rosas
puede haber áspid que intente
525 verter la amarga ponzoña
de sus iras, infestando
la más matizada poma,
que yo te señale, en quien
su mortal veneno ponga.

NATURALEZA

530 Si tú me adviertes y yo
a tu voz he de estar pronta,
¿qué veneno habrá que tema,
si no ha de haber Ley que rompa?

ORFEO

Ven pues, y todos venid,

---

v. 520. Valbuena transcribe por error «muerto», en lugar de «muerte», como corresponde.

v. 534. *Ven pues...:* Valbuena transcribe «venid pues...», con una sorpren-

535 pues en su edad venturosa
ella ha de gozar los Días
que eternos siglos compongan.

NATURALEZA

Venid, y cantando sea,
para que, hablando en su propia
540 frase, se suene mejor
lo que de nosotros oiga.

MÚSICOS

Al Señor confesemos,
que con una voz sola
es el principio y fin
545 de tantas bellas obras.

TODOS

Confesemos su gloria,
pues es en eterno su misericordia.

Haciendo la MÚSICA *y los* DÍAS *dos alas, se entran por en medio de ellos* ORFEO *y la* NATURALEZA, *dadas las manos, y todos con sumisión los siguen cantando. Queda el* PLACER *solo, y salen el* PRÍNCIPE *y la* ENVIDIA, *vestidos de villanos.*

PLACER

¿No es bueno, que ya de miedo
no puedo entrar en la troba,
550 al oír que entre las flores
hay áspides que se escondan?

---

dente nota a pie de página, que dice: «Así el texto, aunque sobra una sílaba, acaso la y». En realidad no sobra más que el *venid* inicial, que no consta en ninguna edición fiable, ni en la *princeps* de 1677, ni en Pando (1.ª y 2.ª impresión). ¿De dónde lo transcribió Valbuena? Teniendo en cuenta que, por las frecuentes erratas de su texto, coincidentes con la 2.ª impresión de Pando, hay que sospechar que esa edición (y esa impresión) es la que utilizó en su transcripción, sin cotejar con los primeros originales. Tanto más sorprendente es esto ya que esta 2.ª impresión en este caso concreto reproduce el original con corrección.

v. 535. En Valbuena por error: «pues en edad venturosa».

PRÍNCIPE

Ya a la vista del empeño,
Envidia, estamos, si notas
que del damasceno campo,
555 donde la busca y la informa
a su ameno Paraíso
la lleva.

ENVIDIA

Pensemos forma
de introducirnos en él.

PRÍNCIPE

Pues lo primero que topa
560 la Envidia es con el Placer
de otros, y el ser nos emboza
villanos como él, y el traje
tal vez las almas conforma,
de él nos valgamos.

ENVIDIA

¿No fuera
565 más conveniente por otra
razón?

PRÍNCIPE

¿Qué razón?

ENVIDIA

Que siendo
su Placer, fuera gran cosa
le hiciéramos su pesar.

(Vanse acercando a él.)

PLACER

¿Quién anda por aquí? ¡Hola!

---

v. 554. *damasceno campo:* ha de interpretarse como «el lugar donde fue formado Adán», y, por consiguiente, la tierra de ese campo de la que fue hecho (véase nota a los vv. 147-148 del auto *Los hermanos parecidos* de Tirso, en esta misma edición).

v. 569. En Valbuena *ahí,* en lugar de *aquí,* como rezan todos los textos antiguos.

570 ¿Qué fuera, que fuera el áspid?

PRÍNCIPE

Quien no se atreve no logra;
ignorantes nos finjamos,
con sencillez cautelosa,
para asegurarle.

ENVIDIA

Pues
575 atrás le deja la tropa,
quizá porque menester
no ha más Placer del que goza:
tenle.

(Retírase.)

PRÍNCIPE

Sí haré; mas ¡ay triste!

ENVIDIA

¿Qué te retiras y asombras?

PRÍNCIPE

580 ¡Ay! Que es Placer y no puedo
tenerle yo.

(Tiénele la ENVIDIA.*)*

ENVIDIA

Llega agora,
que para hacerle pesar,
que sea Placer, ¿qué importa?
Tente, rústico pastor.

PRÍNCIPE

Villano, tente.

(Cógenle los dos en medio.)

PLACER

585 ¡Ay de mí!

¿Si anda el áspid por aquí?

LOS DOS

¿Pues de qué tienes temor?

PLACER

De veros a vos y a vos.

PRÍNCIPE

¿Eso qué te desconfía?

PLACER

590 Que cuando un áspid temía,
pienso que he dado con dos.

ENVIDIA

¿Por qué lo dices, villano?

PLACER

Porque tenéis, a mi ver,
cara de echar a perder
595 a todo el género humano.
¿Quién, diablo, sois, que no os vi
otra vez, ni veros quiero?

PRÍNCIPE

Tan instante mi primero
Placer fue, que sería así.

ENVIDIA

600 Dos extranjeros pastores
somos, que huyendo venimos
de otra patria en que nacimos
los siempre usados rigores
con que la propia nos trata;
605 y así a restaurar su pena
vamos buscando la ajena;
y viendo que se dilata
de esta la voz, en cuanto es
abundante, rica y bella,
610 nos quedaremos en ella,
si hay en que ocuparnos, pues
habiendo jardines bellos
y sabiendo agricultura
será de todos ventura

615 introducirnos en ellos.
A que este efecto de ti
nos quisiéramos valer.

PRÍNCIPE

Y de camino saber
qué tierra es y quién aquí
620 vive, y qué voz es aquesta
que hace los montes mudar.

PLACER

Por Dios que me he de vengar
del susto y que ha de haber fiesta.
Pues para dar que reír,
625 propio oficio del Placer,
una fábula ha de ser
la que les he de decir.
La tierra a que habéis llegado
haced, labradores, cuenta
630 que es la gran Isla de Tracia,
fértil pedazo de Grecia

(Aparte.)

(bravos delirios les digo,
si ya el curioso no atienda,
que los delirios adrede
635 tal vez fueron sutilezas).
Entre otras grandezas suyas,
es hoy su mayor grandeza
un Músico que a su voz
no hay cosa que no se mueva.
640 A cuya causa es su nombre
Orfeo, que se interpreta

---

v. 630. *Tracia:* era la región de la que procedía Orfeo. Aunque propiamente es una zona continental al sur de los Balcanes, Calderón la convirtió en una isla por medio de su apreciación poética.

vv. 640-642. Falsa etimología del nombre Orfeo, que proviene seguramente de la interpretación dada por Fulgencio, o de los posteriores comentaristas su-

dorada voz o voz de oro,
porque como el oro tenga
virtud atractiva, pasa
645 a la voz sus excelencias.
Hijo dicen que es del Sol,
y aun el Sol mismo pudiera
ser, según igual el Padre,
concepto de Luz le engendra.
650 Este, músico de Gracia
(equivocóse la lengua,
de Tracia quise decir)...;
pero poco hay que se pierda
en que de Gracia le llame,
655 y pues es la suya inmensa,
con *tuis amicis non te*
ponas in una litera.
Tiene una Esposa tan linda,
que lo menos que hay en ella
660 es la belleza, y mirad
cuáles en sus excelencias
las demás serán, si es
la de menos la belleza.
No hay ciencia de que no esté

---

yos. Calderón, como es frecuente en él, explota ciertas similitudes fonéticas de algunos vocablos para alcanzar en cada caso el valor semántico que más le conviene.

En Valbuena «...que *fe* interpreta», por errata o error de lectura.

vv. 647-649. Alusión a la simbología de Orfeo-Cristo, Sol-Dios que posibilita grandemente el que de forma tradicional se considere, como hemos visto a Orfeo hijo del Sol.

v. 650. *Gracia:* por *Tracia*. Confusión intencionada, como el propio autor reconoce a continuación.

vv. 656-657. Se juega con el sentido de «littera» (letra y carta) en latín, y *litera* (especie de silla de manos) en castellano. Lo que viene a significar: «No discutas por una letra con tus amigos» y «No te pongas en una *litera* con tus amigos», utilizando la ambivalencia referida. Recordemos que el que habla es el Placer, que en los autos sacramentales es el equivalente al «gracioso» de la comedia, por lo que no son extrañas sus intervenciones chistosas.

665 dotada, tanto, que al verla
tan sabia, que incluye toda
la erudición de las ciencias,
Eurídice la han llamado
los que al pronunciarla alteran
670 el nombre de erudición,
el acento o la cadencia
(¡cuáles están, aunque en griego
les hablo, la boca abierta!).
Dríade, ninfa del agua,
675 hay quien diga que es; mas esta
razón pienso que es porque
una gran ventura espera,
que por Agua ha de venirla.
En fin: en estas florestas
680 que son bello paraíso
(bien que poco el serlo cuesta),
pues si él dice: vengan flores,
vienen flores; frutos vengan,
vienen frutos, fuentes, ríos,
685 troncos, aves, peces, fieras.
Tanto a Eurídice Orfeo ama,
que pienso que si la viera...

(Dentro, los instrumentos.)

en el infierno... Mas esto
para adelante se queda
690 pendiente; agora, porque

---

vv. 667-668. De nuevo otra falsa etimología, basada igualmente en Fulgencio, con bastante probabilidad, que en este caso hace depender el nombre de Eurídice de «erudición».

En el texto de 1677 dice «Erudice», aunque más adelante se transcribirá «Eurídice», por lo que unificamos la ortografía pensando que la primera forma es errata.

v. 674. *Dríade:* es más bien una ninfa de los bosques. Las *dríades* o *dríadas* presidían los bosques y los árboles y existía la creencia de que estas ninfas castigaban a quienes se permitían ultrajar a los árboles que estaban a su cuidado.

él se ha retirado, y ella
discurriendo espacios, ya
de jardines, ya de selvas,
viene hacia aquí, si servirla
695 deseáis, la diligencia
con ella haced, no conmigo,
que si por mi voto fuera,
no os recibiera, porque
(si no me mienten las señas)
700 traza tenéis de no ser
buenos en Dios y en conciencia
para nada de esta vida.
Con esto, adiós; buenos quedan
con la fabulilla, y más
705 si agora engañados llegan,
como a Eurídice a decirla
que en su servicio los tenga.

(Vase.)

ENVIDIA
¿De qué suspenso has quedado?

PRÍNCIPE
De que este villano crea
710 que con la verdad me engaña.

ENVIDIA
Pues ¿puede ser verdad ésta?

PRÍNCIPE
La Gentilidad, Envidia,
ídolatramente ciega,
teniendo de las verdades
715 lejanas noticias, piensa
que falsos dioses y ninfas
atribuya las inmensas
obras de un Dios solo; y como
sin luz de fe andan a ciegas,
720 hará con las ignorancias
sospechosas las creencias.

¡Cuántas veces se verán
los poetas y profetas
acordes, donde se rocen
725 verdades en sombra envueltas!
¿Qué más Faetonte que yo,
que por gobernar la excelsa
carroza del Sol caí?
Y de esta misma manera
730 habrá infinitos lugares
que por repetidos deja
mi voz, en que se confronten
divinas y humanas letras
en la consonancia amigas
735 y en la religión opuestas.
Y siendo así, que aquel texto
de la Sabiduría eterna
que la armonía del Mundo
medida y número tenga,
740 careado con Isaías,
adonde cantar intenta
lo que Cristo cantará
a su viña, que es la iglesia
de este soberano Orfeo,
745 le han de entender cuantos vean,
que la música no es más
que una consonancia; y que ésta
está tan ejecutada

---

v. 726. *Faetonte* o *Faetón:* era el hijo del Sol y de Climene. Guió el carro de su padre con tan poca experiencia y fortuna que abrasó las tierras a las que se aproximaba, y heló aquellas de las que se alejaba demasiado. Zeus, para evitar más desastres, le fulminó con un rayo y lo arrojó al río Erídano. Es éste uno de los temas clásicos más tratados en la poesía barroca española (véase A. Gallego Morell, *El mito de Faetón en la literatura española,* Madrid, CSIC, 1961). En estos versos Calderón equipara la soberbia de Satanás con la presunción de Faetón, cuyo mito simbolizó frecuentemente, como el de Icaro, las ansias de elevarse por encima de la propia condición humana.

vv. 736-743. Isaías canta a Dios como creador que cuida y pesa su obra de creación *(Is.* 40, 12-17), e igualmente las estrofas de su cántico (cap. 61) son el anuncio de una era mesiánica, que el propio Cristo se aplicó a sí mismo *(Lc.* 4, 16-21).

en la fábrica perfecta
750 del instrumento del Mundo,
que en segura consecuencia,
es Dios su músico; pues
voz y instrumento concuerda.
¿Quién quita que haya adelante,
755 quién una Verdad tan cierta
la vicie hacia algún mortal,
refiriendo a la elocuencia
de su voz, que a su dictamen
se mude cuanto le atienda?
760 Y así, para ver si sale
la fábula en todo entera,
he de ser yo el Aristeo
que esta hermosura previerta,
no sin etimología
765 también; ¿de Antiteos la letra
contra Dios no se traduce?
Y corrompida, ¿no suena
casi lo mismo Antiteo
que Aristeo? Pues atenta
770 desde aquí, Envidia, a dos luces,
a dos visos, dos ideas;
verás si dice la historia
lo que a la fábula resta.

ENVIDIA

Yo, pues en la Alegoría
775 (si algo penetro a tus ciencias)
discurro que ha de haber áspid

---

v. 762. *Aristeo:* era hijo de Apolo y de Cirene, y padre a su vez de Acteón. Persiguió a Eurídice a lo largo de un río con ánimo de violarla, pero en la persecución Eurídice fue mordida por una serpiente y murió.

vv. 764-771. Nuevamente Calderón juega con una falsa etimología por la presunta homofonía entre Aristeo y Antiteos, aunque el hallazgo paronomásico parece un poco forzado, por lo cual el autor intenta justificarlo con aclaraciones. Es curioso y no deja de ser un juego humorístico el que Calderón explique al espectador el uso de sus propios recursos (técnica muy frecuente en él), y anuncie la simbología de la fábula y sus mecanismos como en los versos que siguen (vv. 774-781).

que el pie a la Eurídice muerda,
haré mi papel en flores
y frutos, pues nadie llega
780 a ignorar cuánto la Envidia
áspid es.

(Los instrumentos.)

PRÍNCIPE

Calla, que llega.

ENVIDIA

Bien las músicas lo dicen
de la hermosa primavera
de sus días.

PRÍNCIPE

Toda es
785 aplausos, dichas y fiestas.

Salen los DÍAS *y los* MÚSICOS *cantando, y la* NATURALEZA *ricamente vestida detrás, como señora de ellos; cada uno trae las insignias de su creación, la hacha el Día Primero, y el Tercero, las frutas y flores, etc.*

MÚSICOS

Pisa, pisa con tiento las flores,
quedito, pasito, Divina Belleza;
pisa, pisa, con tiento las flores,
que dice el Amor que anda el áspid en ellas.

NATURALEZA

790 ¡Qué alegres que son los días
que en esta apacible esfera
me asisten, pues no hay sentido
que sus obras no diviertan!

MÚSICOS

Quedito, pasito, Divina Belleza.

---

vv. 786 y sgs. Calderón utilizó esta canción por lo menos en otras dos ocasiones: en el auto *El laberinto del mundo*, y en la comedia *Fortunas de Andrómeda y Perseo* (véase Wilson y Sage, *Poesías líricas en las obras dramáticas de Calderón*, London, Támesis Books, 1964, págs. 96-97).

NATURALEZA

795 Dígalo la Vista en luces,
dígalo el Oído en tiernas
cláusulas de fuentes y aves;
el Tacto, en las auras bellas;
el Olfato, en los aromas;
800 y el Gusto, en frutas diversas.

MÚSICOS

Quedito, pasito, que anda el áspid en ellas.

NATURALEZA

Feliz yo, que tantas dichas
gozo. Mas ¿qué gente es ésta?

(Ve a los dos.)

PRÍNCIPE

¡Turbado estoy! Llega tú,
805 que yo inspiraré tu lengua.

ENVIDIA

Cuidado con que habla el áspid,
porque el Demonio le alienta.

(Llega a hablarla la ENVIDIA, *y el* PRÍNCIPE *detrás de ella, como que le dicta al oído lo que dice, representando lo mismo el uno quedo que la otra en voz.)*

ENVIDIA

Quien de otra extranjera patria,
sabiendo las dichas de ésta,
810 no sin mérito en alguna
habilidad que profesa,
viene a servirte, si es
que tanta dicha merezca.

NATURALEZA

¿Qué habilidad es la tuya?

---

v. 795. Este verso está omitido en la ed. de Valbuena Prat, por evidente descuido de transcripción.

ENVIDIA

815 La agricultura, en que emplea
mi estudio tantas auroras,
que no hay flor, planta ni hierba,
fruta ni hoja de quien yo
las cualidades no sepa.

PRÍNCIPE

820 Y para que lo conozcas

(Al oído.)

pasemos a una experiencia.

ENVIDIA

Y para que lo conozcas,

(En voz.)

pasemos a una experiencia.

PRÍNCIPE

¿Por qué de todas las frutas...?

ENVIDIA

825 ¿Por qué de todas las frutas...?

PRÍNCIPE

¿Que te previno la Tierra...?

ENVIDIA

¿Que te previno la Tierra...?

PRÍNCIPE

¿No comes...?

ENVIDIA

¿No comes?

NATURALEZA

De todas como,
830 sino solamente de ésta,
que de mi Esposo exceptada,

---

v. 831. *exceptada:* por *exceptuada.* En la ed. de 1677 y Pando (1.ª impresión) se transcribe de la primera forma. Pando (2.ª impresión) transcribe «exceptua-

sólo me permite verla.

(Sale un manzano que habrá entre otros árboles en el peñasco.)

PRÍNCIPE
¿Por qué?

ENVIDIA
¿Por qué?

NATURALEZA
O porque, más hermosa,
835 está a más riesgos expuesta
de los tósigos de un áspid,
o porque al mandarlo él, tenga
lo superior de su ser
algún culto en la obediencia
840 que inferior me reconozca.

PRÍNCIPE
¡Ay! Que no es la causa esa.

ENVIDIA
¡Ay! Que no es la causa esa.

NATURALEZA
Pues ¿cúal es?

PRÍNCIPE
Que en ella está.

ENVIDIA
Que en ella está.

PRÍNCIPE
845 Del bien y del mal la ciencia.

ENVIDIA
Del bien y del mal la ciencia.

PRÍNCIPE
Porque no seas divina
como él, este árbol te veda.

---

da», lectura que sigue Valbuena. Nosotros respetamos el texto de la *princeps,* ya que las vacilaciones en ambas formas están registradas en *Dic. Aut.*

ENVIDIA

Porque no seas divina
850 como él, ese árbol te veda.

PRÍNCIPE

Y para que no lo dudes,
llega a examinarlo, llega.

ENVIDIA

Y para que no lo dudes,
llega a examinarlo, llega.

PRÍNCIPE

855 Come y como Dios serás.

ENVIDIA

Come y como Dios serás.

(Toma una manzana del árbol.)

NATURALEZA

¡Qué misteriosa propuesta!
¡Y qué hermosa es la manzana!
Mas no a tocarla me atreva,
860 no se ofenda, aunque si soy
divina como él, no tema;
pues en viéndome su igual,
¿qué imperio tendrá la ofensa?

(Tómala y hace que la gusta.)

Mas ¡ay infeliz de mí!

ENVIDIA

865 Mientras padece la fuerza
del veneno, de que ya
la nueva Eurídice queda
herida, a esperarla tú
ve a la lóbrega ribera
870 del olvido, que yo haré,
pues me he de quedar con ella,
sombra siendo de su culpa,
que como noche funesta,

al ir pasando los Días,
875 a dar en tus manos venga.

(Vase.)

PRÍNCIPE

A esperarla voy.

(Vase.)

NATURALEZA

¡Ay triste!
¡Qué nuevo pasmo! ¡Qué nueva
ansia! ¡Qué nueva aflicción,
tanto el corazón estrecha,
880 que ya no cabiendo en el pecho, revienta,
y para salir, a pedazos se quiebra!

TODOS

¿Qué es lo que sientes?

NATURALEZA

No sé.
¡Una agonía! ¡Una pena!
¡Una angustia! ¡Una congoja!
885 ¡Un dolor! ¡Una violencia!
¡Un parasismo! ¡Un letargo!
¡Un frenesí! ¡Una tristeza!
¡Un delirio! ¡Una ilusión...,
que tras sí la vida lleva
890 tan arrastrada, que apenas conozco
mi ser, y es verdad, pues que sólo es a penas!

---

vv. 880-881. Cómparese con el monólogo de Segismundo en *La vida es sueño* (comedia):

En llegando a esta pasión
un volcán, un Etna hecho,
quisiera sacar del pecho
pedazos del corazón.
(vv. 163-166.)

v. 886. *parasismo:* lo mismo que *paroxismo*. En la época se vacilaba entre las dos formas, aunque la primera era quizá más frecuente.

DÍA 6.º

¿No dirás de que te afliges?

DÍA 5.º

¿De qué lloras?

DÍA 4.º

¿De qué tiemblas?

DÍA 3.º

¿Qué te asusta?

DÍA 2.º

¿Qué te asombra?

DÍA 1.º

¿Qué te atemoriza?

NATURALEZA

895 Esa
llama que es espada de fuego
Primer Día representa,
blandida en tu mano una
ardiente ondeada culebra
900 que de mi patria me arroja:
no, no la esgrimas, espera,
detente, no pases, que al ver que te acercas
me afliges, me asustas, me abrasas, me quemas.

(Va pasando el Día Primero, y sale por detrás de él la ENVIDIA *vestida de negro, con manto largo y banda en el rostro, y haciendo acción como que le apresura para que pase, se queda ella en su lugar, y con todos hace lo mismo, de suerte que siempre haya* NOCHE *entre uno y otro* DÍA.*)*

ENVIDIA

¡Oh, quién hiciera que en culpa
905 pasaron los días apriesa!

NATURALEZA

Detente.

DÍA 1.º

¿Cómo es posible?

NATURALEZA

¿Qué?

DÍA 1.º

¿Que el Día se detenga,
y más cuando está la Noche
haciendo a que pase fuerza?

NATURALEZA

910 ¿Qué me ha sucedido en ti?

DÍA 1.º

Dígalo el que me suceda,
que si hasta aquí fuimos todos
uno en la igualdad de aquella
tranquila paz, es preciso
915 que ya un os tras otros vengan.

(Pasa el DÍA 1.º*)*

NATURALEZA

¡Ay, que entre uno y otro Día
está la Noche interpuesta!
¡Qué horrible! ¡Qué obscura! ¡Qué triste! ¡Qué ne-
[gra!
Mas ¡ay, que es imagen de mi inobediencia!
920 ¿Quién pudiera della huir?

(Pasa el Segundo Día, apresurándole la NOCHE.*)*

DÍA 2.º

¿Dónde has de ir?

NATURALEZA

Donde no vea,
Día Segundo, que tu cielo
se viste de nubes densas
en llegándole la Noche,
925 y que ellas rayos engendran
que en relámpagos y truenos
no hay monte que no estremezcan.

DÍA 3.º

Mira.

NATURALEZA

¿Qué, Tercero Día,
ha de ser, si veo la Tierra
930 que en ti vi llena de flores,
de abrojos y espinas llena?
¡Mal hayan tus frutas, tus plantas, tus yerbas,
que perlas conciben y áspides engendran!

DÍA 4.º

Advierte.

NATURALEZA

¿Qué he de advertir,
935 si astros, sol, luna y estrellas,
adornos del Cuarto Día,
a la crisis se sujetan
de las fiebres de un eclipse?

DÍA 5.º

Atiende.

NATURALEZA

¿A qué, si me anegas,
940 Día Quinto, al esplayar
de tus cárceles de arena
las ondas de mil marinos
monstruos tu espuma cubierta?
Y tú, Aire, de funestos
945 pájaros, que en vez de tiernas
cláusulas, roncos gemidos
sólo entonan.

DÍA 6.º

Considera.

NATURALEZA

¿Qué puedo considerar,
Sexto Día, si tus fieras,

---

v. 943. En Valbuena «monstruos de espuma cubierta». Debe ser errata, pues no se justifica la variante. Tanto en la ed. de 1677 como en Pando (1.ª y 2.ª impresión): «monstruos tu espuma cubierta».

950 que humildes estaban, contra mí sangrientas,
las garras aguzan, afilan las presas?
¿Qué rebelado motín
contra la Naturaleza
es éste? ¿Todos los Días
contra mí?

TODOS

Sí.

NATURALEZA

955 ¿Que aún no fuera
alguno en mi favor?

TODOS

No.

UNOS

Porque mires.

OTROS

Porque adviertas.

TODOS

Que los Días las desdichas
las ven, mas no las remedian.

Sale el PLACER.

PLACER

960 ¿Que los Días las desdichas
las ven, mas no las remedian?
¿Qué alboroto será éste?

NATURALEZA

¿Quién eres tú?

PLACER

Quien quisiera,
por no mirarte tan otra,
965 tan ajada, y tan deshecha,

---

v. 965. En Pando (2.ª impresión): «tan ajada, tan deshecha», lectura que sigue Valbuena, quien indudablemente se basa siempre en este texto.

como hermosura por quien
pasan días, que la tierra
le tragara.

NATURALEZA

Pues Placer,
¿también tú el pesar me aumentas?

PLACER

970 ¿Qué culpa el Placer tendrá,
si tú el oficio le truecas?

NATURALEZA

Grande fue mi culpa, pues pudo su ofensa
hacer que el Placer en pesar se convierta;
mas ¿cómo si los Días pasan,
975 fija la noche se queda?

ENVIDIA

Es la imagen de tu culpa,
y así que te siga es fuerza.

(Vase hacia la nave del LETEO.*)*

NATURALEZA

De ti huiré.

ENVIDIA

Será hacia donde
quiero yo, porque se vea
980 que no hay otra senda ya.

NATURALEZA

Y tan pavorosa senda,
que, mal afirmado el pie,
al pisarla desalienta,
el corazón desfallece;
985 mas si los Días me dejan,
claro es que faltar los Días
es morir, ¿dónde suspensa,
helada, torpe, caduca,
desmayada, absorta y ciega
iré a parar?

---

v. 968. En Valbuena: «Pues tú Placer», lectura que no registran las ediciones antiguas, y que es errónea e imposible por la correcta medida del verso.

Sale el PRÍNCIPE *a tiempo que ella, tropezando, cae en sus brazos desmayada.*

PRÍNCIPE

990 A mis brazos,
de donde pasarte pueda
a las ondas del olvido.
¡Leteo!

(Sale LETEO.*)*

LETEO

¿Qué me mandas?

PRÍNCIPE

Esta
es la presa que cosario
995 del mar, ladrón de la tierra,
robada a mi imperio traigo;
ya es tuya, carga con ella,
y pase de esotra parte
del vivir.

LETEO

Temor no tengas,
1000 que ya en mi poder y ya
introducida mi fiera
saña en los mortales, haya
quien pase mi línea y vuelva.

(Vase LETEO, *llevándola.)*

ENVIDIA

Yo lo dudo.

PRÍNCIPE

¿Tú lo dudas?

ENVIDIA

1005 Sí, si hay curioso que atienda
que no es la muerte del cuerpo,
sino la del alma ésta.

(Vanse los dos.)

EURÍDICE *(Dentro.)*

¡Ay infelice de mí!

PLACER

¿Cómo, decí, a socorrerla

1010 no vais, perezosos Días?

TODOS

Como nos faltan las fuerzas,
que los Días las desdichas
las ven, mas no las remedian...

Sale ORFEO.

ORFEO

¿Que los Días las desdichas

1015 las ven, mas no las remedian?
Bien lo sé, pero aquí importa
que humano modo se entienda.
¿Qué voces aquellas son?

DÍA 1.º

Dígalo esta llama muerta.

DÍA 2.º

1020 Dígalo empañado el Cielo.

DÍA 3.º

Las flores de espinas llenas.

DÍA 4.º

La luna y sol, los eclipses.

DÍA 5.º

De viento y mar las tormentas.

---

v. 1009. *decí:* por *decíd.* Licencia normal sobre todo en el habla popular, pero aquí necesaria por la exigencia métrica. Valbuena anota a pie de página: «El texto, *decid,* pero como lo exige el verso, es natural que el Placer, gracioso, empleara la forma 'decí'». Es asombroso que introduzca Valbuena tal anotación. Si hubiera consultado la edición *princeps* de 1677, se habría podido ahorrar la explicación, pues este texto dice textualmente «decí», y sólo se transcribe «decid» en las dos impresiones de Pando.

v. 1023. En la ed. de 1677 «tormetas», por evidente errata que subsanamos.

DÍA 6.º

El rebelión de los brutos.

PLACER

1025 Y el Placer vuelto en tristeza.

DÍA 1.º

Al ver que de un áspid.

DÍA 2.º

Herida se lleva.

DÍA 3.º

Tirano pirata.

DÍA 4.º

De esas ondas negras.

DÍA 5.º

1030 Orfeo divino.

DÍA 6.º

A tu Eurídice bella.

(Canta, como llorando.)

¡Ay infeliz de aquella
que hizo verdad haber quien de error muera!
Moriste, ninfa bella,
1035 en edad floreciente;
tu ocaso fue tu oriente,
pues su primera huella
ajó la luz de tu primer estrella.

MÚSICOS

¡Ay infeliz de aquella
1040 que hizo verdad haber quien de error muera!

ORFEO

Mal mi amor es pagado,
mal las finezas mías;
díganlo alegres Días,
que tristes han quedado,

---

v. 1041. *Mal mi amor es pagado:* así en todos los textos antiguos. Valbuena transcribe: «Mal mi amor has pagado», sin advertir el origen de la enmienda. Puede ser una errata.

1045 llorando todos tu infelice estado.
Y yo también lo diga,
pues si llorar pudiera
mi ser, de celos fuera,
cuando tan enemiga
1050 ingratitud al sentimiento obliga.
Pero aunque nada abona
usar de tu albedrío
contra mí, el amor mío
de tan fino blasona,
1055 que lo que ama dirá lo que perdona.
Y así, aunque es infinito
tu delito y le siento
por tal, un instrumento
que labrar solicito
1060 dirá si es más mi amor que tu delito,
cuando en dulce querella
llegue al Cielo mi llanto,
que, convertido en canto,
diga a su esfera bella...

MÚSICOS

1065 ¡Ay infeliz de aquella
que hizo verdad haber quien de error muera!

(*Vase* ORFEO.)

DÍA 1.º

¿En qué pararán extremos
que unir saben armonías
y lágrimas?

PLACER

Pues sois Días,
1070 id pasando y lo veremos.

---

v. 1045. *infelice:* Valbuena moderniza *infeliz*. Todos los textos dan la lectura que reproducimos nosotros.

v. 1067. *pararán:* en la ed. de 1677 «paran», por errata evidente, subsanada en Pando.

(Pasan los DÍAS *mirando adentro.)*

DÍA 2.º

Los ojos en el Madero,
que el áspid envenenó,
puso tiernos.

DÍA 3.º

Y notó
otro después, de que infiero
1075 que ya que la muerte está
en un madero escondida,
piensa en otro hallar la Vida.

PLACER

Así el himno lo dirá.

DÍA 4.º

Ya elegido, con mil pías
1080 ansias a él se abraza, en fe
de su amor.

PLACER

¡Oh, lo que ve
el que ve pasar los Días!

DÍA 5.º

Como es dar salud su intento,
dél (dejando lo historial
1085 por lo mixto) el celestial
Orfeo labra el instrumento
en que ha de cantar humano
la letra de una canción,
que fue en la R, Redempción.

---

vv. 1075-1077. La idea de que en el árbol de la ciencia estaba la muerte, y de que se hallará de nuevo la vida en otro árbol, que es la cruz, es un tópico muy frecuente y característico de los autos sacramentales, principalmente de los calderonianos.

En Valbuena: «... halla la vida», por evidente errata.

vv. 1079-1080. En Valbuena por doble errata «... mis pías / ansias a él le abraza».

DÍA 6.º

1090 Dos líneas, que Soberano
cruzar en él solicita,
de tres clavijas compone.

DÍA 1.º

Y las cuerdas que le pone
de las manos se las quita.

PLACER

1095 Con que en tres pruebas se dio
salud, si salud espera
dar, y salud verdadera,
en Jesús se interpretó
ese instrumento de tres
1100 clavijas y tres Maderos
a los siglos venideros,
cítara de Jesús es.

DÍA 2.º

Al hombro carga con ella.

DÍA 3.º

Y su yugo para él grave,
1105 a todos será suave.

PLACER

Oíd su amorosa querella.

---

v. 1102. Calderón parece confundir *cítara* con *harpa* (véase la acotación que sigue a estos versos). La *cítara* era un instrumento derivado del *salterio,* que se adapta mejor a la intención del autor. Que Orfeo cargase al hombro una cítara es normal, habida cuenta que en la pintura se le solía representar así (p. ej. en un conocido cuadro de Rubens). En algunas figuraciones antiguas lo que porta es una *lira,* instrumento característico de la antigüedad clásica, cuyo nombre en épocas más recientes tendía a confundirse con varios instrumentos musicales diferentes, entre ellos el *laúd.* Incluso en un cuadro atribuido a Lucas Jordán aparece Orfeo tocando una *lira,* pero no una lira antigua, sino una de las llamadas *lira de braccio,* para la que se necesita el uso del arco. Por consiguiente la ambigüedad en la denominación de los instrumentos musicales en relación con Orfeo, y en su representación plástica, era normal en la época calderoniana. Más adelante el propio Calderón hablará de una «lira» al referirse a Orfeo (v. 1196). *Cítara, harpa* y *lira,* pues, en su uso literario, aparecen como sinónimos.

Sale ORFEO *con un harpa al hombro, cantando, en cuyo bastón vendrá hecha una cruz*[8].

ORFEO

Perdida esposa mía,
que mordida de un áspid,
del reino del olvido
1110 en las tinieblas yaces.
Mira lo que me debes,
pues si en desdichas tales
te pierdo como esposo,
te busco como amante.
1115 No solo por ti al suelo
quiso el Amor que baje,
mas por ti también quiere
que hasta el abismo pase.
Para cuyo camino
1120 ha dispuesto que labre
instrumento, que al hombro
arrodillar me hace,
siendo cada clavija
un yerro penetrante,
1125 cada cuerda un azote
y un golpe cada traste.
Tan llena está de abrojos
la senda que dejaste,
que al pisarla la voy
1130 regando con mi sangre.
Mas aunque áspera sea
y el instrumento grave,
a orillas del Leteo,
por si le muevo, cante.

---

[8] En esta acotación «una cruz» no se escribe en el original con los caracteres de la palabra, sino con el signo de la cruz (†).

v. 1126. *traste:* son los travesaños colocados a lo largo del mástil de los instrumentos musicales de cuerda, para que al pisar éstas con los dedos se produzcan notas diferentes.

PLACER

1135 Oigan cuáles los Días,
admirados no saben
lo que pasa por ellos.

TODOS

¿Quién quieres que lo alcance?

ORFEO

¡Ah de las negras ondas,
1140 piloto de su nave,
a quien llamó Aqueronte
su pálido semblante!

Sale LETEO *del escollo.*

LETEO

¿Cúya será esta voz,
que el eco al viento esparce
1145 tal, que aun a mí me elevan
sus cláusulas finales?

ORFEO

¡Ah del siempre temido
golfo, cuyos embates
entre tierra y abismo
1150 jurisdicciones parten!

LETEO

¿Quién sin temor se atreve
a pisar deste margen
las víboras nocivas
que en sus arenas nacen?

ORFEO

1155 Quien en su negro golfo
pretende que le pases.

LETEO

El primer Mortal eres
que voluntario trae
ese intento, que aquí
1160 hasta hoy no llegó nadie,
sino forzado.

ORFEO

Yo
no sólo he de mostrarte
que voluntario quiero
navegar tus raudales,
1165 pero para volver,
pasar de esotra parte.

LETEO

Pasar es fácil, pero
volver no será fácil;
que el pasar es morir,
1170 y es el morir cerrarte
las puertas de la vida.

ORFEO

Para ellas habrá llave.

LETEO

¿Cúal puede ser?

ORFEO

Mi voz,
pues hará que se ablanden
1175 en láminas de bronce
candados de diamantes,
por quien Sagrado Texto
dirá en altos anales
que al dejar exaltado
1180 la tierra por el aire
no hubo cosa que a mí
no atrajese.

LETEO

Cobarde,

---

vv. 1173-1182. La idea de que la palabra del Señor no queda sin efecto se expone en la *Biblia* en numerosas ocasiones. Uno de los más bellos acerca de los efectos de la palabra de Dios se halla en *Is. II*, 55, 10-11. No es fácil entre tantos textos bíblicos saber en concreto a cuál puede referirse Calderón, aunque por el contexto parece aludir a la resurrección de Cristo. Acerca de sus efectos hay testimonios en el Nuevo Testamento, p. ej., en los *Hechos de los Apóstoles* 1, 3-11; 10, 40-48, etc. En estos textos se alude a la difusión del evangelio entre todos (judíos y paganos), a veces tomado el episodio de la resurrección como fundamento de esa difusión.

tu voz escucho. ¿Quién
fue a suspender bastante,
1185 con miedos en que viva,
temores con que mate?
Pero ¿yo me suspendo?
Tente, mortal, no pases
mi línea en confianza
1190 de canto semejante,
que pues mortal te veo,
sin que respeto guarde
ni a luz que me retira
ni a lira que me atrae
1195 harás que mi tridente,
blandidos los fatales
filos de tres cuchillas,
primero haya de darte
la muerte, si es que quieres
1200 que en mi bajel te embarque.

ORFEO

Yo te doy la licencia,
que antes di a otros ultrajes,
y pues yo lo permito,
¿qué habrá que te acobarde?

LETEO

1205 No sé, que a ti te teme
quien no ha temido a nadie.
Pero mortal te veo
y bañado en la sangre
de mortales heridas;
1210 no sé más, y así acabe
contigo mi fiereza.

(Hace como que le hiere, y, dado el golpe, cae a sus plantas, y pasa encima dél ORFEO.*)*

Mas, ¡ay!, que al mismo instante
que mato muero, pues

v. 1194. *lira:* véase nota al v. 1102.

toda mi furia cae
1215 a tus plantas, adonde
muerta la Muerte yace.
Por encima de mí
transciende los umbrales
del morir.

ORFEO

En tan triste,
1220 en tan estrecho trance,
Padre mío, Padre mío,
¿por qué me desamparaste?

(Cayendo LETEO *y levantando y cantando* ORFEO, *se abre el escollo y entran los dos en él a cuyo tiempo se hace dentro ruido de terremoto.)*

UNOS

¡Qué asombro!

OTROS

¡Qué confusión!

DÍA 3.º

¡Todo es escándalo el aire!

DÍA 2.º

1225 ¡Toda temblores la tierra!

DÍA 4.º

¡Todo tormentas los mares!

DÍA 5.º

¡Todo el cielo confusiones!

(Siempre el ruido.)

DÍA 6.º

En terremoto tan grande,

---

v. 1226. En Pando (1.ª y 2.ª impresión) y en Valbuena: «todo tormento los mares». Sigo como siempre el texto de 1677.

vv. 1228-1230. Recordemos que el sexto día es el que, según el *Génesis*, se creó la Naturaleza Humana.

¡ay infelice de mí,
1230 la luz a mis ojos falte!

(Cae el Sexto Día desmayado, y todos alrededor de él, como asombrados.)

TODOS

¿Qué es esto?

PLACER

Que el Sexto Día
(aunque habrá quien le consagre
a Venus, por cuya estrella
Día Veneris se llame,
1235 de quien se deriva el viernes),
viendo que a la media tarde
de su edad padece el Sol
un parasismo tan grande,
se ha desmayado.

(El ruido.)

DÍA 1.º

¿Qué mucho,
1240 si a todos temblar nos hace?

UNOS

¡Qué pasmo!

OTROS

¡Qué horror!

DÍA 2.º

Más es
que al ruido de asombros tales
el Sexto Día no vuelva.

PLACER

Esto en silencio no pase,
1245 y es que la Naturaleza
fue del Sexto Día dictamen

v. 1238. *parasismo:* por *paroxismo*, frecuente vacilación (véase nota al v. 886).

y responde al que se críe
el Día que se restaure.

DÍA 4.º
Vuelve en ti.

DÍA 5.º
Cobra el aliento.

DÍA 2.º
Respira.

DÍA 4.º
Anima.

DÍA 3.º
1250 Dejadme
llegar a mí.

DÍA 1.º
Y a mí, y todo.

DÍA 3.º
Que yo sé de sus pesares
el remedio ya.

DÍA 1.º
Y yo he visto
ya de su salud señales.

DÍA 3.º
1255 Feliz Día, vuelve en ti,
que el Orfeo, a quien tan grandes
finezas debió su esposa,
ya que se arrojó constante
a los golfos de la muerte,
1260 de ella victorioso sale.

DÍA 1.º
Y tanto, que ya en el alto
árbol mayor de su nave,
con ella a sus pies vencida
se ve.

DÍA 6.º
Vuelva a nuevas tales
1265 en mí, pues que me le enseñan
en sus afectos iguales,

la piedad del Primer Día,
el Tercero Día triunfante
de las fuerzas del abismo
1270 y el instrumento que trae
en su mano, porque juntas
suenen realidad e imagen.

Vese en el carro de la nave negra, arrimado al árbol mayor, que será una cruz, ORFEO, *y a sus pies* LETEO, *y subiendo en elevación, da vuelta la nave con un coro de música; y a este tiempo salen al tablado el* PRÍNCIPE *y la* ENVIDIA[9].

ORFEO
Abrid las puertas, abrid,
funestas obscuridades,
1275 las aldabas y cerrojos
de vuestra lóbrega cárcel.

PRÍNCIPE
¿Quién, Leteo, pudo ser
cisne que en tus ondas cante?

LETEO
Quien muriendo destruyó
1280 la muerte, porque repare

---

vv. 1268-1269. Parece aludir también a la resurrección (el tercer día), y por consiguiente al triunfo sobre «las fuerzas del abismo». No olvidemos empero que en el tercer día de la Creación fueron creados los árboles (símbolos igualmente de la cruz y del árbol de la ciencia). A la cruz, que prevalecerá sobre el árbol del paraíso, aludirá en la acotación siguiente. Recordemos que Calderón juega también con la simbología de los Días aplicada de la misma forma a los Siete Sacramentos, como se verá luego (acotación anterior a los vv. 1341 y sgs., y estos mismos versos).

vv. 1270-1272. *el instrumento:* la lira, que simboliza igualmente la cruz. Así «sonará» como instrumento musical, y su imagen (la *cruz*) tendrá el valor de su mensaje.

[9] En Valbuena «vase» en lugar de «vese», que es lo correcto. La lectura de Valbuena viene de nuevo a coincidir con Pando (2.ª impresión).

vv. 1277-1278. *cisne:* porque es leyenda que el cisne canta al morir. Así, Orfeo (Cristo) será ese emblemático cisne.

la ajena vida, siendo hoy
él el muerto y yo el cadáver.

PRÍNCIPE

¡Qué miro! Envidia, ¿qué es esto?

ENVIDIA

No sé, porque la que antes
1285 fue áspid al veneno, agora
también al conjuro es áspid.

ORFEO

Abrid las puertas, abrid.

PRÍNCIPE

Su vista y su voz me espanten.
¿A quién?

ORFEO

Al Príncipe vuestro.

PRÍNCIPE

1290 No más, esas señas basten,
y no es la primera vez
que el harpa espíritus lance,
pues sombra de ésa, Saúl
la templó en David no en balde.
1295 ¿Qué quieres, Divino Orfeo,
ya que tu voz en mí mande?

---

v. 1282. *cadáver:* o sea la propia muerte (véase nota al v. 2).

v. 1288. *espanten:* así en la ed. de 1677 y en Pando (2.ª impresión). En Pando (1.ª) dice *espante*.

vv. 1290-1294. Alusión al episodio de la *Biblia (I Sam.* 16, 14-23), que relata cómo Saúl era poseído por un mal espíritu y, ante el consejo de sus cortesanos, buscó a alguien que tocara la cítara para ahuyentarlo. El elegido fue David y «cuando el mal espíritu atacaba a Saúl, David tomaba el arpa y tocaba. Saúl se sentía aliviado y se le pasaba el ataque del mal espíritu» (*Ibíd.* v. 23). Es indudable que estos episodios pertenecen a la común tradición de que la música es alivio de almas ásperas y enfermas, o incluso de posesiones diabólicas.

v. 1294. *templó:* en el original (1677) y Pando (1.ª y 2.ª impresión): «tembló». No sé si es errata o forma equivalente. En cualquier caso ni *Cov.* ni *Dic. Aut.* registran esta variante, que además, por tener etimología diferente puede dar lugar a ambigüedad, por eso restituyo *templar,* acorde con el sentido del uso referente a un instrumento musical.

ORFEO

Que me vuelvas a mi Esposa,
que en tus calabozos yace.

PRÍNCIPE

Es presa mía.

(Representando)[10].

ORFEO

No basta
1300 a que mi voz no la saque
del Limbo que la sepulta,
como repitiendo a él llame.

(Canten.)

Abrid las puertas, abrid,
confusas obscuridades,
1305 las aldabas y cerrojos
de vuestra lóbrega cárcel.

Abrese el escollo y sale la NATURALEZA *como admirada.*

NATURALEZA

¿Quién ilumina las sombras
con tan divinos celajes
que en ellas segundo sol
1310 de segunda aurora nace?

ORFEO

Quien para sacarte dellas

---

[10] En la acotación que hay en este verso los tres textos antiguos dicen: «representado», evidente errata, que ya corrigió Valbuena.

v. 1307. En Pando (1.ª y 2.ª impresión) «quien ilumina a las sombras», lectura que siguió Valbuena. Como siempre que la lectura es correcta seguimos el texto de 1677.

v. 1308. *celajes:* equivale a «resplandores». Propiamente son los variados matices que causa el sol al aparecer entre las nubes.

deste instrumento se vale,
logrando honores de Esposo
sobre finezas de amante.

1315 Vuelve a cobrarte en los Días
felices que antes gozaste;
y pues yo en la nave quedo
de la muerte por librarte,
a la nave de la vida
pasa tú.

LOS DÍAS

1320 Ven donde halles
en nosotros la obediencia
de antiguas felicidades.

NATURALEZA

Tan gran fineza de amor
sólo el silencio la ensalce.

(Llévanla los DÍAS *al cuarto carro, que será una nave en oposición de la primera, dorada, con flámulas*[11] *y gallardetes blancos y encarnados, pintados en ellos el Sacramento, y por fanal un Cáliz grande con una Hostia.)*

PRÍNCIPE

1325 ¿Qué importa que ellos la lleven,
si siempre que ella inconstante
peque y tú el rostro la vuelvas
ha de volver a mi cárcel?

PLACER

Cuidado, porque ni aun esto
1330 a la metáfora falte.

(Representando.)

[11] Nuevamente la ed. 1677 dice *fámulas* por *flámulas*, ya corregido en Pando (1.ª y 2.ª impresión).

vv. 1325-1330. Calderón reitera una vez más sus explicaciones en torno a su propia técnica alegórica. Se refiere aquí al paralelo doctrinal «volver el ros-

ORFEO

Ley es, el partido acepto,
pero para asegurarle,
en la nave de la vida
tendrá sacramentos tales,
1335 que en ellos ese peligro
enmiende, asegure y salve.

ENVIDIA

¿Qué nave y qué sacramentos?

ORFEO

Cielo y tierra los declaren,
cuando yo en muerte y en vida
1340 digan al ver que se embarque.

(Han subido a la nave los DÍAS *con la* NATURALEZA, *y, dando vuelta, se ve en su árbol mayor el Quinto Día en otra elevación, con un escudo, pintado en él el Sacramento, y dicen todos con otro coro de música.)*

TODOS Y MÚSICOS

A la nave de la vida...

CORO 1.º

La Naturaleza pase,
pues la nave de la Iglesia
es de la vida la nave.

CORO 1.º

Buen vïaje.

CORO 2.º

1345 Buen pasaje.

(Dan vueltas ambas naves, saludándose a coros.)

---

tro a la Naturaleza a causa del pecado de ésta», y el mitológico «volver el rostro Orfeo para ver a Eurídice y perderla por ello».

v. 1331. En Pando (2.ª impresión): «Ley es, que partido acepto», lectura que sigue Valbuena. Nosotros seguimos la lectura de 1677 y Pando (1.ª impresión), que parece la correcta.

LOS DOS

¿Qué Sacramentos son ésos
en quien pueda asegurarse?

DÍA 5.º

Siete, en quien los siete Días
logran su mayor realce,
1350 de quien el mayor de todos,
por obra de amor más grande,
es el que en ese fanal
rayos brilla y luz esparce,
siendo el Quinto Día del jueves
1355 el que a todos les declare,
como allí muerto, aquí vivo,
en esa Hostia y el Cáliz,
debajo de especies son
Pan y Vino, Cuerpo y Sangre.

CORO 1.º

Buen pasaje.

CORO 2.º

1360 Buen viaje.

PRÍNCIPE

A tanto misterio tiemble.

ENVIDIA

A tanto prodigio pasme.

LETEO

A tanto sol me deslumbre.

NATURALEZA

Y yo a tanta luz me exalte.

ORFEO

1365 Y yo a tanto triunfo vuelva
a decir en voces graves...

(Cantando.)

---

vv. 1350-1358. Alusión a la Eucaristía. El jueves, como es sabido, corresponde al día del Corpus Christi.

A la nave de la vida
la Naturaleza pase...

LOS COROS

Buen viaje.

ORFEO

1370 ...pues la nave de la Iglesia
es de la vida la nave.

LOS COROS

Buen pasaje.

PRÍNCIPE

¡Oh, acaben con sus placeres
de una vez nuestros pesares!

ENVIDIA

1375 Nuestros pesares no pueden,
mas basta que el Auto acabe...

PLACER

Diciendo al pedir perdón,
al compás de sus compases...

TODOS Y MÚSICOS

A la nave de la Iglesia
1380 la Naturaleza pase,
buen viaje, buen pasaje;
pues la nave de la Iglesia
es de la vida la nave,
buen pasaje, buen viaje.

(Con esta repetición, sonando a un tiempo representación, música y clarín, dando una y otra vuelta las naves, acaba el Auto)[12].

---

[12] En Pando (1.ª y 2.ª impresión) la acotación original ha sido sustituida por esta: «Tocan chirimías, y cerrándose los carros, se da fin al auto», es la que reproduce igualmente Valbuena.

GLOSARIO

Agnus Dei: reliquia bendecida por el Papa de la que se sacaban diferentes copias en forma y tamaño, con distintas figuras a un lado, y al otro el cordero que le da nombre
Agua de ángeles: agua destilada de muchas flores y drogas aromáticas
Ansí: así
Aquilón: viento frío
Austro: viento cálido

Barato: porción de dinero que da el jugador que gana a los mirones o personas que le han servido en el juego
Basilisco: animal fabuloso del que se dice que mataba con la vista

Cajas: tambores
Campo damasceno: la tierra de la que Dios formó a Adán, cerca del valle de Hebrón
Carbuncos o carbunclos: lo mismo que rubíes
Cas: casa
Coadjutor: persona que ayuda y acompaña a otra en algún empleo, cargo u oficio
Codicillo o codicilo: escrito en el que se declara la última voluntad, posterior al testamento
Copia: abundancia
Coronista: cronista
Corrido: avergonzado
Cudicia: codicia
Culebro: engaño

Chilindrón: juego de naipes
Cholla: parte superior de la cabeza

Disfamar: difamar
Diz: se dice

Embustidor: embustero, tramposo
Escuro: oscuro
Esquinencia: inflamación o flemón de la garganta

Flámulas: banderas pequeñas
Flux: en el juego de cartas, concurso de todas las de un mismo palo

Gaveta: caja que había en escritorios y armarios para guardar cosas que se quieren tener a mano
Gola: especie de cuello de tela almidonada y rizada
Gregüescos: especie de calzones anchos

Hogaño: en este año

Jubón: vestido de medio cuerpo con faldillas cortas

Luzga: luzca

Mechado: crecido, adelantado, aumentado o mejorado
Medrado: adelantado, aumentado o mejorado
Mueso: nuestro

Ninfo: hombre pulido y afeminado

Paje de copa o copero: el que llevaba la copa y daba de beber a su señor
Parar: juego de naipes
Parasismo: paroxismo
Parias: tributos
Pensión: trabajo, tarea, pena o cuidado
Perdulario: descuidado, vicioso o perdido
Piélago: alta mar
Primera: juego de naipes

Querub, querube o querubín: ángel que custodiaba el Paraíso después de la expulsión de Adán y Eva

Reservar: exceptuar
Rostrituerto: el que muestra en el semblante enojo o enfado

Sonadas: sonatas
Sulcar: surcar

Tablas: juego de mesa
Taray: tamarisco o tamariz, árbol con hojas parecidas a las del ciprés
Tomar residencia o residenciar: tomar a uno cuenta de la administración de su empleo
Trastes: los travesaños colocados a lo largo del mástil de los instrumentos musicales de cuerda
Tripular: desechar
Truhán: lo mismo que bufón

Valido o privado: persona que tiene el primer lugar o valor para otra
Valona: adorno que se ponía al cuello y caía por espalda y hombros, y por delante llegaba hasta la mitad del pecho
Vestido acuchillado: clase de vestido antiguo con aberturas

REPERTORIO DE NOMBRES PROPIOS

ABIRÓN: Véase DATÁN.

AMADÍS: Protagonista del libro de caballería *Amadís de Gaula* (1508). Prototipo de los caballeros andantes, leal amigo, cortés, generoso, noble y fiel amador, e iniciador de una serie de héroes inspirados en su figura.

AQUERONTE: En la mitología griega, hijo del Sol y de la Tierra. Fue transformado en río y arrojado a los infiernos. Desde entonces es símbolo de río infernal.

ARISTEO: Hijo de Apolo y de Cirene, y padre de Acteón. Persiguió a Eurídice a lo largo de un río con la intención de violarla, pero en la persecución Eurídice fue mordida por una serpiente y murió.

BALDO: Famoso jurisconsulto italiano (c. 1320-1400).

DATÁN: Personaje del Antiguo Testamento que se rebeló contra Moisés y fue castigado por el Señor haciendo que la tierra se resquebrajase bajo él (véase nota a los vv. 577-580 de *La serrana)*. Lo mismo sucédió con Abirón.

DAVID: Rey de Israel, antes pastor, que venció a Goliat. Enamorado de Betsabé, se la arrebató a Urías, haciendo que mataran a éste en combate (véase nota a los vv. 839-840 de *La serrana)*.

EURÍDICE: Ninfa casada con Orfeo, a la que intentó raptar Aristeo, pero en la huida fue mordida por una serpiente y murió. Orfeo, sin poder consolarse, fue a buscarla a los infiernos, sirviéndose de sus dotes musicales. Así pudo entrar allí y salvar a Eurídice, pero con la condición de que no volvería la cabeza para verla hasta hallarse fuera del recinto. Orfeo no pudo evitar la tentación de mirarla y, al instante, la volvió a perder.

FAETÓN: Hijo del Sol y de Climene, en la mitología griega. Guió el carro de su padre con tan poca pericia que abrasó las tierras a las que se acercaba, y heló aquellas de las que se alejaba. Zeus le fulminó con un rayo y lo arrojó al río Eridano.

FÚCAR: Nombre castellanizado de una famosa familia de banqueros alemanes, los Fugger, afincados en España, que proporcionaron apoyo a los Habsburgo.

GALALÓN: Personaje de la *Chanson de Roland,* cuya traición determinó el aniquilamiento de los Pares de Francia en Roncesvalles. Ha quedado como prototipo de traidor. También se le llama Ganelón.

GALENO: Médico griego (129-200); sintetizó la medicina hipocrática e influyó mucho en el Renacimiento.

GANELÓN: Véase GALALÓN.

GOLÍAS: Lo mismo que Goliat.

GOLIAT: Gigante filisteo vencido por David (véase éste).

LETEO: Nombre del río del Infierno en la mitología clásica.

MIGUEL: Arcángel que en la tradición hebrea y cristiana tenía la más alta jerarquía. Fue vencedor de Satanás en el combate de los ángeles reflejado en el *Apocalipsis.*

ORFEO: Músico griego, que se dice era oriundo de Tracia; se le ha hecho hijo de Apolo. Estaba casado con Eurídice (véase ésta). Desesperado de haberla perdido, no pudo encontrar consuelo con otra mujer, razón por la cual fue despedazado por las Ménades.

PONTO: Personificación masculina del Mar. Hijo de Neptuno en la mitología griega.

SINÓN: Personaje de *La Eneida* que persuadió a los troyanos para que introdujeran el famoso caballo de madera en donde iban escondidos los griegos, con lo que permitió la destrucción de Troya.

SÍSARA: General de Jasor, en Galilea. Vencido por Débora y Barag en la llanura de Yizreel, fue muerto por Yael, en cuya tienda se había refugiado (véase YAEL).

URÍAS: Personaje bíblico del libro de *Samuel 2* (véase nota a los vv. 839-840 de *La serrana)*. Fue marido de Betsabé, de la cual se enamoró David y se la arrebató, haciendo que a él le mataran.

YAEL: Personaje femenino de la *Biblia (Libro de los Jueces)*, que recibió a Sísara en su tienda, después que éste huyera al ser vencido su ejército. Yael después le atravesó la sien con un clavo.

APÉNDICES

COMENTARIO DE UN FRAGMENTO REPRESENTATIVO

EL DIVINO ORFEO
de CALDERÓN DE LA BARCA
(vv. 361-547)

El texto y su marco

Los versos que comentamos abarcan un momento aislado de la acción dramática, con cierta unidad de sentido, en el que aparece la Naturaleza Humana rodeada de los Días, el Placer y la Miseria, celebrando todos ellos un festejo, el imperio de aquélla sobre las criaturas y la gloria de la creación. En el clímax del canto y la fiesta aparece Orfeo, cantando a su vez, mostrando y declarando su amor por la Naturaleza, de la que es Esposo. La Naturaleza confiesa su recíproco amor y Orfeo la invita a entrar en su florido Alcázar, no sin dejar de advertir que entre tantas flores puede esconderse un áspid. El fragmento concluye con la exaltación gloriosa del Señor, que ha creado tan bellas obras.

El texto se inserta entre dos aspectos del drama: el primero, la Creación misma y su antagonista y enemigo, el Príncipe de las Tinieblas, que intenta someter a la Naturaleza Humana a sus designios destructores; el segundo, posterior a nuestro texto, en que esas fuerzas negativas colaborarán para tentar a la Naturaleza y hacerla caer en sus redes. Todo ello forma la unidad temática y argumental, que se ha llamado «historia teológica de la Humanidad». El episodio que aislamos del conjunto es, pues, un momento clave en donde se acumulan dos tensiones dramáticas: la exaltación jubilosa de la vida, resultado de la creación, y la soterrada amenaza de los planes previos del Príncipe, recordados aquí por Orfeo y simbolizados en el «áspid» que puede esconderse entre las flores. Se presenta, pues, una fiesta jubilosa, pero sobre la que gravita la amenaza que puede enturbiarla.

El tema, su sentido alegórico y su estructura

Si tuviéramos que buscar un tema estricto en el presente fragmento dramático, tendríamos que considerar primero la circunstancia de su hecho fragmentario mismo y la limitación que supone de aspectos que integran el tema general de la obra. Hay, pues, una obligada reducción del tema global, de un lado; de otro, una relación necesaria con éste, vislumbrable incluso en los subtemas parciales que conforman el conjunto.

De todo ello cabe deducir que el tema del fragmento de alguna manera se compone de aspectos parciales del tema global y de subtemas característicos y esenciales a la parte aislada. En este sentido, ya hemos indicado que el fragmento forma parte del gran tema general que denominamos «historia teológica de la Humanidad», del cual es un momento dramático preciso. Por otra parte, considerado el texto en sí mismo, significa «la exaltación musical de la gloria del Creador y su obra». A este tema esencial hay que añadir dos subtemas: I) La entronización de la Naturaleza Humana como reina del mundo creado, y II) la boda de la Naturaleza con Orfeo. Quedan aún diversos motivos aislados, pero relevantes: la armonía musical del cosmos y la amenaza de destrucción por el áspid. Y un verdadero *leitmotiv* que, desde el comienzo hasta el final, cierra en su círculo estético y temático el fragmento: la *música,* pues todo este hermoso texto es dicho o con música o cantado. En él pueden verse las mejores cualidades poéticas y constructivas de Calderón, como ahora veremos.

Naturalmente todos los subtemas, motivos y *leitmotiv* están integrados en el Tema Central. Hemos dicho que éste es una «exaltación», lo que puede comprobarse en el tono de «festejo» que circunda la escena, desde la misma acotación inicial hasta la salida de Orfeo. Es «musical» porque la fiesta es introducida por ésta (se detalla incluso el uso de un *clarín)*, y a ella no es ajeno tampoco el baile, como se indica en la acotación mencionada. Hay que entender, aunque ignoremos la partitura utilizada, que esta música debía ser «de gira y de bulla» (v. 377), y por consiguiente muy animada, propia para el acompañamiento del baile. Lo que se festeja en un principio es lo que hemos indicado en el subtema I: el triunfo de la Naturaleza como reina del mundo. Pero esta exaltación en su mismo contexto deriva hacia otra más general y esencial, que la sigue y se hace el eje vertebral del canto: la glorificación del Señor («Confesemos su gloria, / pues es en eterno su misericordia»), que se convierte en el verdadero estribillo del conjunto, auténtico *leitmotiv* musical de toda la escena. Por eso el tema inicial de la glorificación del elemento más importante de la creación, la Naturaleza Humana, se transforma en el tema esencial del texto: el canto «que será psalmo después» (v. 401) al Creador. Con ello creemos que queda justificado el tema propuesto.

Estamos hablando al unísono de tema y argumento. Conviene ahora deslindar uno de otro. Hay indudablemente un aspecto profano en el texto que hemos acotado: la fiesta que precede a las nupcias entre Orfeo y Eurídice, con sus cantos y bailes, en la que participa inicialmente el mismo Placer, quien justifica su propia asistencia a la fiesta. Así, el espectáculo sacramental une sutilmente la fiesta religiosa con la popular (el Placer es un villano), y Calderón realiza una síntesis de religiosidad y profanidad, que eran consustanciales a la alegría popular de la misma fiesta del Corpus, como ya estudiamos. Lejos está nuestro autor de la sequedad doctrinal que condena toda manifestación vital y espontánea del pueblo. El éxito de sus autos hay que considerarlo también desde esta perspectiva, y en este sentido estas obras suponen igualmente una separación del género desde la mera visión eclesial de los autos de Valdivielso, por ejemplo. Lo que une precisamente los dos mundos —profano y sagrado— es el tema esencial: la música como armonía del cosmos. En la música se transfigura lo profano en divino, y lo sagrado se hace participación humana y fundamento de la misma estructura de la realidad total. Pocas veces un auto sacramental ha tenido un fundamento a la vez religioso y profano que conformase su estructura alegórica y artística de manera tan obvia y eficaz. Por la armonía del Gran Músico se crea el mundo, por ella mantiene su equilibrio éste, y con ella se canta el júbilo de su realidad, en la que participan todos. Desde el punto de vista religioso, íntimamente fundido al profano, como acabamos de ver, la fiesta que se da a la Naturaleza deriva pronto en un canto al Creador, que, como dice el propio Calderón, «será psalmo después» (v. 401). El fragmento, pues, se transfigura en un verdadero salmo, que como decimos en nota, tiene muchos puntos de contacto con el salmo 104 de la *Biblia*.

La estructura del texto se organiza en torno a dos núcleos temáticos: 1. *La fiesta* y 2. *El canto amoroso de Orfeo*. Pero ambos están unidos por un nexo temático invariable: la exaltación jubilosa del Creador. Efectivamente, el segundo núcleo es consecuencia del primero, y la introducción de Orfeo no cambia sustancialmente la escena. El canto de Orfeo es la reafirmación de que la armonía del cosmos se mantiene gracias a su estructura musical. Si existiera alguna disonancia se rompería la unidad armónica. Por eso Orfeo con su canto puede mantener la «Gran Fábrica del Mundo», y a la vez enamorar a la Naturaleza. Esa armonía es consustancial a la Creación, tanto que:

> [...] si a la Tierra
> sobresaliere una rosa,
> un átomo al aire, al fuego
> un rayo, al mar una gota,
> todo disonara, y siendo
> así, que es música toda
> su acorde unión [...]
> espero que de mi amor
> te obligues, zagala hermosa.
> (vv. 478-491.)

Por la música se crea la Tierra, y por la música se enamora, porque la música es manifestación amorosa y armonía creadora. Así que las dos partes de la escena (la fiesta y la declaración amorosa) no son sino manifestaciones distintas de una misma realidad, en los dos niveles: argumental y alegórico. Por la música el Creador ordena el mundo en el acto amoroso de la Creación; por ella misma Orfeo (Dios hecho hombre) declara su amor a la Naturaleza Humana:

MÚSICOS
Al señor confesemos,
que con una voz sola
es el principio y fin
de tantas bellas obras.
(vv. 542-545.)

«Una voz sola», el Verbo creador, por un lado, del mundo mismo, por otro, de su mensaje amoroso para el Hombre, inserto en su evangelio. Toda la doctrina del amor divino está contenida en estos versos, que funden el mensaje de Creación cósmica del Antiguo Testamento con el mensaje amoroso del Nuevo.

Análisis de los aspectos formales

El canto es perfección, pues entraña una armonía, una medida y una proporción. El canto además es Verbo y su consonancia permite la expansión del Amor hasta el punto de crear armonía donde no la hay, poesía en su sentido más genuino. Al canto se rinden todos los seres de la naturaleza (vv. 496-507) y la misma alma humana (vv. 508-511). Calderón es muy explícito en esto (el subrayado es nuestro):

PLACER
¿Siempre tu voz ha de ser
suave, dulce y amorosa?

LOS DÍAS
Sí, que *como es perfección*
el canto, hasta de él se adorna.
(vv. 456-459.)

Por esta razón el texto que comentamos está adornado de música y canto, y a la luz de ellos han de estudiarse sus recursos formales.

El ritmo musical, con sus síncopas, alargamientos silábicos, repeticiones corales, estribillos, efectos de eco, etc., no guarda la misma medida versal que las estrofas recitables. Así Calderón, que utiliza aquí todos esos recursos mencionados, abre el abanico de las posibilidades expresivas de la música y rompe los fijos esquemas métricos. Las canciones que enmarcan el texto son irregulares métricamente hablando, mientras que el texto recitado (al menos en parte) se expone en romances y redondillas, los primeros más abundantes que éstas, como corresponde en general al sentido métrico de su autor en la mayor parte de sus autos. Si hacemos un cómputo de los versos cantados y los recitados tal como marcan las acotaciones (no muy precisas a veces), tendremos el resultado siguiente: 125 versos cantados frente a 54 recitados (no damos como muy seguras estas cifras). Entendemos que la Naturaleza no canta en su diálogo con Orfeo, y que éste sí lo hace, pues el contexto parece indicarlo, aunque la acotación parezca sólo referirse a los primeros versos que pronuncia. La parte de la fiesta es evidentemente toda cantada, excepto en la intervención inicial del Placer. En cualquier caso, es destacable la mayor frecuencia de texto cantado. Hay que pensar que Orfeo canta «en estilo recitativo», como ocurre en su inicial aparición. Puesto que la parte cantada tiene una importante manifestación, en ella se producen diversos efectos acumulados de repeticiones y paralelismos, que forman versos en eco muy característico:

Al Señor confesemos... *(Representando.)*
Al Señor confesemos... *(Cantando.)*

NATURALEZA
Que con una voz sola...

MÚSICOS
Que con una voz sola...

NATURALEZA
Es el principio y fin...

MÚSICOS
Es el principio y fin...

NATURALEZA
De tantas bellas obras.

MÚSICOS
De tantas bellas obras.

(vv. 402 y sgs.)

Esto naturalmente tiene escasa importancia estilístico-métrica, y sin embargo, sí una fundamental relevancia musical. A esta única luz habría que calibrar su valor estético.

Pero hay otros rasgos de estilo que pueden ser destacados en relación con los mismos efectos musicales. Por ejemplo el estribillo. Si no nos equivocamos, hasta trece veces se repite el estribillo:

> Confesemos su gloria
> pues es en eterno su misericordia.

No lo repite sólo la Música, con ser ésta la que más lo utiliza, sino que a lo largo de todo el texto lo van diciendo también Orfeo y la Naturaleza, para al final repetirlo todos al unísono. Este estribillo, eminentemente musical, tiene también unas connotaciones religiosas que lo aproximan a una suerte de letanía o cántico sagrado.

Un fenómeno muy característico de Calderón son las series enumerativas, las gradaciones y las correlaciones. En los cantos o parlamentos de Orfeo y la Naturaleza están muy presentes. Se crea con ellas un dinamismo verbal y conceptual muy notable, y un destello de imágenes que transforma el lenguaje en un verdadero panorama pictórico. Veamos algunos ejemplos. En los vv. 462-464 se utiliza un tipo de gradación que, al repetir una palabra de un miembro en el siguiente, llamamos concatenación:

> que quien me busque me halle,
> que a quien me halle responda
> y a quien me pida conceda...

El objeto de esta concatenación es mostrar que a la sucesión de Horas y Días se corresponde la satisfacción gradual y sistemática de la demanda.

En otros casos la enumeración tiene un objeto menos conceptual. Por ejemplo en los vv. 478-482:

> Y tanto, que si a la Tierra
> sobresaliere una rosa,
> un átomo al aire, al fuego
> un rayo, al mar una gota,
> todo disonara...

El sistema en este caso consiste en establecer un sistema enumerativo de correlaciones (tierra-rosa, aire-átomo, fuego-rayo, mar-gota), cuyo sentido se halla en la distribución expresiva de los cuatro elementos y el énfasis de lo más tenue de ellos. La búsqueda de los objetos está bien calculada: de la tierra se escoge la rosa por su hermosura, pero también por la pureza de sus líneas y colores. Objeto bello por antonomasia, símbolo poético hasta en la poesía moderna (J. R. Jiménez), una rosa más en el sistema de la Creación disonaría en la proporción del universo. Aquí, en cada caso, está claro que estamos también ante una figura hiperbólica. Del aire se escoge el átomo, es decir su más pequeña partícula; del fuego, el rayo, es decir lo más rápido, fulminante y breve; y del mar la simple gota. La utilización de todos estos objetos tiene una función eminentemente expresiva: destacar que los elementos más simples pueden alterar la proporción del universo y disonar de la labor de su creador.

Hay todavía otra serie enumerativa, también muy característica de Calderón: la que se refiere a los seres de la naturaleza (recordemos el monólogo de Segismundo en *La vida es sueño)*. Se halla en los vv. 499-504:

que a sus cláusulas sonoras
las aves su vuelo inclinan,
los peces su esfera cortan,
los brutos su estancia dejan,
las flores dejan su alfombra,
los árboles sus raíces...

Con estas imágenes primarias de la naturaleza quiere establecer Calderón una relación entre el canto del «galán poeta» (Orfeo) y los seres que se inclinan y mueven a su voz. El poder de la música es tal que todos los seres parecen alentar y hasta salir de su medio. En este movimiento de la naturaleza hay una cierta gradación de intensidad, pues si las aves inclinan su vuelo simplemente, los árboles llegarán a dejar hasta sus raíces, pudiendo incluso «andar sus copas» (v. 505).

También se utilizan medios expresivos de repetición anafórica, como la epanalepsis: «Tan humilde, tan rendida, / tan voluntaria se postra» (vv. 508-509), cuyo valor es eminentemente intensificativo. Finalmente, el contraste, la oposición entre dos realidades distintas: *flores y rosas / áspid*, que utiliza la antítesis para crear el ámbito amenazador entre la belleza de lo creado y el enemigo que puede destruirla.

Todos estos recursos son muy característicos de Calderón y se ciñen perfectamente a la realidad doctrinal y estética de los autos, piezas en donde las fuerzas positivas y negativas forman la unidad de significación fundamental: el Bien y el Mal enfrentados, la creación y la destrucción, la belleza y su ausencia, el veneno y la triaca, la caída y la salvación. De ahí que la estética calderoniana vertebre sus recursos principalmente en torno a elementos antitéticos. También la elección de elementos primarios naturales nos habla del valor de síntesis, que explicábamos en el prólogo: la naturaleza, el cosmos, el hombre, son los motivos esenciales, pues la visión que se quiere dar no es concreta y parcial sino global y totalizadora.

ANTOLOGÍA DE TEMAS AFINES

LA PUENTE DE MANTIBLE
de PEDRO CALDERÓN DE LA BARCA

(Segunda Jornada)

Salen ROLDÁN *y* GUARÍN.

ROLDÁN

¿Ves esta fábrica altiva,
Guarín, toda de madera,
en cuyo ceño la esfera
del sol descansa y estriba,
que ni el peso la derriba,
ni el tiempo lo hace posible?
¿Ves ese monstruo terrible,
que del agua nace? ¿Ves
ese prodigio? Esa es
la gran puente de Mantible.
El edificio eminente,
que, no sin fatiga suma,
sustenta sobre la espuma
esa lóbrega corriente,
es, Guarín, la excelsa puente;
y este piélago que veo
correr tardo, triste y feo,
es, si el ser de cristal pierde,
el río del Agua Verde
desatado del Leteo.
Pues ese campo profundo,
que en montes Ceneleos yace,
con él del infierno nace,
y dando una vuelta al mundo,
fatal, lóbrego e inmundo

en el mar de Africa muere,
que por admitirle adquiere
el nombre de Marmihonda,
nombre que decir mar honda
en alarbe idioma quiere.

LA SERRANA DE LA VERA
de LUIS VÉLEZ DE GUEVARA

(vv. 2202-2245, Acto tercero)

Entrese, y comienze uno a cantar este romanze desde adentro.

CAMINANTE

Allá en Gargantalaolla,
en la Vera de Plasenzia,
salteóme una serrana
blanca, rubia, ojimorena.
Botín argentado calça,
media pagiza de seda,
alta vasquiña de grana
que descubre media pierna;
sobre cuerpo[s] de palmilla
suelto ayrosamente lleba
un capote de dos faldas
hecho de la misma mezcla;

Agora vaia baxando por la sierra abaxo, abriendo una cabaña que estará hecha arriba, GILA *la serrana como la pinta el romanze, sin hablar.*

el cabello sobre el onbro
lleva partido en dos crenchas,
y una montera redonda
de plumas blancas y negras;
de una pretina dorada,
dorados frascos le cuelgan;

al lado isquierdo un cuchillo,
y en el onbro una escopeta.
Si saltea con las armas,
también con ojos saltea.

Pone agora la escopeta entre las ramas y dize.

GILA
Tente, caminante.

CAMINANTE
¡Ay Dios!

GILA
Apéate, acaba.

CAMINANTE
Espera.
¡Que obe de encontralla aquí
pensando que era consexa!

GILA
¿Dónde vienes?

CAMINANTE
De Toledo.

GILA
¿Adónde vas?

CAMINANTE
A Plasencia.

GILA
¿Qué dinero llebas?

CAMINANTE
Poco.

GILA
Saca luego quanto llebas.

CAMINANTE
En esta bolsa va todo;
perdona el ser poco.

GILA
Muestra.

Tú cantas mal y porfías.

CAMINANTE

Tu historia pienso que es ésta.

GILA

Ya sé que es mi historia.

CAMINANTE

Agora
no solamente en la Vera,
sino en Castilla, no cantan
otra cosa, y tu belleza
y tu fama se aventaxa.

GILA

¿Parézcote hermosa?

CAMINANTE

Afrentas
al sol, al alba, a las flores.

GILA

¿Estimaras que te hiziera
favor?

CAMINANTE

Y será bien grande
si con la vida me dexas.

SONETO A ORFEO
de JUAN DE ARGUIJO

Pudo con diestra lira y dulce canto
bajar Orfeo a la región oscura,
y del dolor que eternamente dura,
el rigor suspender y el triste llanto.

De el divino concento pudo tanto
la fuerza, y de su fe constante y pura,
que a recobrar su prenda mal segura
halló entrada en los reinos del espanto.

Venturoso amador, si no rompiera
el precepto fatal, y conservara

el bien que con tan largo afán conquista.

Mas ordena, ¡ay dolor! la suerte fiera
que cuanto con la dulce voz ganara,
vuelva a perder con atrevida vista.

EL DIVINO ORFEO
de PEDRO CALDERÓN DE LA BARCA
(Primera versión)

ORFEO
Pues no puede mi llanto
muévate la dulzura de mi canto.

(Canta ORFEO.*)*

Atrévete muerte a mí
que quien es con hechos tales
atrevida para todos
no sea para mí cobarde.
Mortal soy: pues soy humano,
llega pues por esta parte,
atrévete muerte a mí
para que tus ondas pase.

AQUERONTE
Vencido me ha tu canto,
tanto suspende y enamora tanto
al río de la muerte.
Ven, que quiero pasarte.

(Lleva AQUERONTE *a la barca a* ORFEO *y entran los tres en ella.)*

ORFEO
Trance fuerte.

AQUERONTE
Ya la estéril orilla

tocas, ya cielo y tierra maravilla
este grande portento,
pues hace el cielo y tierra sentimiento,
cuando tu pecho fuerte
quiere surcar las olas de la muerte.

ORFEO

Amor en que me has puesto
sólo el Amor pudo obligarme a esto.

AMOR

Puesto que el cisne eres
y él canta cuando muere,
imítele en el llanto
la voz enternecida de tu canto
porque ablande la ira
de este eclipse mortal que al mundo admira.

ORFEO

Atrévete muerte a mí, etc.

(Pasa la barca por el tablado cantando ORFEO *y se van; y salen* ARISTEO *y* EURÍDICE *del hueco de una serpiente.)*

DOCUMENTACIÓN TEMÁTICA VARIA

LOA

PARA EL AUTO SACRAMENTAL

INTITULADO

EL DIVINO ORFEO

DE DON PEDRO CALDERÓN DE LA BARCA

PERSONAS

EL PLACER, *villano.*	GALÁN 1.º
DAMA 1.ª	GALÁN 2.º
DAMA 2.ª	GALÁN 3.º
DAMA 3.ª	GALÁN 4.º
DAMA 4.ª	GALÁN 5.º
DAMA 5.ª	MÚSICOS.
UN VIEJO VENERABLE	

Salen los MÚSICOS, *y, oyendo lo que cantan, el* PLACER, *vestido de villano.*

MÚSICOS

Ya que al Día del Señor
aplauden hoy y celebran
con fiestas y regocijos
Divinas y Humanas Letras,
sepamos cuál de ellas
incluye feliz su mayor excelencia.

PLACER

¡Oh tú, Coro de la Fe,
que la Católica Iglesia
hoy no sin piedad anima,
hoy no sin misterio alienta,
cómo, siendo yo el Placer,
que en regocijos y fiestas
debiera tener más parte

como primer móvil de ellas,
sin mí himnos entonas, ritmos
compones y en blandas muestras
de placer, sin el Placer
dices, desafiando letras...!

MÚSICOS

Sepamos cuál de ellas
incluye feliz su mayor excelencia.

PLACER

Ello no es satisfacer
a mis dudas.

Sale la DAMA 1.ª *con un escudo, y en él pintada una E.*

DAMA 1.ª

Pues espera,
que ya que el primer lugar
me toca por ser primera
letra la E de mi escudo,
que en la festiva palestra
del desafío de hoy
a todas exceder piensa,
la primera ha de tocarme
dar a tus dudas respuesta.
¿Qué preguntas?

PLACER

¿Cómo, siendo
yo el Placer, sin mí se alegran?
¿Y cómo, si es desafío,
duelos y músicas mezclan?

DAMA 1.ª

Como eres Placer humano,
la primer duda convenza,
y es hoy Divino Placer
quien mueve la competencia.
Y pasando a la segunda,
la Fe Católica, atenta

a la mayor alabanza
del Misterio que celebra,
saber cuál es el mayor
Atributo suyo intenta.
Dando a la letra que empiece
el nombre la preeminencia,
fin que para aquesto haya
precepto que en orden vengan,
ni todas, sino las que
presuman de sí que venzan.
Con que en una parte lid
de ingenio y en otra fiesta,
a campal festín nos llama,
en quien amigas y opuestas...

ELLA Y MÚSICOS

Sepamos cuál de ellas
incluye feliz su mayor excelencia.

DAMA 1.ª

Y siendo así, que a saber
qué letra a todas prefiera
en su mejor Atributo,
ese boreal cartel reta
Letras Divinas y Humanas
para probar que la E sea
primera divisa mía,
arguyo de esta manera.
En los retóricos frases,
tropo es elegante aquella
figura que Antonomasia
se llama por eminencia,
que es sin nombrar el sujeto
que se alaba, por las señas
dar en su conocimiento.
Y siendo así, que aunque sean
siete Sacramentos, todos
Santísimos, cuando llega
el Santísimo a decirle,
no hay nadie que el de hoy no entienda;

con que siendo, como es,
preciso que a todos venza
por la excelencia la E,
es precisa consecuencia
que a todas prefiera, puesto
que cometida en sí mesma
la Retórica Figura
con la en que en sí explica ella...

MÚSICOS

Incluye feliz su mayor excelencia.

Sale el GALÁN 1.º, *y en su escudo una A.*

GALÁN 1.º

Esa excelencia, que incluye
la retórica licencia,
de que las señas sin nombre,
más que con el nombre crezcan,
¿a quién el Grande Misterio,
que tras su aplauso nos lleva,
la debe sino al Amor?
Y para que es mayor prueba
que ver que amando hasta el fin
quedo del Amor en prendas,
luego el A, que dice Amor,
es cierto que en la lid nuestra...

MÚSICOS

Incluye feliz su mayor excelencia.

Sale el GALÁN 2.º, *en su escudo una V.*

GALÁN 2.º

Que el fin corona la Obra,
nadie al Amor se lo niega;
mas no negará el Amor
que el dar Vida es el fin de ésta.

Vida del Alma le llama
aquella Aguila Suprema,
que sobre decir que es Vivo
Pan, que del Cielo descienda,
por boca de Cristo añade
que el que le coma no muera.
Luego la V de corazón,
en significada prueba
de que el corazón escribe
que es Vida, y aun Vida eterna...

MÚSICOS

Incluye feliz su mayor excelencia.

Sale la DAMA 2.ª, *en su escudo una I.*

DAMA 2.ª

Si Juan Vida a ese Misterio
llama, Pablo le interpreta
Juicio de Dios, cuando dice
que el que a él indigno llega,
reo de su Cuerpo y Sangre,
su Juicio comer intenta.
Luego la I, que propone
a nuestros afectos rienda,
y al ver que es Juicio de Dios,
es aviso de la enmienda...

MÚSICOS

Incluye feliz su mayor excelencia.

Sale la DAMA 3.ª, *y en su escudo una C.*

DAMA 3.ª

Para enmienda, a que no bastan
las humanas fuerzas nuestras,
la Caridad de su Amor
ayuda a suplir las fuerzas.

Luego el Pan de cada día,
que limosna de su Mesa
la Caridad nos reparte,
siendo él la Caridad mesma,
tiene en la C su mejor
Atributo.

Sale el GALÁN 3.º, *y en su escudo una T.*

GALÁN 3.º

El que lo sea,
consta del Temor con que
el Hombre a comer le llega;
pues quien llega sin Temor,
hace del obsequio ofensa.
Luego en la T se le debe
al Temor la reverencia
con que obra la Caridad,
en Fe del Temor dispuesta.

DAMA 3.ª

La Caridad siempre es suma.

GALÁN 3.º

Sí, mas al Temor atenta.

DAMA 3.ª

Con que es argumento.

GALÁN 3.º

Con que es consecuencia.

DAMA 3.ª

Que el lograr quien ama...

GALÁN 3.º

Que el gozar quien tema...

MÚSICOS

Incluye feliz su mayor excelencia.

Sale el GALÁN 4.º, *y en su escudo una H.*

GALÁN 4.º

Honra de Dios, Cipriano
a esa Caridad Inmensa
y a ese Divino Temor
los llama y en la Nobleza
de Dios, Atributos de Honra,
inspiración con que alienta
su pronunciación el H,
¿quién duda que el lugar tenga
preeminente a todos?

Sale la DAMA 4.ª, *y en su escudo una S.*

DAMA 4.ª

Quien
el primer lugar pretenda
para la Sabiduría,
que es la S de mi tarjeta,
y no sin la más probable
razón, si se considera
que nuestra atribución da
al Padre la Omnipotencia,
al Espíritu el Amor
y la Sabiduría Eterna
al Hijo; y siendo El a quien
este Misterio se deba,
como a Sabiduría Suma,
¿quién me ha de hacer competencia?

GALÁN 4.º

Quien ese mismo argumento
en Honra de Dios convierta,
pues es cierta cosa...

DAMA 4.ª

También cosa es cierta...

GALÁN 4.º

Que la Honra de Dios...

DAMA 4.ª

Que de Dios la Ciencia...

MÚSICOS

Incluye feliz su mayor excelencia.

Sale la DAMA 5.ª, *y en su escudo otra A.*

DAMA 5.ª

Segunda vez por el A,
que fue del Amor empresa
corrida de que al Amor
nadie competirle pueda
el Aumento de la Gracia
en segunda A, se presenta,
como alta Difinición
del Sacramento, que intentan
loar nuestros Atributos;
pues de Dios esa Honra y esa
Sabiduría de Dios
su Difinición encierra
en ser Aumento de Gracia.

Sale el GALÁN 5.º, *y en su escudo una I.*

GALÁN 5.º

Es verdad; mas ya que llegas
tú a duplicar la A, ¿qué mucho
que yo a duplicar la I vuelva?
No para volver al Juicio,
sino para que se vea
que hay otra Difinición
que más que tú le comprehenda.

DAMA 5.ª

¿Más que el Aumento de Gracia?

GALÁN 5.º

Sí.

DAMA 5.ª

¿Cuál es?

GALÁN 5.º

Ser su Grandeza
Inefable, que es decir
que no puede humana lengua
en él hablar, sin que quede
absorta, muda y suspensa.

DAMA 5.ª

Decir Aumento de Gracia.

GALÁN 5.º

Callar y creer a ciegas.

DAMA 5.ª

¿Quién duda?

GALÁN 5.º

¿Quién niega?

MÚSICOS

Incluye feliz su mayor Excelencia.

Sale un VIEJO VENERABLE, *y en su escudo una R.*

VIEJO

Que sea el Aumento de Gracia
su Difinición perfecta,
y que inefable el silencio
menos diga, y más entienda
no me acobarda a pensar,
que yo el Lauro no merezca
para la R de mi Escudo.

LOS DOS

Pues ¿qué es lo que representa?

VIEJO

La Redempción, en quien cifra
Dios todas las dichas vuestras;
pues ella es Obra Inefable
en quien la Gracia se aumenta.

(Va señalando a cada uno con su letra.)

La Honra de Dios se engrandece;
la Sabiduría se obstenta;
la Caridad se ejercita;
el Temor de Dios se esfuerza;
el juicio suyo se aplaca;
la Vida se goza eterna;
y finalmente el Amor
logra su mayor Fineza;
pues la Redempción de un Alma
que a Dios Sangre y Vida cuesta,
¿qué Fe no publica?
¿Qué Fe no confiesa?

MÚSICOS

¿Qué incluye feliz su mayor Excelencia?

GALANES

Yo lo concedo.

DAMAS

Yo y todo.

DAMA 1.ª

Y ya que a todos comprehenda
la Universal Redempción,
antes que más Letras vengan,
de la R el Atributo
celebremos.

TODOS

Enhorabuena.

(Canta la Música, y a su compás bailando todos hacen una mudanza, de cuyo lazo resulte que al impedirlos el PLACER, *que queden en ala, en tal orden, que juntos los Escudos formen un renglón que diga* EUCHARISTÍA.)

MÚSICOS

Ya que el Día del Señor
aplauden hoy y celebran
con fiestas y regocijos
Divinas y Humanas Letras,

sepamos cuál de ellas
incluye feliz su mayor Excelencia.

PLACER

Oíd, esperad.

TODOS

¿Qué pretendes?

PLACER

Atento a las Glorias vuestras,
callé hasta aquí; pero ya
volver a mi duda es fuerza.
Que celebráis un Misterio
sé de vuestra competencia,
y aunque todos dél habláis,
ninguno ha dicho cuál sea
tan claramente, que le haya
conocido mi rudeza,
¿qué Misterio es éste?

VIEJO

Lee
lo que contienen las Letras;
qué fueron sus Atributos
sabrás cuál es.

PLACER

Llego a leerlas.

TODOS

¿Qué dicen?

PLACER

Eucharistía.

DAMA 1.ª

Esa es de Dios la Excelencia.

GALÁN 2.º

Esa la Vida del Alma.

DAMA 3.ª

Y la Caridad Inmensa.

GALÁN 4.º

La Honra de Dios.

DAMA 5.ª

El Aumento
de la Gracia.

GALÁN 5.º

La Suprema
Inefabilidad suya.

DAMA 4.ª

Su Sabiduría y su Ciencia.

GALÁN 3.º

Su Temor.

DAMA 2.ª

Juicio.

GALÁN 1.º

Y Amor.

VIEJO

Y pues todo esto se encierra
en ser Redempción de todos,
vuelvan a decir sus Letras:
¡Viva la que dellas
incluye feliz su mayor Excelencia!

MÚSICOS

¡Viva la que dellas
incluye feliz su mayor Excelencia!

(Con esta repetición vuelven a bailar, y trocándose de lugares, hacen segundo renglón, que diga al impedirlos el PLACER: CITHARA IESU.)

PLACER

No, no prosigáis, oíd.
que aún otra duda me queda.

TODOS

¿Qué es la duda?

PLACER

¿Cómo, siendo
el Misterio que celebra
vuestra Fe la Eucharistía,
fiel Representación tierna

de Muerte y Pasión de Cristo,
es con músicas y fiestas?
¿No es éste aquel Sacramento
que ayer veneró la Iglesia
con Disciplinas, Ayunos,
Lágrimas y Penitencias?
¿Pues cómo hoy queréis que el llanto
en música se convierta?

VIEJO

Las mismas Letras podrán
dar a esa duda respuesta.

PLACER

¿Las mismas Letras?

VIEJO

Sí.

PLACER

¿Cómo?

VIEJO

Volviendo otra vez a leerlas.

TODOS

¿Qué lees?

PLACER

Cíthara Iesu.

VIEJO

Luego claramente muestran
que ayer cruento Sacrificio
y hoy Oblación incruenta,
a una Luz *Eucharistía*
y a otra *Cíthara*, se deba
celebrar con regocijos
hoy lo que ayer con Exequias.

DAMA 1.ª

Y no ha de parar en que
este Anagrama contenga
las Letras de ambos Sentidos,
sino que se siga a ellas
otra Representación
al mismo Asunto compuesta.

PLACER

¿De qué?

DAMA 4.ª

La Sabiduría,
que llamó a la competencia
Letras Divinas y Humanas,
dar a todas lugar piensa.
Y así, el Asunto del Auto
hallado en Humanas Letras
es la *Fábula de Orpheo,*
alegorizado a esta
universal Redención,
atento a la consecuencia
de que en ella su Papel
también la *Cíthara* tenga,
pues *Cíthara* de *Jesús*
es la Cruz.

PLACER

De tanta fiesta,
¿cuál ha de ser el Teatro?

DAMA 2.ª

Madrid, como Corte Excelsa
del más Católico Rey.

GALÁN 1.º

De la más Cristiana Reina.

DAMA 3.ª

Del Príncipe más Amado.

GALÁN 2.º

Y de la Infanta más Bella.

DAMA 4.ª

De las más hermosas Damas.

GALÁN 4.º

Y centro de Armas y Ciencias.

DAMA 5.ª

En sus Doctos Tribunales.

GALÁN 5.º

En sus ilustres Noblezas.

VIEJO

Y, sobre todo, Teatro
de los Triunfos de la Iglesia.

PLACER

Pues el Papel del Placer
tocarme en el Auto es fuerza,
le he de empezar por la Loa
con aquel Antiguo tema
del silencio y del perdón.

DAMA 1.ª

Mejor es que en lugar de esa
antigua necia costumbre,
la música y festín vuelva.

PLACER

Pues vaya de baile.

MÚSICOS

Pues vaya de baile.

PLACER

Pues vaya de fiesta.

MÚSICOS

Pues vaya de fiesta.

PLACER

En vez de perdón, aplauso y licencia.

MÚSICOS

En vez de perdón, aplauso y licencia.

TODOS

Pues vaya de baile, vaya de fiesta.
En vez de perdón, aplauso y licencia.

(Con esta repetición, bailando y cantando todos, y representando, acaba la Loa.)

TEMAS DE TRABAJO

1. El auto sacramental como género literario. Explique sus características y diferencias con respecto a otros géneros dramáticos.

2. Explique las posibilidades temáticas del auto y enumere algunas de las materias argumentales más características que tomaron sus autores de la tradición literaria e histórica. Téngase presente para esta diferenciación la opinión calderoniana en torno a los conceptos *asunto* y *argumento*.

3. Analice el valor de la alegoría y los símbolos en un auto sacramental cualquiera. Establezca su función religiosa, dramática, moral y escénica.

4. El auto sacramental como ejemplo de los valores sociales de la época. Intente buscar ejemplos que revelen la concepción de los autores de su propio mundo histórico. Delimite lo que en los autos hay de condicionamiento ideológico contemporáneo y lo que es mera transposición del pensamiento doctrinal.

5. Establezca los sistemas métricos de los cuatro autos aquí editados y estudie las diferencias. Compruebe si la versificación tiene un valor estético-estilístico y defina la poética de los autores con respecto a los elementos distintivos del verso.

6. Compare un auto sacramental de cualquier autor con una comedia del mismo y establezca el sistema de rasgos distintivos. Trate también de hallar las semejanzas en cuanto a la organización de los elementos dramáticos (personajes, estructuras, situaciones, acción, métrica, etc.) y escénicos (decorado, vestuario, entradas y salidas, música, etc.).

7. Intente delimitar la función alegórica de los cuatro autos editados y establezca las diferencias y las semejanzas.

8. Verifique si hay apoteosis eucarística en los cuatro autos y señale la función de la misma. Intente rastrear las

alusiones eucarísticas en el contenido de un auto cualquiera y compruebe su valor y función.

9. Compare el auto de Lope *La puente del mundo* y la comedia *La puente de Mantible* de Calderón.

10. Observe los caracteres distintivos de *La serrana de Plasencia* de Valdivielso y *La serrana de la Vera* de Vélez de Guevara.

11. Compare *El marido más firme* de Lope de Vega con *El divino Orfeo* de Calderón.

12. Intente, si le es posible, establecer la comparación entre alguna de las óperas grabadas de Peri, Caccini y Monteverdi con el auto *El divino Orfeo* de Calderón. (Existen en España las siguientes grabaciones de estas opéras: Jacobo Peri, *Eurídice,* Telefunken, 6, 35014-1/2, ed. de 1980; Giulio Caccini, *Eurídice,* Hispavox, s66.043, ed. de 1981; Claudio Monteverdi, *L'Orfeo,* Telefunken, SKH 21-1/3, ed. de 1974.) Verifique el número aproximado de versos del auto calderoniano que parecen estar cantados.

13. Elementos líricos de los autos aquí editados. Analice las estrofas y establezca la comparación entre los autos de Lope, Tirso, Valdivielso y Calderón.

14. Estructuras de *La puente del mundo* y *El divino Orfeo.* Señale las diferencias de la técnica en cuanto a la organización de la materia argumental.

15. Analice la estructura compositiva de *El gran teatro del mundo* de Calderón o de cualquier otro auto de la primera época de su autor (incluso la primera versión de *El divino Orfeo),* y compárela con *El divino Orfeo.*

16. Estudie las acotaciones escénicas de cualquiera de los autos aquí incluidos e indique, a su luz, cómo pudo ser su representación.

17. Elementos populares del lenguaje en los cuatro autos. Rasgos que los definen y frecuencias en su uso en cada caso. Función específica del lenguaje rústico en cualquier auto.

18. Compare la *Memoria de las apariencias* de *El divino Orfeo* con las acotaciones escénicas de éste, y trate de explicar el desarrollo del auto desde el punto de vista escénico con el material recogido.

19. Haga unas calas estilísticas en los cuatro autos editados aquí e indique su función en cada texto aislado. Estudie después unos rasgos estilísticos comunes (por ejemplo: metáforas, hipérboles, epítetos, hipérbaton, paralelismos, etc.) a los cuatro autos y determine su valor peculiar y distintivo.

20. La concepción teológica del mundo en Lope, Tirso, Valdivielso y Calderón en los cuatro autos aquí editados. Compare sus fundamentos, estructura, organización alegórica y sentido.

CLÁSICOS PLAZA & JANÉS

BIBLIOTECA CRÍTICA DE AUTORES ESPAÑOLES

TÍTULOS PUBLICADOS

1. Gustavo Adolfo Bécquer: *Rimas* y *Leyendas*.
   Edición de ENRIQUE RULL FERNÁNDEZ.
2. Gaspar Melchor de Jovellanos: *Antología*.
   Edición de ANA FREIRE LÓPEZ.
3. Garcilaso de la Vega: *Obras completas*.
   Edición de JOSÉ RICO VERDÚ.
4. José Cadalso: *Cartas marruecas*.
   Edición de JUAN JOSÉ AMATE BLANCO.
5. Lope de Vega: *Fuente Ovejuna*.
   Edición de JESÚS CAÑAS MURILLO.
6. Fernando de Rojas: *La Celestina*.
   Edición de JOAQUÍN BENITO DE LUCAS.
7. José Martín Recuerda: *El teatrito de Don Ramón. Como las secas cañas del camino*.
   Edición de GERARDO VELÁZQUEZ CUETO.
8. Angel de Saavedra, Duque de Rivas: *Don Alvaro, o la fuerza del sino. El desengaño en un sueño*.
   Edición de JOSÉ GARCÍA TEMPLADO.
9. *Poema de Mio Cid*.
   Edición de EMILIA ENRÍQUEZ CARRASCO.
10. Pedro Antonio de Alarcón: *Cuentos y novelas cortas*.
    Edición de ANGEL BASANTA.
11. Gabriel Miró: *Figuras de la Pasión del Señor*.
    Edición de JUAN LUIS SUÁREZ GRANDA.
12. *Poesía cancioneril*.
    Edición de JOSÉ MARÍA AZÁCETA.
13. Francisco de Quevedo: *Antología poética*.
    Edición de ANA SUÁREZ MIRAMÓN.
14. José María de Pereda: *Peñas arriba*.
    Edición de DEMETRIO ESTÉBANEZ CALDERÓN.

15. José Zorrilla: *Antología poética.*
Edición de GREGORIO TORRES NEBRERA.

16. Francisco de Quevedo: *Sueños.*
Edición de MERCEDES ETREROS.

17. Lope de Vega: *Poesía.*
Edición de MIGUEL GARCÍA-POSADA.

18. Juan de Valdés: *Diálogo de la lengua.*
Edición de ANTONIO QUILIS.

19. Pedro Calderón de la Barca: *Casa con dos puertas, mala es de guardar. El galán fantasma.*
Edición de JOSÉ ROMERA CASTILLO.

20. Antonio García Gutiérrez: *El Trovador.*
Edición de ANTONIO REY HAZAS.

21. Leandro Fernández de Moratín: *El Barón. El sí de las niñas.*
Edición de MANUEL CAMARERO.

22. Tirso de Molina: *El Burlador de Sevilla. La prudencia en la mujer.*
Edición de JUAN MANUEL OLIVER.

23. Juan Ruiz, Arcipreste de Hita: *Libro de Buen Amor.*
Edición de JESÚS CAÑAS MURILLO.

24. Juan Valera: *Morsamor.*
Edición de LEONARDO ROMERO TOBAR.

25. *La vida de Lazarillo de Tormes.*
Edición de FLORENCIO SEVILLA ARROYO.

26. Alfonso X: *General Estoria* (Antología).
Edición de MILAGROS VILLAR RUBIO.

27. Don Juan Manuel: *El Conde Lucanor.*
Edición de JOSÉ MANUEL FRADEJAS RUEDA.

28. Fernando de Herrera: *Poesía.*
Edición de SANTIAGO FORTUÑO LLORENS.

29. José de Espronceda: *Poesías. El estudiante de Salamanca.*
Edición de JUAN MARÍA DÍEZ TABOADA.

30. Federico García Lorca: *La zapatera prodigiosa.*
Edición de ARTURO DEL HOYO.

31. Miguel de Cervantes: *Don Quijote de la Mancha*. Tomo I.
Edición de ÁNGEL BASANTA.

32. Miguel de Cervantes: *Don Quijote de la Mancha*. Tomo II.
Edición de ÁNGEL BASANTA.

33. *Novela corta del siglo XVI*. Tomo I.
Edición de JOSÉ FRADEJAS LEBRERO.

34. *Novela corta del siglo XVI*. Tomo II.
Edición de JOSÉ FRADEJAS LEBRERO.

35. Rosalía de Castro: *En las Orillas del Sar*.
Edición de MAURO ARMIÑO.

36. Iñigo López de Mendoza, Marqués de Santillana: *Antología de su obra en prosa y verso*.
Edición de JOSÉ MARÍA AZÁCETA.

37. Lorenzo Villalonga: *Muerte de Dama. La heredera de doña Obdulia o Las tentaciones*.
Edición de JAIME VIDAL ALCOVER.

38. Enrique Gil y Carrasco: *El señor de Bembibre*.
Edición de FRANCISCO GALLEGO DÍAZ.

39. Diego Saavedra Fajardo: *República Literaria*.
Edición de JOSÉ CARLOS DE TORRES MARTÍNEZ.

40. Mariano José de Larra: *Artículos Literarios*.
Edición de JUAN JOSÉ ORTIZ DE MENDÍVIL.

41. *Antología del entremés barroco*.
Edición de CELSA CARMEN GARCÍA VALDÉS.

42. Salas Barbadillo y Castillo Solórzano: *Picaresca femenina* (La hija de Celestina. Teresa de Manzanares).
Edición de ANTONIO REY HAZAS.

43. *Antología de la lírica renacentista*.
Edición de SUSAN ESPÍE.

44. Miguel de Unamuno: *Niebla*.
Edición de ISABEL PARAÍSO.

45. *Autos sacramentales del Siglo de Oro*.
Edición de ENRIQUE RULL FERNÁNDEZ.

DE PRÓXIMA APARICIÓN

Juan Ruiz de Alarcón: *Mudarse para mejorarse. La verdad sospechosa.*
Edición de MANUEL SITO ALBA.

Romancero.
Edición de AMELIA GARCÍA-VALDECASAS.

Gonzalo de Berceo: *Milagros de Nuestra Señora.*
Edición de JUAN MANUEL ROZAS LÓPEZ.

Ramón María del Valle-Inclán: *Sonata de primavera. La corte de los milagros. Cuento de abril.* Tomo I.
Edición de MERCEDES ETREROS.

Ramón María del Valle-Inclán: *Sonata de primavera. La corte de los milagros. Cuento de abril.* Tomo II.
Edición de MERCEDES ETREROS.

Alejandro Casona: *La sirena varada. La barca sin pescador.*
Edición de JUAN MARÍA DÍEZ TABOADA.

José Martínez Ruiz («Azorín»): *Castilla.*
Edición de ANA SUÁREZ MIRAMÓN.

Antonio Gala: *Los verdes campos del Edén. El cementerio de los pájaros.*
Edición de JOSÉ ROMERA CASTILLO.

Pío Baroja: *El mundo es ansí.*
Edición de LEONARDO ROMERO TOBAR.

Baltasar Gracián: *El héroe. El Político. El Discreto. Oráculo manual y arte de prudencia.*
Edición de ARTURO DEL HOYO MARTÍNEZ.

Juan de Mena: *Antología de prosa y verso.*
Edición de JOSÉ MARÍA AZÁCETA.

Antonio Buero Vallejo: *El sueño de la razón.*
Edición de JOSÉ GARCÍA TEMPLADO.

Leopoldo Alas, «Clarín»: *Cuentos.*
Edición de JOSÉ MARÍA MARTÍNEZ CACHERO.

Antología del teatro renacentista.
Edición de MIGUEL ÁNGEL PÉREZ PRIEGO.